Avec quelque 80 best-sellers vendus à plus d'un demi-milliard d'exemplaires et traduits en 28 langues, Danielle Steel est l'auteur contemporain le plus lu et le plus populaire au monde. Depuis 1981, ses romans figurent systématiquement en tête des meilleures ventes du *New York Times*. Elle est restée sur les listes des best-sellers pendant 390 semaines consécutives, ce qui lui a valu d'être citée dans *Le Livre Guinness des records*. Mais Danielle Steel ne se contente pas d'être écrivain. Très active sur le plan social, elle a créé deux fondations s'occupant de victimes de maladies mentales, d'enfants abusés et de sans-abri. Danielle Steel a longtemps vécu en Europe et a séjourné en France durant plusieurs années (elle parle parfaitement le français) avant de retourner à New York pour achever ses études. Elle a débuté dans la publicité et les relations publiques, puis s'est mise à écrire et a immédiatement conquis un immense public de tous âges et de tous milieux, très fidèle et en constante augmentation. Lorsqu'elle écrit (sur sa vieille Olympia mécanique de 1946), Danielle Steel peut travailler vingt heures par jour. Son exceptionnelle puissance de travail lui permet de mener trois romans de front, construisant la trame du premier, rédigeant le deuxième, peaufinant le troisième, et de s'occuper des adaptations télévisées de ses ouvrages. Toutes ces activités ne l'empêchent pas de donner la priorité absolue à sa vie personnelle. Avec ses huit enfants, elle forme une famille heureuse et unie, sa plus belle réussite et sa plus grande fierté. En 2002, Danielle Steel a été faite officier de l'Ordre des Arts et des Lettres. En France, son fan-club compte quelque 30 000 membres.

Retrouvez toute l'actualité de l'auteur sur
www.danielle-steel.fr

UNE GRANDE FILLE

DU MÊME AUTEUR
CHEZ POCKET

DANIELLE STEEL

UNE GRANDE FILLE

Roman

Traduit de l'anglais (États-Unis)
par Éveline Charlès

PRESSES DE LA CITÉ

Titre original :
Big Girl

Retrouvez Danielle Steel sur son blog :
http://pressesdelacite.com/blogs/danielle-steel

Pocket, une marque d'Univers Poche,
est un éditeur qui s'engage pour la préservation
de son environnement et qui utilise du papier fabriqué
à partir de bois provenant de forêts gérées
de manière responsable.

place
des
éditeurs

© Presses de la Cité, un département de   , 2011
pour la traduction française
ISBN 978-2-266-22920-3

Une fois encore je dédie ce livre
à mes merveilleux enfants,
Trevor, Todd, Beatie, Nick, Sam, Victoria,
Vanessa, Maxx et Zara,
qui sont toujours là pour moi et me procurent
tant de joie !
Ils m'offrent leur tendresse, leur amour, leur
soutien et leur générosité,
et tant de moments magnifiques.
Dans la joie comme dans l'affliction,
nous sommes ensemble.
Merci à vous qui me comblez de bonheur.

Avec tout mon amour,
Maman/d.s.

1

À sa naissance, la nature fit à Jim Dawson le don de la beauté. Enfant au physique parfait, grand pour son âge, il devint au fil des ans un athlète exceptionnel. Fils unique, il était le centre du monde pour ses parents, qui avaient accueilli son arrivée comme un cadeau du ciel : à plus de quarante ans, sa mère avait perdu tout espoir de concevoir quand il s'annonça. Elle était en adoration devant son magnifique petit garçon, tandis que le père passait des heures à jouer au ballon avec lui. Jim devint la vedette de son équipe de base-ball en primaire, puis la coqueluche des filles au lycée. Avec ses cheveux noirs, ses yeux de velours brun et sa fossette au menton, il avait tout d'une star de cinéma. À l'université, il fut promu capitaine de l'équipe de football et, après le match de début d'année, personne ne fut surpris qu'il sorte avec la reine du bal, une jolie fille originaire d'Atlanta dont la famille s'était installée en Californie du Sud pour son entrée en faculté. Petite et menue, les yeux et les cheveux aussi foncés que ceux de Jim, avec son teint de porcelaine elle évoquait immanquablement Blanche-Neige. C'était une fille discrète, qui s'exprimait d'une voix douce et éprouvait pour Jim une véritable vénération. Ils se fiancèrent le soir de la remise des diplômes et se marièrent à Noël de la même année.

Dans l'intervalle, Jim avait été engagé dans une agence de publicité tandis que Christine passait les six mois qui suivirent leurs fiançailles à préparer la cérémonie. Elle avait obtenu son diplôme, mais, au cours de ses quatre ans d'études, son seul objectif avait été de trouver un mari. Ils formaient un duo éblouissant : parfaitement assortis, avec leur physique de rêve cent pour cent américain ils auraient pu, de l'avis général, faire la couverture d'un magazine.

Une fois mariée, Christine aurait aimé devenir mannequin mais, pour Jim, c'était hors de question. Il avait un bon emploi, un salaire confortable, et il ne souhaitait pas que sa femme travaille. Qu'allait-on penser de lui ? Qu'il n'était pas capable de l'entretenir ? Il la voulait disponible, à la maison, et attendant chaque soir son retour. Christine se plia à ses exigences. Leurs connaissances étaient unanimes : ils étaient le plus beau couple jamais vu.

Quant à savoir qui portait la culotte au sein du foyer, la question ne se posait pas. Jim prenait toutes les décisions, ce qui satisfaisait pleinement Christine. Sa propre mère était morte lorsqu'elle était toute petite, et celle de Jim, que Christine appelait Maman Dawson, n'arrêtait pas de chanter les louanges de son fils. Christine elle aussi le révérait sans réserve, suivant le modèle de ses beaux-parents. Il gagnait bien sa vie, c'était un mari aimant et amusant, un sportif accompli, et, à l'agence, il gravissait sans faillir les échelons. Il se montrait amical et charmant en société, du moins tant qu'on l'admirait et s'abstenait de le critiquer. Mais quelle raison y aurait-il eu ? Avenant, Jim se faisait facilement des amis. Il avait mis son épouse sur un piédestal et prenait grand soin d'elle. Tout ce qu'il lui demandait, c'était d'agir selon ses directives, d'être en adoration devant lui et de le laisser tenir les rênes du foyer. Le père de Christine avait les mêmes idées que son gendre, et il avait parfaitement formé sa fille à devenir l'épouse dévouée d'un homme comme lui. La vie qu'elle menait était tout à fait conforme à ses espérances, les dépassait même. Avec Jim, pas de mauvaises surprises, pas de déceptions, pas de comportements bizarres : il la protégeait, la couvrait d'attentions et subvenait généreusement à ses besoins. Leur couple fonctionnait à merveille, car chacun connaissait sa place et son rôle, et respectait la règle du jeu. Il était l'Adoré, elle était l'Adoratrice.

Ils n'étaient pas pressés d'avoir un enfant et ils auraient même attendu plus longtemps si les gens ne s'étaient pas mis à faire des commentaires. Jim le ressentit comme une critique, ou un doute sur leur capacité à procréer. En fait, ils étaient ravis de jouir de leur liberté sans les contraintes d'une progéniture. Jim emmenait souvent sa femme en weekend, ils s'offraient des escapades et il l'invitait au restaurant une ou deux fois par semaine. Christine était pourtant bonne cuisinière et elle avait appris à préparer ses plats préférés. Les enfants faisaient partie de leurs projets d'avenir, mais ils n'en éprouvaient pas un besoin immédiat. Toutefois, au bout de cinq ans, les parents de Jim commencèrent à craindre que le couple ne rencontre les mêmes difficultés qu'eux. Jim les rassura : Christine et lui n'avaient aucun problème de ce côté-là, mais, à vingt-sept ans, ils entendaient profiter de la vie et de leurs loisirs sans entraves. En bref, ils estimaient qu'ils avaient tout leur temps pour fonder une famille.

Néanmoins, ces questions incessantes eurent finalement raison de Jim. Il annonça donc à Christine qu'il était temps pour eux de mettre un bébé en route. Comme d'habitude, Christine se plia à ses désirs. À ses yeux, son mari avait toujours raison. Une fois la décision prise, elle fut immédiatement enceinte, alors qu'ils s'attendaient à patienter six mois, voire un an. Et malgré les inquiétudes de sa belle-mère, la grossesse de Christine se déroula sans incident.

Dès le début des contractions, Jim la conduisit à la maternité. Il choisit de ne pas assister à l'accouchement, ce qui sembla également préférable à son épouse. En aucun cas elle n'aurait voulu qu'il se sente mal à l'aise. Il espérait un garçon, ce qui était aussi le souhait le plus cher de Christine, puisqu'elle tenait avant tout à contenter son mari. Il ne leur était même pas venu à l'esprit que ce pourrait être une fille. Pour preuve, ils avaient choisi de ne pas connaître à l'avance le sexe du bébé. Avec toute l'arrogance de sa virilité, Jim partait du principe que son premier-né serait un fils. Forte de cette certitude, Christine avait décoré la chambre en bleu.

Comme le bébé se présentait par le siège, Christine dut subir une césarienne. Elle ne s'était pas encore réveillée de l'anesthésie lorsque Jim fut pré-

venu de la naissance. Et quand l'infirmière lui présenta son enfant à travers la vitre de la pouponnière,
durant une minute ou deux il pensa qu'il y avait
une erreur. Ce petit visage rond et joufflu entouré
d'un halo de duvet blond pâle ne lui ressemblait
en rien, pas plus qu'à Christine. Et plus choquant
que ses traits ou sa blondeur, c'était le sexe de
l'enfant : une fille ! Ce n'était pas le bébé qu'ils
attendaient. En l'observant à travers la vitre, tout
ce qu'il parvint à se dire fut que ce nourrisson lui
rappelait étrangement la reine Victoria à la fin de
sa vie. Sitôt qu'il lui fit part de son impression,
l'infirmière le morigéna, ajoutant que sa fille était
très jolie. Peu habitué aux mimiques des nouveau-
nés, il exprima son désaccord. Selon lui, on aurait
dit l'enfant de quelqu'un d'autre, puisqu'elle
n'avait hérité aucun trait de ses parents. Profondément déçu, il resta assis dans la salle d'attente
jusqu'à ce qu'on lui permette de se rendre au chevet
de sa femme. Dès qu'elle vit son expression, Christine comprit que le bébé n'était pas un garçon et
qu'aux yeux de son mari elle avait manqué à tous
ses devoirs.

— C'est une fille ? murmura-t-elle, encore étourdie par l'anesthésie.

Il hocha la tête sans mot dire. Comment allait-
il annoncer à ses amis qu'en fait de fils il avait
une fille ? C'était un coup terrible pour son ego et
pour son image. Pire encore, il n'avait aucune prise
sur cet événement, ce qui était en soi insupportable.
Jim aimait orchestrer leur vie et Christine se prêtait
toujours à son jeu.

— Oui, c'est une fille, marmonna-t-il finalement.
Elle ressemble à la reine Victoria. J'ignore qui est

le père, plaisanta-t-il, ses yeux sont bleus et ses cheveux blonds.

Une larme perla au coin de l'œil de la jeune maman. Tout le monde était brun dans leurs familles respectives, sauf la grand-mère paternelle de Jim, ce qui semblait à ce dernier insuffisant pour expliquer cette blondeur. Il ne mettait pas en doute la fidélité de sa femme. Cette enfant avait visiblement hérité de gènes lointains et, le résultat, c'était qu'elle n'avait pas du tout l'air d'être leur fille. Les infirmières lui avaient assuré qu'elle était très mignonne, mais Jim n'en était pas convaincu. Quelques heures plus tard, on amena le nourrisson à sa mère. Christine le tint contre elle et caressa ses petites mains tout en contemplant avec un profond étonnement ce bébé emmailloté dans une couverture rose. On venait de lui administrer une injection pour empêcher la montée de lait. Jim ne souhaitait pas qu'elle allaite et elle n'en avait elle-même aucune envie. Elle voulait retrouver au plus vite la silhouette mince que son mari aimait tant. Il ne l'avait pas trouvée attirante pendant sa grossesse, même si elle avait fait très attention à ne pas prendre trop de poids.

Tout comme Jim, elle avait du mal à concevoir que ce bébé blond et joufflu soit le leur. L'enfant avait les longues jambes solides de son père, mais ses traits n'avaient rien de familier. Dès qu'elle vit le bébé, Maman Dawson tomba d'accord avec son fils pour dire qu'elle ressemblait à la mère de son mari, ajoutant qu'elle espérait que cette ressemblance ne se confirme pas par la suite. Sa belle-mère avait été une femme ronde et costaude, plus réputée pour ses dons de cuisinière et de couturière que pour sa beauté.

Le lendemain de la naissance, la déconvenue s'était légèrement atténuée, même si les collègues de Jim le taquinèrent, soulignant qu'il devrait réitérer ses efforts s'il voulait un fils. Christine avait craint que son mari ne soit fâché contre elle. Il la rassura très gentiment : il était heureux de les savoir en bonne santé, elle et l'enfant, et ils feraient contre mauvaise fortune bon cœur. Mais le ton qu'il employa donna à Christine l'impression qu'elle n'était plus à ses yeux l'épouse idéale, et les réflexions de sa belle-mère la confortèrent dans cette idée. Ce n'était un secret pour personne que Jim voulait un garçon qui aurait été la confirmation de sa virilité. Et puisque ni l'un ni l'autre n'avaient envisagé l'arrivée d'une fille, ils n'avaient prévu aucun prénom féminin pour le bébé joufflu qui dormait dans les bras de Christine.

Jim avait plaisanté sur sa ressemblance avec la reine Victoria, mais le prénom leur plaisait. Jim alla plus loin en proposant Regina, « reine » en latin, comme deuxième prénom : Victoria Regina Dawson. Victoria la reine. Lorsqu'ils regardaient le bébé, le choix leur paraissait étrangement adéquat. Christine approuva. Elle souhaitait offrir cette satisfaction à son mari, puisque le sexe de l'enfant l'avait déçu. Elle avait encore le sentiment d'avoir déchu en accouchant d'une fille. Toutefois, lorsqu'elle quitta la maternité, cinq jours plus tard, Jim semblait lui avoir pardonné cette défaillance.

Victoria était un bébé facile, peu exigeant et d'un naturel aimable. Elle marcha et parla de bonne heure. Tout le monde la trouvait adorable. Le duvet presque blanc qui auréolait son crâne à sa naissance s'était mué en une masse de bouclettes blondes. Avec ses grands yeux bleus, ses cheveux pâles et son teint clair, elle faisait très anglaise, au dire de leurs amis. Jim confirmait que Christine et lui l'avaient précisément appelée Victoria en raison de sa ressemblance avec la reine du même nom. Là-dessus, il riait aux éclats. C'était sa plaisanterie préférée sur le bébé, et il la répétait à volonté. Christine saluait la boutade d'un gloussement discret. Elle aimait sa fille, mais l'amour de sa vie, c'était son époux, et la maternité n'y avait rien changé. Contrairement à certaines femmes qui reportent toute leur attention sur leur progéniture, elle n'avait d'yeux que pour Jim. Le bébé venait en second. Christine était une compagne idéale pour un homme aussi narcissique. Et même si Jim désirait toujours un garçon avec qui jouer au ballon, ils n'étaient pas pressés d'en mettre un autre en route. Victoria s'était facilement adaptée à leur vie sans créer trop de perturbations. Ils craignaient en revanche que deux enfants ne les dérangent davantage, surtout si les naissances étaient rapprochées. Pour l'instant, ils se contentaient de Victoria. Maman Dawson remuait le couteau dans la plaie en répétant qu'il était vraiment dommage qu'ils n'aient pas eu de fils en premier, ce qui leur aurait épargné de programmer une seconde grossesse, d'autant que les enfants uniques étaient toujours plus brillants. Comme Jim, bien sûr.

En grandissant, Victoria se révéla extrêmement intelligente. Bavarde et enjouée, elle avait avec ses parents des conversations presque adultes dès l'âge de trois ans. Elle disait des choses amusantes, elle était vive et s'intéressait à tout. À quatre ans, elle apprit à lire avec sa mère, et au cours de sa cinquième année, son père lui expliqua qu'elle avait reçu le prénom d'une reine. Victoria était aux anges chaque fois que son père y faisait référence. Elle savait à quoi ressemblaient les reines. Dans tous les contes de fées qu'elle lisait, elles étaient belles et portaient de magnifiques robes. Parfois, elles possédaient même des pouvoirs magiques ! Cependant, la petite fille n'avait jamais vu de portrait de la reine Victoria, à qui elle était censée ressembler, selon son père. De même qu'on ne lui avait jamais montré de photo de la grand-mère paternelle, dont toute la famille affirmait qu'elle était le portrait craché. Victoria se demandait si elle avait été reine, elle aussi.

À six ans, Victoria était toujours potelée et jouflue. Elle avait de longues jambes et on disait souvent qu'elle était grande pour son âge. Elle dépassait d'ailleurs en taille – et en poids – la plupart de ses camarades de cours préparatoire. Quand les gens remarquaient qu'elle était « forte », elle prenait cela pour un compliment. Cette année-là, alors qu'elle feuilletait un livre en compagnie de sa mère, elle vit le portrait de la souveraine dont elle portait le nom, avec inscrit en toutes lettres sous la reproduction : *Victoria Regina*. Exactement comme elle.

La vieille dame tenait dans ses bras un carlin qui lui ressemblait de façon étonnante. Victoria la contempla un long moment sans dire un mot.

Finalement, elle leva vers sa mère ses grands yeux bleus.

— C'est elle ?

Christine acquiesça en souriant. Pour elle, ce n'était qu'une plaisanterie. Victoria ressemblait à son arrière-grand-mère et à personne d'autre.

— Ce fut une reine très importante en Angleterre, il y a fort longtemps, expliqua-t-elle.

— Sa robe n'est même pas jolie, elle n'a pas de couronne et son chien est affreux, lui aussi, remarqua Victoria, visiblement consternée.

Christine voulut atténuer le choc :

— À cette époque, elle était déjà très âgée.

Elle voyait bien que sa fille était bouleversée, ce qui lui fit de la peine. Jim ne le disait pas méchamment, mais sa petite plaisanterie venait d'avoir un effet dévastateur sur leur enfant, qui paraissait profondément blessée. Victoria regarda fixement le portrait pendant une éternité, tandis que deux grosses larmes roulaient lentement sur ses joues. Christine ne souffla mot lorsqu'elles tournèrent la page, mais elle espéra que sa fille oublierait cette photo.

Elle ne l'oublierait jamais. Dès lors, Victoria n'aurait plus jamais la même perception du regard que posait son père sur elle quand il la comparait à une reine.

2

Un an après cet événement qui modifia à jamais l'image que Victoria avait d'elle-même, ses parents lui annoncèrent qu'elle aurait bientôt un petit frère ou une petite sœur. Victoria en fut enchantée. Plusieurs de ses camarades de cours élémentaire deuxième année avaient des frères et sœurs. Elle faisait partie des rares enfants uniques. La perspective de pouvoir jouer avec une poupée vivante la réjouissait fort. Une nuit, ses parents parlèrent de cette future naissance, alors qu'ils la croyaient endormie. Ce bébé était un « accident », entendit-elle. Ces mots effrayèrent Victoria, qui ne comprenait pas très bien leur signification. Elle craignait que le bébé ne soit blessé, qu'il naisse sans bras ou jambes. Elle ignorait si l'accident était grave. Sa mère pleurait et son père semblait soucieux. Ils disaient tous les deux qu'ils étaient bien comme ça, avec seulement Victoria. À sept ans, enfant facile et docile, elle ne leur avait jamais causé de tracas.

Pendant toute cette nouvelle grossesse, son père répéta qu'il aimerait bien un garçon. Sa mère paraissait du même avis, néanmoins cette fois elle décora la chambre en blanc et non en bleu. Elle avait compris la leçon que Victoria leur avait donnée en venant au monde. Maman Dawson prédit que ce serait encore une fille, ce qu'espérait Victoria. De nouveau, ses parents avaient préféré ne pas connaître le sexe de leur enfant à l'avance. Christine, qui redoutait une mauvaise surprise, voulait conserver l'espoir de donner naissance à un garçon le plus longtemps possible.

Victoria ne comprenait pas pourquoi ses parents ne semblaient pas aussi ravis qu'elle. Sa mère se plaignait souvent d'être énorme et son père taquinait Victoria, lui répétant sans cesse qu'il priait pour que le bébé ne lui ressemble pas. Il ne manquait jamais de lui rappeler qu'elle était le portrait craché de son arrière-grand-mère. Il y avait peu de photos de l'aïeule, et celles que Victoria avait vues montraient une femme imposante, accoutrée d'un tablier, à la taille épaisse et aux hanches énormes, affublée d'un gros nez. La fillette ne savait pas ce qui était pire : ressembler à son arrière-grand-mère ou à l'horrible reine qui posait avec son chien. Après avoir vu ces clichés, elle fut obsédée par son propre nez, petit et rond, qui lui faisait l'effet d'un oignon planté au beau milieu du visage. Elle espérait que le petit frère ou la petite sœur n'en hériterait pas. Mais si le bébé avait été victime d'un accident, son nez ne constituait pas le pire des soucis. Ses parents ne lui avaient jamais expliqué quelles pouvaient être les séquelles exactes de cet « accident », pourtant elle n'avait pas oublié la conversation qu'elle avait surprise cette nuit-là. Victoria n'en était que plus déterminée à se dévouer au bébé et à faire tout ce qu'elle pourrait pour l'aider. Elle espérait que les blessures ne seraient pas trop graves. Peut-être n'aurait-il qu'un bras cassé ou une bosse sur la tête.

Cette fois-ci, la césarienne de Christine avait été programmée. On expliqua à Victoria que sa maman et le bébé resteraient une semaine à l'hôpital sans qu'elle puisse les voir. À en croire les adultes, la procédure était tout à fait normale ; mais les médecins auraient-ils le temps de soigner les lésions subies par le bébé au cours de ce mystérieux événement ?

Le jour de l'accouchement, son père rentra à la maison à 18 heures, au moment où la grand-mère de Victoria préparait le repas. Visiblement dépité, il leur annonça que le bébé était une fille, puis il sourit et il ajouta qu'elle était belle et leur ressemblait énormément, à Christine et à lui. Malgré sa déception, il paraissait soulagé. Il précisa qu'ils comptaient l'appeler Grace, tant elle était jolie. Maman Dawson sourit à son fils, fière d'avoir deviné le sexe de l'enfant. Jim leur apprit que Grace avait les cheveux sombres et les grands yeux bruns de ses parents, la peau blanche de Christine et de minuscules lèvres roses parfaitement dessinées. Elle était ravissante, un vrai bébé de publicité. Sa beauté compensait le fait qu'elle ne soit pas un garçon. Il ne fit aucune allusion à des blessures consécutives à l'accident qui inquiétait tant Victoria depuis des mois. Rassurée à ce sujet, la fillette se réjouit de savoir que sa petite sœur allait bien et qu'elle était très mignonne.

Le lendemain, ils appelèrent Christine à l'hôpital. Elle semblait très fatiguée, ce qui renforça Victoria dans l'idée qu'elle ferait tout son possible pour aider quand elles seraient de retour à la maison.

Lorsqu'elle vit Grace pour la première fois, Victoria la trouva encore plus jolie que ce qu'on lui en avait dit. Elle était vraiment ravissante et de formes parfaites. Elle semblait sortie d'un livre d'images ou, comme son père l'avait dit, d'une publicité. Maman Dawson se mit immédiatement à glousser de satisfaction. Elle prit le bébé des bras de Christine et s'assit sur la chaise que Jim approchait, tandis que Victoria en profitait pour mieux regarder sa petite sœur. Elle avait très envie de la prendre à son tour, de l'embrasser sur les joues, de la câliner et de toucher ses orteils minuscules. Débordant de joie et de fierté, elle n'éprouvait pas la moindre jalousie.

— Elle est magnifique, n'est-ce pas ? dit Jim à sa mère.

Celle-ci était bien d'accord. Cette fois, on ne parla pas de la grand-mère paternelle. C'était d'ailleurs parfaitement inutile. Grace ressemblait à une poupée de porcelaine et ils convinrent tous que c'était le plus beau bébé du monde. Grace n'avait rien de son aînée, aux grands yeux bleus et aux cheveux blonds comme les blés. Difficile d'imaginer qu'elles puissent être sœurs, ou même que Victoria fasse partie de cette famille dont tous les représentants étaient bruns. Son petit corps dodu n'avait rien de commun non plus avec leur stature élancée. Personne ne compara Grace à la reine Victoria ou ne fit allusion à une éventuelle rondeur de son nez. Comme celui de Christine, celui de Grace était tout en finesse et son profil avait l'élégance d'un camée. Dès sa naissance, Grace montrait qu'elle était bien la fille de ses parents, alors que Victoria semblait avoir été abandonnée sur le seuil de la maison par une inconnue. Le cœur empli d'amour, Victoria contemplait ce bébé parfait, endormi dans les bras de sa grand-mère. Cette petite sœur tant attendue était à elle. Elle avait commencé à l'aimer bien avant sa naissance et maintenant, elle était là, enfin.

Comme toujours, Jim ne put s'empêcher de taquiner sa fille aînée. C'était le genre d'homme qui aimait plaisanter aux dépens d'autrui. Ses amis le trouvaient très amusant et l'idée qu'il puisse blesser quelqu'un ne l'avait jamais effleuré. Un petit sourire aux lèvres, il se tourna vers Victoria, toujours en admiration devant Grace.

— J'ai l'impression que tu as été notre petit gâteau test, dit-il en lui ébouriffant affectueusement les cheveux. Mais, cette fois, nous avons réussi la recette.

Maman Dawson expliqua à Victoria que les pâtissiers testaient d'abord les ingrédients et la chaleur du four en confectionnant un gâteau qu'ils jetaient ensuite, car on ne réussissait jamais du premier coup. Victoria fut soudain terrifiée à l'idée qu'on allait peut-être se débarrasser d'elle, puisque Grace était parfaite. À son grand soulagement, personne n'y fit allusion.

Christine monta ensuite dans sa chambre avec le bébé et sa belle-mère. Victoria les suivit discrètement, observant chacun de leurs gestes. Elle voulait apprendre à s'occuper de sa petite sœur. Dès que sa grand-mère retournerait chez elle, elle était certaine que sa mère le lui permettrait.

Elles changèrent le bébé, lui mirent une petite chemise de nuit rose et l'enveloppèrent dans une couverture. Puis Christine lui donna le biberon de lait en poudre offert par l'hôpital. Après quoi, elle lui fit faire son rot avant de la coucher dans son berceau. Cette fois, Victoria put observer plus longuement la nouvelle venue. C'était réellement le plus beau bébé qu'elle eût jamais vu. Et si cela n'avait pas été le cas, si sa sœur avait eu le nez de leur arrière-grand-mère ou si elle avait ressemblé à la reine Victoria, elle l'aurait quand même aimée de tout son cœur. Sa beauté était très importante pour ses parents, pas pour Victoria.

Pendant que sa mère et sa grand-mère bavardaient, elle approcha sa main de celle du nourrisson, qui la regarda avant d'enrouler ses doigts minuscules autour de l'index qu'on lui tendait. Ce fut pour Victoria le moment le plus excitant qu'elle ait connu. Elle sut immédiatement que le lien qui les unissait ne ferait que se resserrer avec le temps et deviendrait indestructible. Elle fit le vœu silencieux de toujours s'occuper de sa petite sœur et de ne permettre à personne de la blesser ou de la faire pleurer. Elle ferait tout son possible pour que la vie de Grace soit parfaite. Par bonheur, sa cadette ne gardait aucune séquelle de l'accident…

Le bébé ferma les yeux et s'endormit.

Victoria se demanda si elle était vraiment ce gâteau test dont son père avait parlé. Ses parents ne l'avaient peut-être eue que pour s'assurer qu'ils atteindraient la perfection avec Grace. Si c'était vrai, ils avaient vraiment réussi leur « recette » : tout le monde dans la famille s'accordait à dire que Grace était une petite merveille. L'espace d'un instant, Victoria souhaita que quelqu'un d'autre eût servi de « brouillon », parce que ses parents auraient alors éprouvé pour elle aussi ce qu'ils ressentaient visiblement pour Grace. Elle aurait voulu être leur victoire culinaire, non pas un produit raté parce que les ingrédients étaient mal dosés ou la température du four inadéquate. Quoi qu'il en soit, elle espérait qu'ils ne la jetteraient pas. Tout ce qu'elle voulait, dorénavant, c'était passer le reste de sa vie auprès de Grace et être la meilleure des grandes sœurs. Elle se réjouissait aussi que le bébé n'eût pas hérité du nez de leur arrière-grand-mère.

Elle descendit déjeuner avec ses parents. Rassasié et changé, le bébé faisait tranquillement la sieste à l'étage. Sa mère l'avait prévenue que Grace dormirait beaucoup, les premières semaines. Au cours du repas, Christine parla de retrouver sa ligne le plus vite possible. Tout en servant le champagne aux adultes, Jim sourit à sa fille aînée. Chaque fois qu'il la regardait, il arborait une expression légèrement ironique, comme s'ils échangeaient une plaisanterie connue d'eux seuls... ou qu'elle soit elle-même la plaisanterie. Victoria n'aurait pas su en décider, mais elle aimait bien qu'il lui sourie. Et maintenant, elle était heureuse d'avoir Grace. Le nourrisson était la petite sœur dont elle avait rêvé toute sa vie et qui lui rendrait tout l'amour qu'elle allait lui donner.

3

Sous la conduite de sa mère, Victoria apprit à s'occuper du bébé. Grace n'avait pas plus de trois mois que Victoria savait déjà changer sa couche, la baigner, l'habiller, lui donner le biberon. Elle s'amusait avec elle pendant des heures, elles étaient inséparables. Ainsi, Christine bénéficia d'un peu de temps libre bien mérité. L'aide de Victoria lui permit de jouer au bridge avec ses amies, de prendre des cours de golf et de s'entraîner avec son coach sportif quatre fois par semaine. Elle avait oublié combien un bébé donne de travail. Heureusement, Victoria jouait le rôle de maman à la perfection. Dès qu'elle rentrait de l'école, elle se lavait les mains, sortait le nourrisson de son berceau et lui prodiguait tous les soins nécessaires. Ce fut à Victoria que Grace adressa son premier sourire. Leur amour mutuel était une évidence : Grace adorait Victoria, qui était folle de sa petite sœur.

Grace restait belle comme une image. Quand elle eut un an, chaque fois que Christine emmenait ses filles au supermarché, quelqu'un l'arrêtait. À Los Angeles, les lieux les plus ordinaires fourmillaient de dénicheurs de vedettes, et ils étaient nombreux à solliciter l'accord de Christine pour des tournages de cinéma, d'émissions de télévision, de spots publicitaires, ou des photos de magazines. Leur manège fascinait Victoria. Jim aussi recevait des propositions quand il montrait la photographie de sa fille cadette. Christine refusait toujours courtoisement. Jim et elle n'avaient nullement l'intention d'exploiter leur enfant, néanmoins ces offres les flattaient et ils ne manquaient pas d'en parler à leurs amis. Quand ces agents discutaient avec sa mère, Victoria, qui assistait aux échanges, se sentait invisible, c'était comme si elle n'existait pas, ils ne voyaient que sa petite sœur. Elle ne s'en offusquait pas, mais il lui arrivait de se demander quel effet cela ferait de participer à une émission ou à un film. Elle-même se réjouissait que Grace soit si jolie, car elle s'amusait à l'habiller comme une poupée et à orner ses boucles brunes de rubans. Après avoir été un bébé magnifique, Grace s'était muée en une délicieuse petite fille. La première fois qu'elle prononça le prénom de Victoria, celle-ci se sentit fondre. Grace gloussait de joie dès qu'elle l'apercevait et lui montrait un attachement farouche.

Grace avait deux ans et Victoria neuf quand leur grand-mère mourut après une brève maladie. Désormais, Christine n'avait plus personne pour l'aider à s'occuper de sa cadette, en dehors de Victoria. En effet, la mère de Jim avait joué les baby-sitters depuis la naissance des filles. Après son décès, Christine se mit en quête d'une personne qui puisse garder les enfants quand Jim et

elle sortaient le soir. S'ensuivit un défilé d'adolescentes qui téléphonaient ou regardaient la télévision tandis que Victoria s'occupait de sa sœur.
C'était de loin ce qu'elles deux préféraient. En
grandissant, Victoria devint de plus en plus responsable et Grace un peu plus ravissante chaque
année. C'était une enfant solaire qui souriait
constamment, encouragée par sa grande sœur.
Victoria était la seule personne à pouvoir la faire
rire au milieu de ses larmes ou à mettre fin à un
caprice. Bien moins adroite avec sa cadette que
sa fille aînée, Christine n'était que trop contente
de laisser Victoria s'occuper de Grace. Jim continuait à taquiner Victoria en l'appelant leur
« gâteau test ». Victoria connaissait parfaitement
la signification de ces termes : Grace était belle
alors qu'elle ne l'était pas, et leurs parents avaient
dû s'y prendre à deux fois pour parvenir à la perfection. C'est ce qu'elle avait expliqué un jour à
une camarade, qui avait paru bien plus horrifiée
que Victoria, habituée à cette appellation. Une ou
deux fois, Christine avait protesté pour la forme,
mais Jim prétendait que Victoria savait que ce
n'était qu'une plaisanterie. En réalité, la fillette
était convaincue qu'elle était une erreur de la
nature et sa cadette la réussite absolue de ses
parents. Un sentiment renforcé par l'attitude des
admirateurs de Grace. Une fois qu'ils avaient dit
combien ils la trouvaient belle et adorable, ils
manquaient de mots pour qualifier Victoria, et
l'ignoraient.

Pourtant, Victoria n'était pas laide, elle passait
seulement inaperçue. Sa peau était claire et sa
longue chevelure blonde et raide coiffée par sa

mère en nattes contrastait avec les boucles brunes qui auréolaient le visage de Grace. Victoria avait de grands yeux innocents de la couleur d'un ciel d'été, alors que ceux de Grace et des parents étaient sombres, leurs cheveux, foncés, ce qui avait toujours paru à Victoria aussi étonnant qu'exotique. Leur ossature était fine, Jim était grand, sa mère et sa petite sœur avaient des attaches délicates et menues. Ils sortaient du même moule. Victoria était différente. Fortement charpentée, elle avait des épaules larges pour une enfant. Elle respirait la santé, avec ses joues roses et ses pommettes saillantes. Ses longues jambes étaient ce qu'elle avait de plus remarquable, on aurait dit celles d'un jeune poulain. Elles paraissaient trop minces pour son corps massif, ainsi que l'avait très justement souligné sa grand-mère, et son buste court accentuait leur longueur. Malgré sa corpulence, elle était vive et gracieuse. Enfant, elle était déjà en surpoids, pas assez pour qu'on puisse la qualifier de grosse, mais il n'y avait rien de menu en elle. Son père ne manquait jamais de lui rappeler qu'elle était trop lourde pour qu'il la prenne dans ses bras. En revanche, il faisait sauter Grace en l'air comme une plume. Même après ses deux grossesses, Christine était restée très mince, voire maigre, et en grande forme, grâce à son coach sportif. Et Grace n'avait jamais été un bébé potelé.

Cette différence entre Victoria et les siens était tellement flagrante que des gens questionnèrent plus d'une fois ses parents pour savoir si elle avait été adoptée. À l'école, la maîtresse avait montré aux élèves des cartes représentant une pomme, une orange, une banane et une paire de galoches. Ensuite, il fallait désigner l'intrus. Dans sa famille, Victoria sentait qu'elle incarnerait éternellement les galoches. Depuis toujours, elle éprouvait l'étrange impression d'être à part, inadaptée. Si au moins elle avait ressemblé à un de ses parents, elle aurait pu croire être à sa place. Mais non. Elle n'était pas en phase avec ses proches et personne ne la traitait de beauté, comme on le faisait pour Grace. Sa petite sœur représentait la perfection, et elle, elle n'était qu'une aînée peu attirante qui déparait dans le décor.

En outre, elle avait bon appétit, ce qui n'arrangeait rien. Elle ingurgitait de grosses portions à chaque repas et finissait toujours son assiette. Elle aimait les gâteaux, les bonbons, la glace et le pain, surtout lorsqu'il sortait du four. À la cantine de l'école, elle dévorait. Elle ne résistait jamais à un plat de frites, à un hot-dog ou à un sundae caramel. Jim aimait bien manger, lui aussi, mais il ne prenait jamais un gramme. Christine se nourrissait principalement de poisson grillé, de légumes cuits à la vapeur et de salades, tout ce que Victoria détestait. Elle préférait de loin les cheeseburgers, les spaghettis et les boulettes de viande. Dès l'enfance, elle avait pris l'habitude de se resservir à table, même si son père fronçait les sourcils ou se moquait d'elle. Elle était la seule à grossir dans la famille. Victoria ne manquait jamais un repas. Se sentir l'estomac plein la réconfortait.

— Un jour, tu regretteras d'avoir si bon appétit, jeune fille, lui disait souvent son père. Ce serait dommage que tu sois grosse, quand tu iras à l'université.

Mais l'université semblait bien loin à Victoria, alors que la purée se trouvait devant elle, à côté du poulet frit. Paradoxalement, Christine accordait la plus grande attention à l'alimentation de Grace. Elle expliquait que sa fille cadette était bâtie comme elle, ce qui n'empêchait pas Victoria de donner en cachette des sucettes à sa petite sœur, qui les adorait. Elle hurlait de joie quand son aînée sortait une friandise de sa poche. Même quand elle n'en avait qu'une, Victoria l'offrait à Grace.

À l'école, Victoria n'avait jamais été populaire. Ses parents lui permettaient rarement d'inviter des camarades, aussi sa vie sociale était-elle limitée. Sa mère prétendait qu'elle avait assez de deux enfants pour mettre le bazar dans la maison. En outre, elle n'appréciait pas les amies de Victoria, lorsqu'elle les rencontrait. Elle trouvait toujours quelque chose à leur reprocher, si bien que la fillette cessa de les amener. Du coup, personne ne l'invitait non plus après l'école, puisqu'on savait qu'elle ne rendait pas les invitations. De toute façon, Victoria était pressée de rentrer pour s'occuper de sa petite sœur. Elle avait des camarades de classe, mais ces amitiés ne dépassaient pas le cadre scolaire. En cours moyen première année, son grand drame fut d'être la seule fille à ne pas recevoir de carte pour la Saint-Valentin. Elle était revenue à la maison en larmes, et sa mère lui avait dit de ne pas faire l'idiote. Gracie, comme elle aimait appeler sa petite sœur, fut sa Valentine. L'année suivante, Victoria avait affirmé qu'elle s'en moquait et s'était armée de courage en prévision de la déception qui l'attendait. Pourtant, cette année-là, elle reçut une carte d'une fille qui faisait la même taille qu'elle. Un vrai échalas, aussi longue et mince que Victoria était massive. Quant aux garçons, ils lui arrivaient tous au menton.

À onze ans, Victoria vit sa poitrine se développer et ce fut le second drame qu'elle dut affronter. Déployant tous ses efforts pour la masquer, elle mit des pulls amples et d'épaisses chemises à carreaux. Elle choisissait à dessein des vêtements deux tailles trop grands. À son immense désespoir, ses seins continuèrent à grossir. En cinquième, elle avait le corps d'une femme. Elle pensait souvent à son arrière-grand-mère, à ses hanches larges, à sa taille épaisse et à ses gros seins. Elle priait pour ne jamais devenir obèse comme elle. En revanche, ses jambes fines semblaient ne jamais devoir cesser de grandir. Victoria l'ignorait, mais elles représentaient son meilleur atout. Ses parents parlaient toujours de sa « grande taille » : elle ne savait jamais s'ils faisaient allusion à ses longues jambes, à sa forte poitrine ou à son surpoids. Et avant qu'elle puisse deviner à quelle partie de son corps ils pensaient, ils se tournaient vers la délicate Grace. À côté de sa petite sœur, Victoria se faisait l'effet d'un monstre ou d'une géante. En raison de sa taille et de ses formes, on lui donnait plus que son âge. En quatrième, son professeur d'arts plastiques la compara à un Rubens et elle n'osa pas lui demander ce que cela signifiait. En réalité, elle ne souhaitait pas vraiment le savoir. Elle était certaine que c'était une façon artistique de la traiter de grosse. Elle finissait par prendre tous ces qualificatifs en grippe. En quatrième, à la fin de sa croissance, elle mesurait un mètre soixante-dix. Une taille qui n'avait rien d'excessif, mais elle dépassait d'au moins une tête la plupart des filles de sa classe et tous les garçons de son âge. Elle avait l'impression d'être un phénomène de foire.

À l'entrée de Grace en maternelle, ce fut Victoria qui eut le plaisir de présenter sa petite sœur à la maîtresse, après que leur mère les eut déposées devant l'école. Victoria regarda Grace en franchir timidement le seuil avant de se retourner pour lui envoyer un bisou. Toute l'année, l'aînée veilla sur sa cadette à la récréation et la ramena à la maison après la garderie. Cet arrangement fut reconduit l'année suivante, alors que Victoria était en quatrième et Grace au cours préparatoire. Mais à l'automne, Victoria entrerait en troisième au lycée et elle ne serait plus dans le même établissement. Elle n'aurait plus l'occasion d'apercevoir Grace lorsqu'elle passait devant sa classe dans la journée. Sa petite sœur allait lui manquer, tout comme elle-même manquerait à Grace, que la présence de Victoria rassurait. La fillette adorait les attentions que lui prodiguait son aînée. Elles pleurèrent ensemble le dernier jour de l'année scolaire. Grace déclara qu'elle ne retournerait plus à l'école, mais Victoria lui assura qu'il le fallait. Ce fut pour l'adolescente la fin d'une époque bénie : la proximité de Grace la rendait toujours heureuse.

L'été qui précéda sa rentrée au lycée, Victoria entreprit son premier régime. Au dos d'un magazine, elle avait vu une publicité pour une tisane garantissant un amaigrissement de cinq kilos. Elle s'en procura avec son argent de poche. Elle voulait commencer sa nouvelle vie de lycéenne plus mince et plus sophistiquée. La puberté lui avait valu des formes généreuses et un surpoids de cinq kilos selon le médecin. La tisane eut des effets inespérés, puisqu'elle fut malade plusieurs semaines de suite. Grace, qui lui trouvait le teint verdâtre, lui demanda pourquoi elle buvait un thé qui sentait aussi mauvais. Comme elle ne les avait pas mis au courant de son initiative, ses parents ignoraient l'origine de son mal. Le breuvage infect lui causa des diarrhées sévères, l'empêchant de sortir pendant plus d'un mois. Elle prétendit qu'elle avait la grippe. Sa mère expliqua à son père que leur fille souffrait sans nul doute d'un stress dû à sa prochaine rentrée au lycée. Finalement, la tisane lui fit quand même perdre quatre kilos. Victoria s'estima fort contente du résultat.

Les Dawson habitaient à la lisière de Beverly Hills, dans un agréable quartier résidentiel. Ils vivaient dans la même maison depuis la naissance de Victoria et Jim dirigeait maintenant l'agence de publicité où il était entré à la fin de ses études. Sa carrière le satisfaisait pleinement, sa femme s'occupait de leurs enfants et tous deux trouvaient qu'ils formaient une famille idéale. Âgés de quarante-deux ans et mariés depuis vingt, ils étaient contents de ne pas avoir eu d'autres enfants : leurs filles suffisaient amplement à leur bonheur et leur existence leur convenait. Jim aimait à dire que Grace avait la beauté et Victoria l'intelligence. Il y avait de la place pour toutes les deux, dans le monde. Il souhaitait que Victoria fît des études dans une université réputée et occupât plus tard un poste important.

— Tu vas devoir compter sur ton cerveau, lui répétait-il comme si elle n'avait rien d'autre à offrir.

Christine, que l'intelligence de sa fille inquiétait parfois, ajoutait :

— Tu auras besoin de plus que cela. Les hommes n'apprécient pas toujours les filles trop brillantes. Il faudra aussi que tu sois séduisante.

Depuis un an, elle harcelait sa fille au sujet de son poids. La perte de quatre kilos l'avait satisfaite, bien qu'elle ignorât totalement la façon dont Victoria s'y était prise. Une chose était certaine : elle aurait voulu que sa fille soit maigre, pas seulement intelligente. Grace lui donnait nettement moins de souci. Elle n'avait que sept ans, mais avec son charme et sa beauté, elle semblait prête à conquérir le monde. Son père était à ses pieds.

À la fin de l'été, la famille se rendit à Santa Barbara pour deux semaines. Ce fut pour tous un séjour agréable. Comme les fois précédentes, Jim avait loué une maison à Montecito et ils allaient à la plage tous les jours. Il fit des commentaires sur la silhouette de Victoria, qui refusa ensuite de quitter le tee-shirt qu'elle avait enfilé par-dessus son maillot de bain. Il lui avait fait remarquer qu'elle avait une grosse poitrine, nuançant ensuite son observation en ajoutant qu'elle avait des jambes divines. Il parlait plus souvent de son corps que de ses excellentes notes. Il n'en attendait pas moins d'elle, mais il mettait invariablement l'accent sur son apparence, comme s'il lui reprochait de ternir sa propre image. Victoria y était habituée, puisque c'était un discours qu'elle avait entendu maintes fois. Pendant que ses parents faisaient de longues promenades sur la plage, elle aidait Grace à construire des châteaux de sable qu'elles ornaient de cailloux, de fleurs et de bâtons d'Esquimau. Grace adorait ça. Les propos de son père sur son physique attristaient Victoria. Sa mère, qui feignait de ne pas les entendre, ne la rassurait jamais et ne prenait pas sa défense. Victoria savait instinctivement que sa mère était déçue par son aspect, elle aussi.

Cet été-là, elle fit la connaissance d'un garçon sympathique qui passait ses vacances dans une maison située en face de la sienne. Jake avait le même âge qu'elle et, en septembre, il devait entrer en pension au lycée de Cait, en Californie du Sud. Il souhaitait lui écrire quand il serait à l'internat. Victoria lui donna volontiers son adresse. Tard dans la nuit, ils s'avouèrent leur appréhension de la prochaine rentrée. En partageant avec lui la bouteille de bière qu'il avait prise dans le bar de son père, Victoria lui confia qu'elle n'avait jamais eu beaucoup d'amis. Il s'en étonna, car il la trouvait à la fois intelligente, drôle, sympathique et il aimait bavarder avec elle. Tout en buvant, ils tiraient à tour de rôle sur une cigarette. Victoria n'avait jamais fumé ni absorbé une goutte d'alcool, si bien qu'elle fut malade une fois rentrée chez elle. Personne ne le remarqua. Ses parents étaient couchés et Grace profondément endormie. Le lendemain, Jake et sa famille partirent pour le lac Tahoe rendre visite aux grands-parents du garçon.

Victoria était plutôt contente de ne plus avoir de grands-parents pour critiquer son physique comme le faisaient ses parents. Sa mère estimait qu'elle devait se faire couper les cheveux et s'adonner au sport dès leur retour. Elle voulait l'inscrire dans un club de gymnastique ou de danse, sans imaginer un instant que Victoria ne supporterait pas d'apparaître en collant devant d'autres filles. Elle aurait préféré mourir plutôt que de maigrir de cette façon. Il lui avait été plus facile de se rendre malade en absorbant cette mauvaise tisane.

Après le départ de Jake, elle s'ennuya à Montecito. Elle se demandait si elle aurait de ses nouvelles à l'automne. Elle passa le reste du séjour à jouer avec Grace. Elle se souciait peu d'avoir sept ans de plus que sa sœur, dont elle adorait la compagnie. Leurs parents racontaient à leurs amis que la différence d'âge n'avait jamais posé de problème. Victoria n'avait pas éprouvé la moindre jalousie envers sa cadette et maintenant qu'elle avait quatorze ans, elle était une baby-sitter tout à fait digne de confiance. Elle s'occupait de Grace chaque fois qu'ils sortaient, ce qui arrivait de plus en plus souvent à mesure que les filles grandissaient.

Pendant les vacances, ils n'eurent qu'une seule grande frayeur, quand Grace s'aventura trop loin dans l'eau, à marée basse. Victoria, qui se trouvait avec elle, venait de partir chercher de la crème solaire. Soudain, le courant s'inversa et une vague plus forte que les autres submergea Grace, qui disparut en un instant comme aspirée par l'océan. Victoria poussa un hurlement et se mit à courir. Elle plongea dans le rouleau, saisit Grace par l'avant-bras et émergea quelques secondes plus tard en toussant au moment où une seconde vague les frappait toutes les deux. À cet instant, leurs parents avaient pris la mesure du danger. Jim courut vers le rivage, sa femme sur les talons. Il se précipita dans l'eau et récupéra ses deux filles dans ses bras puissants sous les yeux de Christine, pétrifiée d'horreur.

Jim s'adressa d'abord à Grace :

— Ne recommence plus jamais ça ! Tu ne dois pas jouer dans l'eau toute seule.

Il se tourna ensuite vers Victoria, une lueur féroce dans les yeux :

— Comment as-tu pu abandonner ta sœur ?

Son tee-shirt trempé collé à la peau, Victoria pleurait, très choquée par ce qui venait de se passer.

— Je suis allée lui chercher de la crème solaire pour qu'elle n'attrape pas de coups de soleil, hoqueta-t-elle.

Sans rien dire, Christine enveloppa Grace dans une serviette. La fillette, qui était restée trop longtemps dans l'eau avant l'incident, avait les lèvres bleues.

— Elle a failli se noyer ! rugit son père, tremblant de peur et de fureur.

Il se mettait rarement en colère contre ses enfants, mais il était bouleversé par la catastrophe qui avait été évitée de peu. Il était tellement hors de lui qu'il en oubliait que Victoria avait sorti sa sœur de l'eau avant lui. La petite s'était blottie contre sa mère, qui la serrait dans ses bras.

— Je suis désolée, papa, souffla Victoria.

Lui tournant le dos, il s'éloigna. Les yeux humides de larmes contenues, Victoria s'approcha de sa mère, qui réconfortait sa jeune sœur.

— Je suis désolée, maman.

Christine hocha la tête et lui tendit une serviette sans souffler mot. Victoria interpréta son geste comme une condamnation.

À certains égards, le premier jour de Victoria au lycée fut moins difficile qu'elle ne l'avait craint. Elle trouva les cours bien organisés, la plupart des professeurs lui plurent et les matières lui parurent plus intéressantes qu'au collège. Sur le plan scolaire, elle avait hâte de se mettre au travail. Sur le plan social, en revanche, elle avait l'impression d'être un poisson hors de l'eau et fut choquée par l'apparence sexy des autres filles. Certaines portaient des vêtements provocants et semblaient se vieillir à plaisir. Toutes étaient maquillées et la plupart étaient trop maigres. L'anorexie et la boulimie faisaient clairement des ravages. Victoria eut immédiatement l'impression de débarquer d'une autre planète, alors que son vœu le plus cher aurait été de se fondre dans la masse. Elle observa les tenues de ses futures camarades. Hormis les minijupes, qui auraient mis en valeur ses longues jambes, ces vêtements auraient été ridicules sur elle. Vêtue d'un jean, d'une chemise ample destinée à masquer ses formes, et chaussée de baskets achetées la veille avec sa mère, Victoria ne portait pas une once de maquillage et avait laissé ses longs cheveux blonds flotter librement dans son dos. Une fois de plus, elle n'était pas dans le coup. Ses habits la différenciaient des autres. Celles qui se trouvaient devant le lycée à son arrivée auraient pu se présenter à un concours de mode. Même celles qui avaient son âge semblaient plus âgées. À la vue de ce troupeau de créatures minces et sexy, elle eut envie de pleurer.

En la déposant à la porte du lycée, sa mère lui sourit.

— Bonne chance et bonne rentrée.

Victoria aurait voulu se cacher sous son siège. Dans ses doigts tremblants, elle tenait son emploi du temps et un plan de l'établissement. Elle espérait pouvoir se repérer sans avoir à demander son chemin à quiconque. Terrorisée, elle craignait plus que tout de fondre en larmes.

— Tout va bien se passer, lui assura Christine quand Victoria se glissa hors de la voiture.

Prenant un air faussement décontracté, elle gravit les marches à toute allure en prenant garde de ne croiser aucun regard.

À midi, à la cafétéria, elle évita soigneusement tout contact avec les autres élèves. Elle prit des chips, un sandwich poulet-crudités, un yaourt et un sachet de cookies pour le goûter. Elle s'assit ensuite seule à une table, jusqu'à ce qu'une autre fille la rejoigne. Plus grande que Victoria et mince comme un fil, elle donnait l'impression qu'elle pouvait battre au basket la plupart des garçons.

— Cela ne t'ennuie pas, si je m'assois ici ?

— Bien sûr que non ! répliqua Victoria en attaquant ses chips.

L'autre fille avait deux sandwiches sur son plateau, mais apparemment, elle pouvait manger ce qu'elle voulait sans prendre un gramme. Si elle n'avait pas eu de longs cheveux bruns, on aurait pu la confondre avec un garçon. Comme Victoria, elle était vêtue d'un jean, portait des baskets et n'était pas maquillée.

— Tu es en troisième ? s'enquit-elle en déballant son premier sandwich.

Paralysée par la timidité, Victoria hocha la tête.

— Je m'appelle Connie, continua l'autre. Je suis le capitaine de l'équipe féminine de basket, comme tu peux le deviner. Je mesure un mètre quatre-vingt-six et je suis en première. Bienvenue au lycée. Comment ça va, jusqu'à maintenant ?

— Pas de problème, répondit Victoria sur un ton faussement blasé.

Pour rien au monde elle n'aurait avoué qu'elle était terrorisée et se faisait l'impression d'être un phénomène de foire. Connie avait-elle ressenti la même chose à quatorze ans ? Elle paraissait très décontractée et sans complexe, mais elle était venue s'asseoir auprès d'une troisième, ce qui amena Victoria à se demander si elle avait des amis. Et si c'était le cas, où étaient-ils ?

— J'ai cessé de grandir à douze ans, remarqua Connie sur le ton de la conversation. Mon frère mesure un mètre quatre-vingt-dix-huit et il a une bourse à l'université de Los Angeles, en qualité de basketteur. Tu pratiques un sport ?

— Un peu de volley, mais pas beaucoup.

— Il y a de très bonnes équipes, ici. Tu pourrais aussi t'inscrire en basket. On a pas mal de filles de ta taille, ici.

« Mais pas de mon poids », faillit répondre Victoria.

Elle avait une conscience aiguë de l'apparence des lycéens qui l'entouraient. Depuis son arrivée, elle avait l'impression d'être deux fois plus corpulente. Malgré tout, elle se sentait mieux grâce à Connie, qui n'avait pas l'air anorexique, était

41

habillée normalement et se montrait gentille et amicale.

— Ça prend un peu de temps, pour piger le fonc-
tionnement du lycée, la rassura Connie. Le premier
jour, je me suis vraiment sentie bizarre. Tous les
garçons que je voyais faisaient la moitié de ma
taille et les filles étaient bien plus jolies que moi.
Mais chacun trouve sa place ici, les sportifs, les
figures de mode et les reines de beauté. Il y a même
un club gay et lesbien. Dans quelque temps, tu
auras décodé le mode d'emploi et tu te feras des
copains.

Soudain, Victoria fut contente que Connie se soit
assise auprès d'elle. Il lui semblait s'être fait une
nouvelle amie. Connie avait fini ses sandwiches,
lorsque Victoria s'aperçut avec un certain embarras
qu'elle avait seulement mangé les chips et les cookies. Elle décida de s'attaquer au yaourt et de
garder le reste.

— Où habites-tu ? l'interrogea Connie.

— À Los Angeles.

— Moi, je viens tous les jours du comté
d'Orange. Je vis avec mon père... Ma mère est
morte l'année dernière.

— Je suis désolée, dit Victoria pleine de compassion.

Se levant d'un bond, Connie la domina de toute
sa taille. Auprès d'elle, Victoria se faisait l'effet
d'une naine. Connie lui tendit un bout de papier
sur lequel elle avait inscrit son numéro de téléphone. Victoria la remercia et le glissa dans sa
poche.

— Appelle-moi si je peux t'aider en quoi que ce
soit. Les premiers jours sont toujours difficiles,

mais ça ira de mieux en mieux. Et n'oublie pas de t'inscrire au sport.

Victoria ne pensait pas donner suite à cette proposition, mais elle était reconnaissante à Connie de l'avoir si gentiment accueillie et mise à l'aise. Pendant qu'elles bavardaient, un beau garçon passa près d'elles en souriant.

— Salut, Connie ! Tu recrutes pour ton équipe ?

— Sûr ! répondit-elle en riant.

Dès qu'il fut parti, elle expliqua :

— C'est le capitaine de l'équipe de natation. Ça pourrait te plaire aussi. Renseigne-toi.

— Mais je ne suis pas une bonne nageuse, je crois que je coulerais à pic, dit Victoria sur un ton penaud.

— Quelle importance ? Tu apprendras. Les coachs sont là pour ça. Quand j'étais en troisième, j'ai commencé par là, mais je n'aimais pas me lever tôt. L'entraînement est à 6 heures, parfois à 5, quand il y a une compétition.

— Je crois que je vais passer mon tour, commenta Victoria avec une petite grimace.

Néanmoins, savoir qu'elle avait le choix la remplissait d'aise : un monde nouveau s'offrait à elle. Chacun ici semblait avoir trouvé sa place. Elle espérait dénicher la sienne. Connie lui apprit qu'à l'entrée de la cafétéria, il y avait des feuilles d'inscription sur le tableau d'affichage, si elle voulait participer à une activité. Quand elles sortirent, Victoria s'arrêta pour y jeter un œil. Elle pouvait jouer aux échecs, au poker, voyager, faire du ski, du tennis, s'inscrire à de multiples ateliers d'écriture, de cinéma, de latin, de langues étrangères, de littérature sentimentale, de style gothique… Il y avait des

dizaines de possibilités. Victoria en distingua deux
— le cinéma et le latin —, mais elle était trop timide
pour apposer son nom sur une liste. Elle gardait un
bon souvenir de la langue latine, qu'elle avait com-
mencée en quatrième, et elle pensait que le cinéma
lui plairait aussi. En tout cas, ces activités ne l'obli-
geraient pas à se déshabiller ou à porter une tenue
qui la grossirait encore. Elle ne pouvait pas choisir
la natation pour cette raison, bien qu'elle soit
meilleure nageuse qu'elle ne l'avait dit à Connie.
Elle se refusait aussi à porter un short pour faire
du basket. En revanche, le ski ne lui aurait pas
déplu, puisqu'elle en faisait chaque année avec ses
parents. Son père avait remporté des médailles dans
sa jeunesse, et sa mère était plutôt bonne skieuse.
Victoria et Grace avaient pris des cours dès l'âge
de trois ans.

— À plus tard, lui dit Connie en s'éloignant sur
ses longues jambes de girafe.

— Merci ! cria Victoria dans son dos, avant de
se rendre à son premier cours de l'après-midi.

Quand sa mère passa la prendre, à 15 heures, elle
était de bonne humeur. Son air heureux surprit
agréablement Christine. La journée n'avait visiblement pas été aussi pénible qu'elle le craignait.

— Comment ça s'est passé ?

— Plutôt bien. Les matières sont nettement plus
intéressantes qu'au collège. Ce matin, j'ai eu SVT
et chimie, et cet après-midi, littérature anglaise, et
espagnol. Le prof d'espagnol est plutôt bizarre et
on ne doit s'exprimer que dans cette langue pendant
son cours, mais les autres sont très sympas. J'ai
regardé la liste des activités extrascolaires. Je crois

que je vais m'inscrire en latin, à l'atelier cinéma et faire du ski.

— On dirait que cette première journée a été plutôt positive, constata Christine.

Elles se rendirent à l'ancienne école de Victoria, pour y prendre sa petite sœur. Il semblait à l'adolescente qu'elle avait vieilli de cent ans, depuis le mois de juin. Maintenant qu'elle était au lycée, elle se sentait très mûre et était finalement contente de son sort. En revanche, lorsqu'elle entra dans l'école pour aller chercher Grace, elle la trouva en larmes. À sept ans, elle était si légère que la jeune fille la souleva comme une plume et l'interrogea, inquiète :

— Pourquoi pleures-tu ?

— C'était horrible, aujourd'hui. David a jeté un lézard sur moi, Lizzie m'a volé mon sandwich au beurre de cacahuètes et Janie m'a tapée ! expliqua-t-elle sur un ton offensé. J'ai pleuré toute la journée, ajouta-t-elle pour faire bonne mesure.

— C'est ce que j'aurais fait, à ta place, assura Victoria en l'emportant vers la voiture.

— Je veux que tu reviennes ! s'écria la fillette en faisant la moue. Ce n'est pas drôle, sans toi !

— Je le voudrais aussi, dit Victoria.

Soudain, elle n'en fut plus si sûre. Le lycée lui avait plu bien au-delà de ses attentes. Il lui offrait diverses possibilités qu'elle souhaitait explorer. Avec un peu de chance, elle réussirait peut-être à s'adapter, au fond.

— Tu me manques, toi aussi, dit-elle à sa jeune sœur.

Avec un peu de tristesse, elle prit conscience qu'en raison de leur différence d'âge, elles ne seraient plus jamais dans le même établissement scolaire.

Dès que son aînée l'eut installée à l'arrière, Grace conta tous ses malheurs à sa mère, qui lui témoigna aussitôt sa compassion. Victoria ne put s'empêcher de remarquer que Christine ne lui avait jamais montré autant d'affection. Sa relation avec Grace était simple et naturelle. Parce qu'elle leur ressemblait, il avait été plus facile à ses parents d'établir un lien avec leur seconde fille. Elle était des leurs, alors que Victoria avait toujours eu l'impression d'être une étrangère. À sa naissance, Christine ne savait peut-être pas encore comment s'y prendre avec un enfant. Si cette explication était la bonne, elle avait appris à être maternelle avec Grace... à moins que, dès le départ, elle n'ait eu davantage de points communs avec elle. Victoria n'avait aucun moyen de le savoir, mais Christine avait toujours été plus froide, distante et critique à son égard. Jim et elle étaient très exigeants envers leur fille aînée, alors qu'ils pardonnaient tout à Grace. L'âge les avait peut-être rendus plus conciliants pour la seconde naissance, ou tout simplement ils l'appréciaient plus que sa sœur. D'ailleurs, ils ne lui avaient pas donné le prénom d'une reine très laide, même par plaisanterie.

Ce soir-là, son père vint aux nouvelles. Elle lui parla de ses cours et des activités extrascolaires. Il approuva son choix du latin, ajoutant que le ski lui donnerait l'occasion de rencontrer des garçons. Christine était plus réticente. Selon elle, le latin était une matière trop sérieuse qui n'encourageait pas les relations sociales. Conscients que Victoria s'était fait peu d'amis au collège, ses parents espéraient que cela changerait au lycée.

Le lendemain, elle s'inscrivit à ces trois activités. En matière de sport collectif, elle décida de se contenter du cours d'éducation physique. Quand le professeur d'EPS lui suggéra de s'inscrire à la danse, elle frémit d'horreur. S'imaginer sautillant dans le gymnase, vêtue d'un justaucorps et d'un tutu, relevait du cauchemar.

Elle quitta l'atelier de cinéma, car les films choisis ne lui plaisaient pas. Elle participa à un seul séjour de ski, à Bear Valley, où elle se retrouva avec de jeunes snobs qui ne lui adressèrent pas la parole. Elle préféra donc rejoindre le club de voyages et elle adora faire du latin, bien qu'il n'y ait que des filles dans le groupe. Elle conserva cette option toute l'année de troisième. Elle rencontrait des gens, mais il n'était pas facile de nouer de véritables amitiés. Elle ne se sentait aucune affinité avec les filles qui formaient le cercle fermé des reines de beauté. Il était très difficile d'approcher les bonnes élèves, aussi timides qu'elle. Pendant deux ans, Connie fut une bonne camarade, mais elle obtint une bourse pour Duke et quitta le lycée, son diplôme en poche. À son départ, Victoria se sentait enfin à l'aise au lycée. De temps à autre, elle recevait des nouvelles de Jake, mais ils ne se revirent jamais, bien qu'ils se le soient promis.

Elle était en seconde quand un élève de sa classe d'espagnol l'invita au bal de fin d'année des premières. Connie le jugeait très sympathique. Ce fut vrai, jusqu'au moment où il se saoula avec des copains dans les toilettes et fut chassé de la salle de bal. Victoria dut téléphoner à son père de venir la chercher.

Ses parents lui offrirent une voiture juste avant son entrée en première, ce qui dispenserait Jim de lui servir de chauffeur. Elle-même en était ravie car elle n'appréciait pas les remarques sarcastiques de son père à son égard lorsqu'il la transportait avec des camarades. Il se trouvait drôle. Elle, n'était pas du tout de cet avis. Elle avait passé son permis l'année précédente. Dès lors, elle se rendit seule au lycée. Elle adorait sa vieille Honda.

Elle n'en parla à personne, mais elle prit cinq kilos pendant les grandes vacances. Elle avait trouvé un job d'été chez un glacier et se gavait de glaces pendant ses pauses. Très contrariée, sa mère estimait que cet emploi ne lui convenait pas, puisqu'elle était incapable de résister à la tentation.

— Tu ressembles chaque jour un peu plus à ton arrière-grand-mère, lui répétait son père.

Elle rapportait à sa petite sœur des gâteaux en forme de clown, fourrés à la crème glacée. Grace les adorait et pouvait en manger autant qu'elle voulait sans prendre un gramme. Elle avait maintenant 9 ans et Victoria 16.

Grâce à l'argent gagné pendant l'été, Victoria put se rendre à New York avec son club de voyages aux vacances de Noël. Ce séjour changea sa vie. Elle s'enthousiasma pour cette ville, qu'elle préféra mille fois à Los Angeles. Son groupe était descendu à l'hôtel Marriott, près de Times Square. Ses camarades et elle firent des kilomètres à pied, allèrent au théâtre et à l'opéra, prirent le métro, montèrent tout en haut de l'Empire State Building, visitèrent le Metropolitan Museum, le musée d'Art moderne et les Nations unies. Jamais Victoria ne s'était autant amusée de sa vie. Ils eurent même droit à une tempête de neige. En rentrant à Los Angeles, Victoria était sur un petit nuage. New York était le plus bel endroit au monde. Elle déclara à ses parents qu'elle y vivrait un jour. Et si possible, elle poursuivrait ses études à l'université de New York ou à Barnard. En dépit de ses excellentes notes, c'était un rêve presque inaccessible, mais elle y pensa pendant des mois.

Après le nouvel an, elle connut son premier amour. Mike était inscrit au même club de voyages, mais n'avait pu venir à New York. En revanche, il projetait d'aller à Londres, Athènes et Rome pendant l'été. Les parents de Victoria ne voulaient pas en entendre parler… Bien qu'elle ait dix-sept ans, ils la trouvaient trop jeune pour entreprendre un aussi long périple. Mike était en terminale et ses parents étaient divorcés, aussi son père était-il d'accord. Victoria, qui le trouvait très mûr, tomba follement amoureuse. Pour la première fois de sa vie, elle se sentait jolie. Mike lui disait d'ailleurs qu'elle lui plaisait physiquement. À la rentrée, il commencerait ses études supérieures à l'université méthodiste du Sud et Victoria passait beaucoup de temps en sa compagnie malgré la désapprobation de ses parents, qui ne l'estimaient pas assez intelligent pour elle. Victoria s'en moquait, puisqu'il la rendait heureuse. Ils s'embrassaient longuement dans la voiture de Mike, mais elle se refusait à aller plus loin. Elle avait trop peur pour sauter le pas et lui répétait qu'elle n'était pas encore prête. En avril, il la quitta pour une fille qui l'était. Il invita sa nouvelle conquête au bal des terminales pendant que Victoria restait chez elle, le cœur brisé. Ce fut le seul garçon qui s'intéressa à elle cette année-là.

L'été suivant, elle entreprit un régime strict qu'elle suivit scrupuleusement, si bien qu'elle perdit trois kilos et demi. Mais dès qu'elle s'alimenta normalement, elle en reprit quatre et demi. Son professeur d'éducation physique lui avait dit qu'elle en avait sept de trop. Au début de sa terminale, elle parvint à maigrir de deux kilos et demi en mangeant de petites quantités d'aliments pauvres en calories et elle se promit de continuer sur cette lancée jusqu'à la remise des diplômes. Elle y serait parvenue si elle n'avait pas attrapé une mononucléose en novembre, qui l'obligea à rester trois semaines chez elle. Pour calmer son mal de gorge, elle mangea beaucoup de glaces. Le sort était contre elle : elle fut la seule fille de sa classe qui grossit de quatre kilos en souffrant d'une mononucléose ! Son combat pour perdre du poids semblait perdu d'avance, mais cette fois, elle était décidée à remporter la victoire. Elle nagea chaque jour pendant les vacances de Noël et poursuivit ses efforts un mois de plus. Tous les matins, elle faisait un jogging avant les cours. Sa mère se déclara fière d'elle lorsqu'elle se délesta de cinq kilos.

Elle s'attaquait aux quatre suivants, quand son père la regarda un matin et lui demanda quand elle se déciderait enfin à maigrir. Il n'avait même pas remarqué qu'elle avait déjà perdu du poids. À la suite de la réflexion paternelle, elle renonça à la natation et à la course à pied et se remit à manger des glaces après les cours, des chips au déjeuner et à se servir de plus grosses portions qui lui donnaient un sentiment de plénitude. Quelle différence cela faisait-il, puisque personne ne s'en apercevait et qu'aucun garçon ne s'intéressait à elle ? Son père lui proposa de l'emmener à sa salle de sport, mais elle prétexta qu'elle avait trop de devoirs, ce qui était vrai.

Elle travaillait dur pour avoir de bonnes notes et elle envoya des dossiers d'inscription dans sept établissements d'enseignement supérieur : l'université de New York, Barnard, l'université de Boston, l'université Northwestern, George Washington, l'université du New Hampshire et celle de Trinity. Elle n'avait déposé aucune candidature en Californie, au grand regret de ses parents. Elle n'aurait pas su expliquer pourquoi, mais elle savait qu'elle devait s'éloigner. Certes, sa famille lui manquerait, surtout Grace, mais elle se sentait différente depuis trop longtemps et elle voulait une nouvelle vie. C'était sa seule chance de s'en aller et elle comptait bien la saisir. Elle était lasse d'être toujours en compétition, lasse de fréquenter des filles qui ressemblaient aux starlettes et aux mannequins qu'elles voulaient devenir un jour. Elle refusa d'envoyer un dossier à l'université de Californie du Sud ou à celle de Los Angeles, comme son père le souhaitait. Elle savait que si elle acceptait, rien ne changerait. Elle voulait côtoyer des personnes qui ne soient pas obsédées par leur apparence. Elle voulait rencontrer des étudiants qui se préoccupaient d'abord d'enrichir leurs connaissances, comme elle.

Ses premiers choix ne furent pas satisfaits. Sur toutes les universités qu'elle avait contactées, trois répondirent favorablement : Northwestern, celle du New Hampshire et Trinity. Elle appréciait cette dernière, mais elle voulait un établissement plus important. Le New Hampshire lui aurait permis de s'adonner à sa passion du ski, mais elle choisit Northwestern, qui, outre son excellente réputation, avait l'avantage de se trouver très loin de la Californie. Bien qu'extrêmement peinés de sa décision, ses parents assurèrent qu'ils étaient fiers d'elle. Comme ils ignoraient à quel point elle se sentait dévalorisée par leur comportement à son égard, ils ne comprenaient pas pourquoi elle tenait tant à quitter la Californie. Peut-être reviendrait-elle à Los Angeles une fois ses études achevées, mais pour l'instant, elle savait qu'elle devait partir.

Étant l'une des trois meilleurs élèves de terminale, elle fut invitée à prononcer le discours de fin d'année. L'auditoire fut surpris par son sérieux et la maturité de ses propos. Elle expliqua combien elle s'était depuis toujours sentie différente et décalée et combien elle avait lutté pour rentrer dans le moule. Elle n'avait jamais été une athlète ni tenté de l'être, elle n'était pas branchée ni populaire, et, au lycée, elle ne portait pas les mêmes vêtements que les autres filles. Elle ne s'était pas maquillée jusqu'en seconde et aujourd'hui encore, elle ne le faisait pas tous les jours. Elle avait adoré le latin, même si on la traitait d'intello...

Victoria égrena la liste de tous les éléments qui faisaient d'elle une personne à part, sans préciser qu'elle se sentait encore plus étrangère dans son propre foyer. Pour finir, elle remercia le lycée de l'avoir aidée à devenir elle-même et à trouver sa voie. Désormais, ses camarades et elle entraient dans un monde où ils seraient *tous* différents, où personne ne les attendait, où chacun devrait aller au bout de lui-même pour réussir. Une fois leur parcours accompli, le leur comme le sien, elle espérait qu'ils se reverraient.

— D'ici là, mes amis, conclut-elle, je vous souhaite bonne chance.

Des larmes coulaient sur les joues de ses condisciples et de leurs parents. Beaucoup de lycéens regrettèrent à cet instant de ne pas l'avoir mieux connue. Son éloquence avait aussi impressionné ses parents, qui prirent soudain conscience qu'elle ne tarderait pas à les quitter. Attendris, ils la félicitèrent. Christine se rendait compte qu'elle allait perdre sa fille, qui ne vivrait peut-être plus jamais avec eux. Après la cérémonie de remise des diplômes, tous les étudiants lancèrent leurs coiffes en l'air. Très silencieux, tout à coup, Jim rejoignit Victoria et lui administra une petite tape dans le dos.

— Bravo pour le discours ! Grâce à toi, tous les laissés-pour-compte de ta classe doivent se sentir mieux.

Elle le regarda fixement. Parfois elle se demandait s'il était seulement stupide ou vraiment méchant. Quoi qu'il en soit, comme d'habitude, il n'avait rien compris.

— Oui, papa, tous ceux qui sont comme moi, dit-elle tranquillement. Je fais partie des laissés-pour-compte et des phénomènes de foire. Ce que j'ai voulu dire, c'est qu'on a le droit d'être différent et qu'à partir de maintenant, nous ferions mieux de l'être, si nous voulons faire quelque chose de nous-mêmes. C'est ce que j'ai appris, au lycée... Il n'y a rien de honteux à être différent.

— Pas trop différent, j'espère, répondit-il avec nervosité.

Toute sa vie, Jim Dawson s'était conformé à la norme et il se souciait fort de ce que les gens pensaient de lui. Il n'appréciait donc guère la philosophie de Victoria, bien qu'il admirât son discours et ses talents d'orateur, qu'il pensait d'ailleurs lui avoir transmis, puisqu'on le considérait comme excellent dans ce domaine. En revanche, il n'avait jamais souhaité se démarquer des autres et Victoria en avait bien conscience. C'était aussi pour cette raison qu'elle ne s'était jamais sentie à l'aise avec lui. Et pour cela qu'elle se lançait dans la plus grande aventure de sa vie en quittant la maison. Si cela impliquait de sortir d'un quotidien confortable pour découvrir sa place dans le monde, elle était prête à s'envoler du nid. D'autant plus que, en dépit de tous ses efforts, elle n'avait jamais pu ressembler à ses parents.

Elle comprenait aussi que Grace était parfaitement adaptée à leur univers, qu'elle était à leur image. Victoria espérait qu'un jour sa jeune sœur déploierait à son tour ses ailes, mais pour l'instant, c'était à elle de prendre son envol. Elle avait beau avoir peur de l'inconnu, elle avait hâte de partir. La fille à qui on avait tant de fois rappelé qu'elle était le portrait craché de la reine Victoria prenait congé. Souriante, elle franchit pour la dernière fois le seuil du lycée et murmura pour elle-même :

— À nous deux, le monde ! Me voici !

4

L'été qui précéda le départ de Victoria pour l'université se révéla doux-amer à bien des égards. Ses parents furent plus gentils avec elle qu'ils ne l'avaient été durant des années, même si son père la présenta à un associé comme son « gâteau test. » Mais il dit aussi à plusieurs reprises combien il était fier d'elle, ce qui surprit la jeune fille. Sans l'exprimer ouvertement, sa mère paraissait triste de la voir partir. Victoria songea qu'ils avaient tous loupé le coche. Son enfance et son adolescence étaient terminées et elle ne comprenait pas pourquoi ses parents avaient perdu tant de temps à se focaliser sur l'inessentiel : son apparence, ses amis ou son absence d'amis, son poids, sa ressemblance avec son arrière-grand-mère, que personne ne connaissait et dont personne ne se souciait… tout cela parce qu'elles avaient le même nez. Pourquoi était-ce si important à leurs yeux ? Pourquoi n'avaient-ils pas été plus proches d'elle, plus affectueux ? Pourquoi ne l'avaient-ils pas davantage épaulée ? Maintenant, il était trop tard pour nouer un lien qui aurait dû toujours exister. Ils lui étaient étrangers, et elle ne pensait pas que cela changerait un jour. Peut-être ne reviendrait-elle jamais vivre auprès d'eux.

Elle avait toujours l'intention de s'installer à New York après ses études. Elle reviendrait à la maison pour les vacances, elle verrait ses parents à Thanksgiving, à Noël et chaque fois qu'ils lui rendraient visite. Mais désormais, Victoria estimait qu'il n'était plus temps qu'ils lui témoignent un amour dont ils avaient toujours été économes. Ils éprouvaient sans doute pour elle une certaine affection, puisqu'elle était leur fille et qu'elle avait vécu avec eux pendant dix-huit ans. Mais durant toutes ces années, elle avait été la cible des plaisanteries de son père. Sa mère, déçue qu'elle ne soit pas plus jolie, la trouvait en outre trop intelligente pour attirer les hommes. Toute son enfance avait été un cauchemar et maintenant qu'elle partait, ils prétendaient qu'elle allait leur manquer. Pourquoi ne lui avaient-ils pas prêté davantage attention lorsqu'elle était là ? L'aimaient-ils vraiment, d'ailleurs ? Elle n'en était même pas sûre. Autant elle ne doutait pas de leur amour pour leur fille cadette, autant elle s'interrogeait sur la nature exacte de leurs sentiments pour elle.

Elle regrettait par-dessus tout de quitter Grace, ce cadeau tombé du ciel lorsqu'elle avait sept ans. Les deux sœurs se vouaient un amour inconditionnel. Victoria envisageait difficilement de ne plus la voir chaque jour, mais elle n'avait pas le choix. À onze ans, Grace commençait à comprendre combien leur père pouvait se montrer méchant envers sa sœur. Elle détestait qu'il se moque d'elle ou souligne sa différence. Aux yeux de Grace, Victoria était belle, grosse ou mince. La fillette pensait que son aînée était la plus jolie fille au monde et elle l'aimait plus que personne.

Victoria redoutait leur séparation et elle chérissait chacune des journées passées en sa compagnie. Elle l'invitait à déjeuner, l'emmenait à la plage ou pique-niquait avec elle. Elles se rendirent à Disneyland et restèrent ensemble autant que possible. Un après-midi, alors qu'elles étaient étendues côte à côte sur la plage à Malibu, regardant le ciel, Grace se tourna vers sa sœur et lui posa la question que Victoria s'était posée tant de fois, enfant :

— Tu crois que tu as été adoptée, et qu'ils ne te l'ont jamais dit ? demanda-t-elle avec innocence.

Victoria lui sourit. Comme d'habitude, elle portait un tee-shirt trop ample par-dessus son maillot de bain.

— Il m'est arrivé de le penser, quand j'étais petite, avoua-t-elle. C'est vrai que je ne leur ressemble pas du tout, mais je suis bien leur fille, quoique nous n'ayons pas grand-chose en commun. J'ai certainement hérité des traits physiques de la grand-mère de papa, ou de quelqu'un de cette génération-là.

Elle était tout aussi différente de Grace, mais cela ne les empêchait pas d'être liées par une profonde affection et elles le savaient toutes les deux. Victoria espérait seulement que sa sœur ne deviendrait pas comme leurs parents, en grandissant. Cette éventualité pouvait sembler incongrue, mais ils avaient beaucoup d'influence sur elle et une fois que Victoria ne serait plus là, leur emprise s'accentuerait encore. Ils s'efforceraient de modeler Grace à leur image.

— Je suis contente que tu sois ma sœur, dit Grace d'une voix triste. Je voudrais que tu ne partes pas à l'université, que tu restes ici.

— Moi aussi, si je pense que nous allons être séparées. Mais je reviendrai pour Thanksgiving et à Noël, et tu pourras venir me voir.

Une grosse larme coula le long de la joue de la petite fille.

— Ce ne sera pas la même chose.

Elles savaient toutes les deux que c'était vrai.

Quand Victoria fit ses bagages, la famille tout entière paraissait en deuil. La veille de son départ, Jim les invita à dîner au Beverly Hills Hotel, où ils passèrent un très bon moment. Il n'y eut pas de plaisanteries d'un goût douteux, ce soir-là. Le lendemain, ils l'accompagnèrent tous les trois à l'aéroport. Lorsqu'ils sortirent de la voiture, Grace fondit en larmes et jeta ses petits bras autour de la taille de Victoria.

Jim enregistra les bagages pendant que les deux sœurs pleuraient sur le trottoir. Christine fixait Victoria d'un air malheureux.

— Je ne veux pas que tu partes, dit-elle doucement.

Si cela avait été possible, elle aurait tenté une nouvelle fois de la convaincre. Elle sentait que Victoria lui glissait entre les doigts pour toujours. Elle n'aurait jamais cru que ce serait aussi dur... Son propre chagrin la prenait au dépourvu.

Pleurant toujours, Victoria la serra dans ses bras, l'embrassa, puis elle étreignit de nouveau sa petite sœur :

— Je reviendrai bientôt. Je t'appelle ce soir, dès que je serai installée, lui promit-elle.

Grace hocha la tête sans cesser de sangloter. Les yeux humides, Jim fit à son tour ses adieux à sa fille d'une voix étranglée par l'émotion.

— Prends soin de toi et téléphone-nous, si tu as besoin de quoi que ce soit. Et si tu ne te plais pas là-bas, tu pourras toujours demander ton transfert dans une université californienne.

Il espérait qu'elle le ferait. Il avait l'impression qu'en choisissant de s'éloigner, sa fille le rejetait. Lui et Christine avaient souhaité qu'elle poursuive ses études à Los Angeles, mais ce n'était pas le désir de Victoria.

Après les avoir embrassés une dernière fois, la jeune fille franchit la porte d'embarquement. Elle leur adressa des signes de la main et ils attendirent qu'elle soit hors de leur vue pour quitter l'aéroport. Grace marchait entre ses parents, la main dans celle de sa mère. Ils étaient étrangement semblables, avec leurs cheveux sombres et leurs corps minces.

Lorsque l'avion en partance pour Chicago décolla, Victoria pensait encore à sa famille tout en regardant par le hublot la ville qu'elle fuyait. Ailleurs, elle trouverait les outils dont elle avait besoin pour se construire une nouvelle vie. Elle ignorait où, en tout cas, pas dans sa ville natale ni auprès de ses parents.

Les années d'université répondirent exactement à l'attente de Victoria. La dépassèrent même. Le campus était immense et les cours qu'elle suivit furent son viatique pour la liberté. Elle voulait que sa formation lui permette de trouver un travail ailleurs qu'à Los Angeles. Grace et parfois même ses parents lui manquaient, mais la seule éventualité de revivre chez eux lui donnait la chair de poule. Elle allait souvent à Chicago, qu'elle voulait apprendre à connaître à fond. Malgré la rigueur du climat, elle appréciait énormément cette ville, qu'elle jugeait vivante et raffinée.

La première année, elle retourna chez ses parents pour Thanksgiving. Grace avait grandi et encore embelli, à supposer que ce fût possible. Sa mère avait finalement accepté de lui laisser faire une publicité pour Gap Kids. On voyait les photographies de la fillette un peu partout et elle aurait pu devenir mannequin, mais son père voulait une vie moins superficielle pour elle. Il jurait ses grands dieux qu'il n'accepterait jamais que sa seconde fille fasse ses études supérieures loin de ses parents. Il prévint Grace qu'elle devrait postuler pour l'université de Los Angeles, Pepperdine, Pomona, Scripps, Pitzer ou l'université de la Californie du Sud. Il ne lui permettrait pas de quitter Los Angeles. À sa façon, il regrettait sincèrement l'absence de Victoria. Quand elle appelait, il n'avait pas grand-chose à lui dire, sinon qu'il espérait la voir de retour. Puis il passait le combiné à sa femme, qui lui demandait ce qu'elle faisait et si elle avait maigri. C'était la question que Victoria redoutait, car elle n'avait pas perdu un gramme. Deux semaines avant de retourner chez ses parents, elle entamait un régime sévère.

Lorsqu'elle revint à Los Angeles pour Noël, sa mère remarqua qu'elle avait perdu un peu de poids. La jeune fille avait assidûment fréquenté la salle de sport de la fac, mais elle reconnut qu'elle n'avait pas de petit ami. Elle travaillait trop dur pour penser à sortir. Elle avait décidé de préparer un diplôme d'enseignement, ce que son père désapprouva aussitôt. Ce désaccord fit oublier momentanément à ses parents son poids et son manque de relations masculines.

— Tu ne gagneras jamais décemment ta vie, si tu deviens professeur, lui dit Jim. Tu devrais te spécialiser dans la communication et travailler dans la publicité ou les relations publiques. Je peux t'obtenir un poste.

Cela partait d'un bon sentiment, mais ce n'était pas ce qu'elle voulait faire. Elle avait envie d'enseigner, de travailler avec des enfants. Elle changea de sujet et ils parlèrent du climat rigoureux du Midwest. Avant d'y aller, elle n'avait jamais imaginé qu'il pourrait y faire aussi froid. La semaine d'avant son départ pour la Californie, le thermomètre était descendu bien au-dessous de zéro. Cela dit, elle adorait les matches de hockey. L'étudiante avec qui elle partageait sa chambre ne lui plaisait pas trop, mais elle s'en accommodait et elle s'était fait quelques relations parmi les filles qui vivaient dans son bâtiment. Elle mettait surtout toute son énergie dans le travail et s'efforçait de s'habituer à vivre loin de chez elle. Elle précisa qu'on mangeait plutôt mal sur le campus, et personne ne fit de remarque lorsqu'elle se resservit deux fois de bœuf braisé. Pendant son séjour, elle fréquenta souvent la salle de sport. Elle appréciait comme jamais le climat de Los Angeles.

Pour Noël, son père lui offrit un nouvel ordinateur et sa mère une doudoune bien chaude. Grace avait confectionné un montage de photographies d'elles deux, prises dès sa naissance. Elle l'avait épinglé sur un panneau à accrocher dans sa chambre. En repartant, Victoria n'était pas certaine de revenir pour les vacances de printemps. Elle prévint ses parents qu'elle irait peut-être en voyage avec quelques amis. En réalité, elle voulait se rendre à New York pour y trouver un job d'été, mais elle n'en fit pas mention. Son père lui promit que si elle ne rentrait pas en mars, ils viendraient passer un long week-end à Chicago avec elle en avril. Cette fois, il lui fut encore plus difficile de quitter Grace, l'une et l'autre souffraient de cet éloignement. Une fois de plus, ses parents lui assurèrent qu'elle leur manquerait.

Le second semestre fut très dur. Le vent était glacial, elle avait peu de relations, aucun ami proche. Elle se sentit très seule et attrapa une mauvaise grippe en janvier. Elle cessa alors de fréquenter la salle de sport et eut exclusivement recours au fast-food. À la fin du semestre, elle pesait douze kilos de trop. Elle n'entrait plus dans aucun de ses vêtements et avait l'impression d'être énorme. Elle n'eut pas d'autre choix que de se remettre au sport et à la natation. Elle parvint à perdre assez rapidement cinq kilos grâce à un régime et à des comprimés que lui avait donnés une camarade, qui la rendirent très malade. Mais elle put de nouveau enfiler ses vêtements et envisagea de s'inscrire à une réunion des Weight Watchers pour se débarrasser des kilos restants. En fait, elle avait toujours une excuse pour ne pas mettre ce projet à exécution. Elle avait du travail, il faisait froid, elle avait un devoir à rendre… Elle menait une bataille incessante contre son poids. Même si sa mère n'était plus là pour la harceler, même si elle ne subissait plus les moqueries de son père, elle était obsédée par son embonpoint et n'eut pas un seul petit ami de toute l'année.

Ainsi qu'elle l'avait projeté, elle se rendit à New York pendant les vacances de printemps et décrocha un emploi de réceptionniste pour l'été dans un cabinet d'avocats. Le salaire était convenable et elle avait hâte de commencer. Comme promis, ses parents et sa sœur lui rendirent visite à Chicago, où il neigeait encore en avril. L'hiver semblait ne jamais devoir finir. Victoria attendit le mois de mai pour annoncer par téléphone à sa famille qu'elle avait trouvé un job à New York. À l'autre bout du fil, Grace sanglota. Elle venait d'avoir douze ans et Victoria dix-neuf.

— Je veux que tu rentres à la maison ! Je ne veux pas que tu ailles à New York !

— Je serai avec toi en août, promit-elle.

Grace demeura inconsolable. Elle venait de participer à une campagne de publicité nationale. Elle trouvait le métier de mannequin amusant et ses parents déposaient tout ce qu'elle gagnait sur un compte bancaire à son nom. Mais Victoria lui manquait. Sans elle, la vie à la maison était bien moins drôle.

Quand Victoria eut passé ses examens, elle fut ravie de partir pour New York. Elle commença à travailler le lendemain du Memorial Day.

Elle s'était acheté quelques jupes, des chemisiers et des robes d'été qui seraient de mise au cabinet d'avocats. Elle avait réussi à maîtriser son poids en ne mangeant plus de desserts, de pain et de pâtes. Ce régime pauvre en glucides semblait lui convenir, d'autant qu'elle s'était privée de glaces tout un mois. Christine aurait été fière d'elle. Victoria s'était rendu compte que, tout en critiquant son appétit, sa mère avait toujours en réserve des crèmes glacées au congélateur et qu'elle lui servait tous ses aliments préférés qui la faisaient grossir. Elle avait été constamment l'instrument de la tentation. Victoria comprit que, dorénavant, elle ne pouvait s'en prendre qu'à elle-même si elle mangeait trop. Elle s'efforça donc d'être raisonnable et persévérante, sans pour autant se lancer dans des régimes déments ou avoir recours à des médicaments. Elle n'avait pas le temps de s'inscrire aux Weight Watchers, mais elle s'était promis de marcher tous les jours. Le cabinet d'avocats était situé dans la 53e Rue et donnait sur Park Avenue. La jeune fille était descendue dans un petit hôtel, sur Gramercy Park, à deux kilomètres à pied de son lieu de travail.

Cet emploi plaisait à Victoria. Le personnel était gentil avec elle et, de son côté, elle se montrait dynamique, responsable et compétente. Derrière son bureau, elle répondait au téléphone, remettait les plis aux coursiers, distribuait le courrier aux avocats, prenait les messages et accueillait les clients. C'était un travail facile mais prenant et, la plupart du temps, elle finissait tard. Lorsqu'elle se retrouvait dehors, dans la chaleur torride de l'été, elle était trop fatiguée pour marcher et elle rentrait en métro. En revanche, le matin, elle se rendait à son travail à pied si elle n'était pas en retard… Si elle avait mis trop de temps pour s'habiller ou se laver les cheveux, elle prenait le métro.

Comme elle était beaucoup plus jeune que la plupart des secrétaires du cabinet, elle ne se fit aucune amie. Les employés étaient surchargés de travail et n'avaient guère le temps de bavarder ou de lier connaissance. Pendant le déjeuner, elle échangeait quelques mots avec certains d'entre eux, mais ils étaient toujours très pressés. Elle ne connaissait personne à New York, pourtant elle ne s'en souciait guère. Les week-ends, elle faisait de longues promenades dans Central Park, ou bien elle assistait à des concerts, étendue sur l'herbe. Elle visita les principaux musées, les Cloîtres et leur collection d'objets médiévaux, explora les quartiers de SoHo, Chelsea et Greenwich Village, et fit des incursions sur le campus de l'université de New York. Elle aurait bien aimé y faire transférer son dossier, mais elle ne savait pas si elle aurait les équivalences nécessaires et si ses notes étaient suffisantes. Elle pensait rester à Northwestern les trois années à venir. Elle pouvait aussi accélérer le processus en suivant les cours d'été et ensuite s'installer à New York pour y trouver un emploi. Après y avoir vécu un mois, elle savait avec certitude que c'était là qu'elle voulait travailler. Parfois, pendant sa pause-déjeuner, elle établissait la liste des écoles new-yorkaises. Elle était bien décidée à enseigner dans un établissement privé et rien ni personne ne la ferait revenir sur sa décision.

Lorsqu'elle quitta le cabinet d'avocats, elle s'envola pour Los Angeles, où elle devait passer les trois semaines suivantes. Grace se jeta dans ses bras dès qu'elle franchit la porte. À sa grande surprise, la maison lui parut plus petite et ses parents plus âgés. Grace avait beaucoup grandi, mais elle ne ressemblait pas du tout à sa sœur au même âge. Si, à l'adolescence, Victoria avait vu son corps se transformer et sa poitrine augmenter de volume, Grace était restée aussi menue, elle avait la même silhouette fine que sa mère et un visage en forme de cœur. En dépit de sa fragilité apparente, elle avait l'air plus mûre. Dès le premier soir, elle confia à son aînée qu'elle avait le béguin pour un garçon de quatorze ans qu'elle rencontrait à la piscine et au tennis. Victoria avait honte d'avouer à ses parents qu'elle n'était pas sortie avec un garçon de toute l'année. Croyant qu'elle était trop prude pour leur en parler, ils la harcelaient chaque jour à ce sujet. Elle finit par s'inventer un petit ami qui jouait au hockey et poursuivait des études d'ingénieur. Jim l'informa sur-le-champ que les ingénieurs étaient des raseurs. Mais au moins, il croyait qu'elle avait quelqu'un dans sa vie. Elle prétendit qu'il passait ses vacances en famille, dans le Maine. La nouvelle sembla soulager ses parents. En revanche, elle admit qu'elle n'avait rencontré personne d'intéressant à New York. Malgré tout, qu'elle sorte avec un garçon la rendait plus normale aux yeux des siens que si elle avait confessé passer ses nuits à étudier toute seule dans sa chambre.

Cette question réglée, sa mère la prit à part pour lui dire qu'elle avait sans doute un peu grossi à New York. Lorsqu'elle accompagnait Grâce à la piscine où elle rencontrait son petit ami, Victoria gardait son short et sa chemise au lieu de se mettre en maillot de bain. Sur le chemin du retour, Grace et elle dégustaient chaque fois une glace, mais Victoria ne toucha jamais au pot de Häagen-Dazs que sa mère avait mis au congélateur. Pour rien au monde ils ne la verraient en manger !

Les vacances en Californie passèrent en un éclair. De nouveau, sa famille regretta de la voir partir. Grace se maîtrisa davantage, mais elle avait du mal à admettre qu'elle ne reverrait pas sa sœur avant Thanksgiving, trois mois plus tard. Victoria allait être surchargée de cours et Grace entrait en cinquième. Dans deux ans, elle irait au lycée, ce que sa grande sœur avait du mal à concevoir.

L'étudiante qui partageait la chambre de Victoria était une fille nerveuse, originaire de New York. Maigre à faire peur, elle souffrait visiblement de troubles du comportement alimentaire. Elle ne tarda pas à confesser qu'elle avait été hospitalisée tout l'été. Victoria la regarda fondre chaque jour un peu plus. Ses parents l'appelaient constamment pour prendre de ses nouvelles. Elle confia à Victoria qu'elle avait un petit ami à New York. Pendant les cours, elle semblait complètement perdue et Victoria essayait d'ignorer le stress qui émanait d'elle. Elle était dans un état grave et rien qu'en la regardant Victoria sentait croître son appétit. Par bonheur, quand Victoria rentra chez ses parents pour Thanksgiving, sa colocataire décida de quitter l'université pour regagner New York. Victoria fut soulagée d'apprendre qu'elle ne la verrait plus à son retour. La tension palpable de cette jeune fille rendait la cohabitation difficile.

Entre Thanksgiving et Noël, Victoria fit la connaissance du premier garçon susceptible de l'intéresser depuis le début de ses études supérieures. En licence, il comptait se spécialiser en droit, mais pour l'instant il suivait le même cours de littérature anglaise qu'elle. Originaire de Louisville, dans le Kentucky, il était grand et beau, avec des taches de rousseur et des cheveux auburn. Lorsqu'il lui parlait, son accent légèrement traînant enchantait Victoria. Ils appartenaient au même groupe de travail, et il l'invita un jour à prendre un café. Son père possédait plusieurs chevaux de course et sa mère vivait à Paris. Il projetait de passer Noël là-bas avec elle. Il parlait couramment le français et avait vécu à Londres, ainsi qu'à Hong-Kong. C'était un garçon charmant et attentionné, et son côté exotique fascinait Victoria. Il s'appelait Beau.

Lorsqu'ils évoquèrent leurs familles, il lui raconta que sa vie avait été bouleversée par le divorce de ses parents. Sa mère parcourait le monde, sans jamais se fixer. Après son père, elle avait épousé un autre homme, dont elle avait aussi divorcé. Il trouvait la vie de Victoria bien plus stable que la sienne, ce dont elle convenait, mais elle ne considérait pas qu'elle avait eu une enfance très heureuse puisqu'elle s'était sentie étrangère dans son propre foyer. De son côté, il était toujours le nouveau venu, où qu'il aille. Après la troisième, il avait changé cinq fois de lycée. Son père venait d'épouser une jeune femme de vingt-trois ans. Lui-même en avait vingt et un. Il avoua à Victoria qu'il avait failli coucher avec sa belle-mère, qui lui avait fait des avances. Ils étaient ivres tous les deux et, par miracle, il avait réussi à ne pas céder à la tentation. Malgré tout, il redoutait de la revoir. Il avait donc décidé de retrouver sa mère à Paris pour les vacances de Noël, bien qu'il n'appréciât pas beaucoup son nouveau compagnon français.

Malgré l'humour avec lequel il racontait sa vie, ces histoires d'un petit garçon perdu entre des parents aussi fous qu'irresponsables avaient quelque chose de tragique. Selon lui, il était la preuve vivante que les parents riches détraquaient leurs enfants. Il voyait d'ailleurs un psy depuis l'âge de douze ans. Quand Victoria partit chez les siens, pour Noël, ils n'avaient pas encore couché ensemble. La veille de son départ, ils passèrent une soirée en amoureux et échangèrent des caresses, sans aller plus loin. Victoria, qui trouvait Beau merveilleusement romantique, promit de l'appeler de Los Angeles. Il la fascinait. Cette fois, quand ses parents cherchèrent à savoir avec qui elle sortait, elle put leur dire que son petit ami allait faire des études de droit. Cette orientation leur parut respectable, même si elle ne pensait pas que Beau leur plairait. Il était bien trop excentrique pour eux.

Beau, qui se trouvait à Gstaad avec sa mère et son Français, lui téléphona. Au ton de sa voix, elle comprit qu'il s'ennuyait et qu'il se demandait ce qu'il faisait là-bas. Il lui envoyait constamment des SMS désopilants. Grace voulut savoir s'il était mignon, mais elle déclara ensuite qu'elle n'aimait pas les cheveux auburn. Cette fois, Victoria surveilla son régime. Son père exprima son incrédulité quand sa fille refusa tous les desserts. Victoria comprit que, quoi qu'elle fasse, il la considérerait toujours comme une gourmande invétérée, en perpétuel surpoids.

Victoria perdit deux kilos et demi au cours de son séjour chez ses parents. Beau et elle regagnèrent l'université à quelques heures d'intervalle. Toutes les vacances, elle n'avait pensé qu'à lui : combien de temps leur faudrait-il encore avant de coucher ensemble ? Elle était contente d'avoir gardé sa virginité. Beau serait son premier amant et elle prévoyait qu'il serait à la fois doux et sensuel. Lorsqu'il la rejoignit dans sa chambre, ils s'embrassèrent, rirent et se caressèrent, mais il se dit tellement fatigué par le décalage horaire qu'ils n'allèrent pas plus loin ce soir-là. Il ne se passa rien non plus les semaines suivantes. Ils étaient toujours ensemble, se retrouvaient à la bibliothèque et, comme elle n'avait plus de colocataire, il dormait sur le second lit. Ils passaient beaucoup de temps à s'embrasser et à se caresser et il adorait ses seins, mais ils n'allaient jamais plus loin. Il lui disait qu'elle aurait dû porter des minijupes car elle avait de très belles jambes. Il paraissait totalement sous le charme et, pour la première fois de sa vie, Victoria perdait réellement du poids. Elle voulait être belle pour lui et elle se sentait bien dans sa peau.

Ils firent des batailles de boules de neige, allèrent à la patinoire, assistèrent à des matches de hockey, dînèrent ensemble au restaurant et fréquentèrent les bars. Il la présenta à ses amis. Ils allaient partout ensemble et passaient de merveilleux moments, mais ils ne faisaient pas l'amour, même s'il leur arrivait d'en approcher de très près. Elle en ignorait la raison et n'osait pas l'interroger. Elle se demandait s'il la trouvait trop grosse ou s'il était trop timide. Peut-être était-il échaudé par ce qu'il avait failli faire avec sa jeune belle-mère ou par le divorce de ses parents. Quelque chose le retenait, mais quoi ? Elle n'en avait aucune idée. Il la désirait visiblement et leurs moments d'intimité étaient de plus en plus passionnés, mais leur faim mutuelle n'était jamais satisfaite. Victoria se sentait devenir folle. Un soir, alors qu'ils étaient étendus sur son lit en sous-vêtements, il la serra dans ses bras un long moment sans dire un mot, puis il se leva.

— Qu'est-ce qui t'arrive ? lui demanda-t-elle doucement.

Elle était certaine qu'il y avait quelque chose en elle qui n'allait pas. C'était peut-être son poids. Tous ses complexes revinrent à la surface tandis qu'il s'asseyait au bord du lit.

— Je suis en train de tomber amoureux de toi, dit-il en enfouissant son visage dans ses mains.

— Et moi de toi. Qu'y a-t-il de mal à cela ? rétorqua-t-elle en souriant.

— Je ne peux pas te faire ça, murmura-t-il.

D'un geste tendre, elle repoussa la mèche de cheveux auburn qui lui tombait sur les yeux. Il ressemblait à Huckleberry Finn ou à Tom Sawyer.

— Bien sûr que si !

— Non, c'est impossible. Je ne peux pas... Tu ne comprends pas. C'est la première fois que ça m'arrive... avec une femme... je suis gay... et quel que soit mon amour pour toi, tôt ou tard, je coucherai de nouveau avec un homme. Je ne veux pas t'infliger cela, même si je te désire ardemment.

Pendant un long moment, elle ne sut que dire. Cet aveu dépassait largement son expérience. C'était bien plus compliqué que ce qu'elle avait envisagé de vivre avec lui. Et il se montrait honnête. Il savait qu'un jour ou l'autre, il succomberait à son attrait pour les hommes.

— Je n'aurais jamais dû te proposer de sortir avec moi, mais je suis tombé amoureux de toi dès que je t'ai vue.

Elle lui était reconnaissante de sa franchise, cependant elle n'en souffrait pas moins horriblement.

— Pourquoi ça ne marcherait pas, dans ce cas ?

— Parce que c'est impossible. Ce n'est pas ce que je suis. Ce que nous avons vécu était un fantasme délicieux, mais ce n'est pas réel, en ce qui me concerne, et j'ai eu tort de me lancer dans cette relation avec toi. Je ne veux pas te faire de mal et, immanquablement, tu seras blessée un jour. Nous devons arrêter.

La fixant de ses grands yeux verts, il ajouta :

— Au moins, nous pouvons rester amis.

Elle ne voulait pas être son amie. Elle était amoureuse de lui et son corps criait de désir depuis un mois. Beau paraissait en pleine confusion et honteux de ce qu'il avait failli faire, ainsi que de la comédie qu'il jouait depuis leurs retrouvailles.

— Je pensais que ça pourrait marcher, mais je me suis trompé. Dès que j'apercevrai un type qui me plaira, je m'en irai. Tu mérites mieux que ça, Victoria.

Des larmes de frustration montèrent aux yeux de la jeune femme.

— Pourquoi faut-il que ce soit si compliqué ? Si tu m'aimes, pourquoi ce serait impossible ?

— Parce que tu n'es pas un homme. Avec ton corps voluptueux et ta poitrine magnifique, tu as représenté le comble du fantasme masculin, pour moi. Je pensais que c'était ce que je désirais, mais c'est faux. Je veux un homme.

Il était aussi honnête envers elle qu'il pouvait l'être et en qualifiant son corps de voluptueux, il lui avait fait le plus beau compliment de toute son existence. Néanmoins, en dépit de ses attraits, il ne voulait pas d'elle, finalement. C'était un rejet emballé de façon exquise, mais cela n'en restait pas moins un rejet.

— Je ferais mieux de partir, dit-il en ramassant ses vêtements.

Il se rhabilla rapidement, puis il la contempla, étendue sur le lit. Elle n'avait pas bougé.

— Je t'appelle demain, promit-il.

Le ferait-il, et, dans ce cas, qu'aurait-il à ajouter ? Il avait tout dit ce soir. Elle ne voulait pas être son amie. Il avait semblé si amoureux depuis quelques semaines qu'elle avait espéré autre chose.

— J'aurais sans doute dû t'en parler dès le début, mais je voulais tellement que ça marche entre nous, et j'avais peur de t'effrayer.

Elle hocha la tête, incapable de trouver une réponse adéquate. Elle ne voulait pas pleurer. Elle se sentait déjà suffisamment humiliée, couchée sur le lit en sous-vêtements. La main sur la poignée de la porte, il la regarda un long moment, avant de disparaître. Alors, elle tira les couvertures sur sa tête et sanglota. Ce qui venait de se passer était à la fois frustrant et déprimant, mais elle savait que Beau avait agi pour son bien. La situation aurait été pire si elle avait couché avec lui et espéré un futur qu'elle ne pouvait avoir. C'était mieux ainsi, cependant le sentiment de rejet était, lui, bien présent.

Elle resta éveillée pendant des heures, à évoquer leurs moments passés ensemble, les confidences échangées et les longues soirées consacrées à des préliminaires qui ne menaient nulle part. Combien de fois s'étaient-ils caressés, leurs corps embrasés par le désir ? Tout cela semblait tellement vain, maintenant ! Elle éteignit sa lampe et finit par s'endormir. Le lendemain matin, il ne l'appela pas. En revanche, elle reçut un coup de fil de Grace.

— Comment va Beau ? demanda gaiement l'adolescente.

— Nous avons rompu, répondit tristement Victoria.

— Oh... C'est trop bête ! Il avait l'air sympa.

— Il l'était... Il l'est.

— Vous vous êtes disputés ? Il reviendra peut-être, suggéra Grace avec espoir.

— Sûrement pas, mais je m'en remettrai. Et toi, comment vas-tu ?

Grace lui fit le portrait de tous les garçons de cinquième qui l'intéressaient, puis elles raccrochèrent et Victoria put pleurer tranquillement. Beau ne l'appela pas ce jour-là, pas plus que les suivants. Comprenant alors qu'elle allait le revoir en cours de littérature anglaise, elle fut prise de panique. Elle trouva quand même le courage de s'y rendre. Le professeur annonça en passant que le jeune homme avait décidé d'abandonner cette matière et, de nouveau, Victoria sentit le désespoir l'envahir. Leur relation n'avait pas duré longtemps, mais suffisamment pour qu'elle ressente un énorme vide. En sortant de la salle, elle se demanda si elle le reverrait un jour. Elle en doutait. Mais en levant les yeux, elle l'aperçut un peu plus loin, dans le couloir. Il s'approcha lentement d'elle, puis il toucha délicatement son visage. L'espace d'un instant, elle crut qu'il allait l'embrasser, mais il n'en fit rien.

— Je suis désolé, dit-il avec une sincérité indéniable. Je regrette d'avoir été aussi égoïste et stupide. J'ai pensé que ce serait mieux pour nous deux si je laissais tomber le cours. Si cela peut te consoler, ce n'est pas facile pour moi non plus. J'ai juste voulu éviter un plus gros gâchis.

— Je comprends. Sache que je t'aime, ajouta-t-elle en souriant, même si tu n'en as plus grand-chose à faire.

— C'est très important, au contraire.

Sur ces mots, il se pencha et effleura la joue de Victoria de ses lèvres, puis il tourna les talons. Victoria reprit le chemin de sa chambre. Il neigeait, tandis qu'elle marchait sur le sentier glacé tout en pensant à lui. Elle espérait que leurs routes ne se croiseraient plus jamais. La température était si basse qu'elle ne sentait pas les larmes qui coulaient lentement sur ses joues. Tout ce qu'elle pouvait faire, maintenant, c'était chasser le jeune homme de son esprit et essayer de surmonter son propre sentiment d'échec. Quelles que fussent ses raisons, Beau n'avait pas voulu d'elle. Cette impression de ne pas être voulue ou aimée ne lui était que trop familière. Cette expérience était la confirmation de ce qu'elle avait redouté toute sa vie.

5

Victoria poursuivit ses études sans encombre. À la fin de sa deuxième année, elle prit de nouveau un job d'été à New York, cette fois dans une agence de mannequins. Autant les semaines qu'elle avait passées dans le cabinet d'avocats avaient été tranquilles, autant celles-ci furent délirantes. Elle s'y plut énormément et se lia d'amitié avec des mannequins qui avaient le même âge qu'elle. Les employés étaient eux aussi très agréables. Lorsqu'elle leur apprit qu'elle voulait faire carrière dans l'enseignement, ils pensèrent tous qu'elle avait perdu la raison. Elle dut admettre que le travail à l'agence était bien plus excitant.

Deux mannequins l'invitèrent à partager leur appartement. Elle abandonna donc sa vilaine petite chambre d'hôtel. Malgré les réceptions, les vêtements de luxe, les sorties en tout genre et les hommes avec qui elles s'affichaient, les filles travaillaient dur. Elles se couchaient très tard, ce qui ne les empêchait pas le lendemain matin d'être ponctuelles aux séances de pose qui, parfois, duraient douze ou quatorze heures d'affilée. C'était bien moins drôle que ça n'en avait l'air.

Leur minceur stupéfiait Victoria. Les deux filles chez qui elle habitait ne mangeaient presque rien. Du coup, elle avait honte de son propre appétit et s'efforçait de suivre leur exemple, mais à l'heure du dîner, elle mourait de faim. Ses nouvelles amies se passaient de repas ou consommaient avec parcimonie des aliments à l'apport calorique quasiment nul. Sans compter qu'elles avalaient toutes sortes de produits purgatifs et laxatifs pour ne pas grossir. La morphologie de Victoria était différente. Les minuscules rations que les mannequins absorbaient ne lui auraient même pas suffi pour tenir debout. En revanche, elle leur emprunta quelques astuces raisonnables pour être vite rassasiée, évita les glucides et se contenta de portions plus petites. Lorsqu'elle retourna à Los Angeles pour les vacances, elle se sentait bien dans sa peau. Elle regretta de devoir quitter New York, où elle s'était bien amusée. Le directeur de l'agence lui déclara que si elle souhaitait revenir travailler avec eux, il l'engagerait sur-le-champ. Grace adora les anecdotes qu'elle lui raconta lorsqu'elles se retrouvèrent. L'adolescente entrait en quatrième et Victoria en licence. Il lui restait encore deux ans pour finir ses études et elle avait toujours l'intention de trouver un poste de professeur à New York. Ses parents n'espéraient plus la faire revenir en Californie, auprès d'eux, et Grace le savait.

Les deux sœurs passèrent un mois merveilleux. Grace, qui n'avait rien de la gaucherie des adolescentes de son âge, était de plus en plus jolie. Elle avait une peau parfaite et une silhouette mince et gracieuse. Elle prenait des cours de danse et ses parents l'autorisaient à poser de temps en temps pour des magazines de mode. Grace admettait sans honte qu'elle détestait l'école. Très populaire, elle avait une bande d'amies impressionnante et une demi-douzaine de copains qui l'appelaient constamment sur le téléphone portable que ses parents avaient fini par lui offrir. Cela ne ressemblait que de très loin à la vie quasi monacale qu'avait menée Victoria à son âge.

Victoria se lia successivement avec deux garçons. Elle ne s'engagea pas sérieusement, mais elle sortait presque tous les week-ends, ce qui constituait un progrès notable. Elle perdit sa virginité avec l'un des deux, bien qu'elle ne l'aimât pas. Elle ne croisa plus jamais le chemin de Beau. Elle ne savait d'ailleurs pas s'il était encore inscrit à l'université. Parfois, elle apercevait certains de ses amis sur le campus, mais elle ne leur adressa jamais la parole. L'expérience avait été étrange et la bouleversait encore chaque fois qu'elle y pensait. Beau avait représenté un rêve magnifique. Les garçons avec qui elle sortit ensuite étaient bien plus réels. Le premier était un joueur de hockey, comme le petit ami qu'elle s'était inventé en première année. Originaire de Boston, il aimait Victoria plus qu'elle ne l'aimait et il était un peu fruste. Comme il avait tendance à boire, ce qui le rendait agressif, elle finit par rompre. Le deuxième, avec qui elle coucha, était gentil mais ennuyeux. Il étudiait la biochimie et la physique nucléaire, et elle n'avait pas grand-chose à lui dire. La seule chose sur laquelle ils s'entendaient, c'était le sexe. Elle décida de le quitter pour se concentrer sur ses études.

Fin juin, Victoria resta à Northwestern pour suivre les cours d'été. Elle souhaitait prendre de l'avance sur le programme de la dernière année afin de se consacrer à la partie pédagogique. Le temps était passé à une vitesse incroyable. Il ne lui restait plus qu'un an avant l'obtention de son diplôme et elle comptait bien trouver un poste pour la rentrée suivante. À l'automne, elle envoya des lettres de candidature à de nombreuses écoles privées new-yorkaises. Elle savait que le salaire serait moins élevé que dans le public, mais elle pensait qu'elle s'adapterait plus facilement à cet environnement. À Noël, elle avait sollicité neuf établissements, précisant dans chacune de ses lettres qu'elle était prête à faire des remplacements si cela lui permettait d'obtenir par la suite un poste à plein temps.

Début janvier, huit réponses, toutes négatives, tombèrent les unes après les autres. Une seule école ne répondit pas et Victoria n'envisageait pas l'avenir avec beaucoup d'optimisme. Elle projetait de contacter l'agence de mannequins, songeant qu'elle pourrait y travailler un an en attendant. Elle y serait mieux payée que dans l'enseignement et elle pourrait peut-être encore trouver une colocation.

Et la dernière réponse arriva. Elle fixa longuement l'enveloppe, comme elle l'avait fait pour les autres. Elle avait ouvert chaque missive avec précaution, essayant d'en deviner le contenu. Il était peu probable qu'on lui offre un poste dans cette école, l'une des plus prestigieuses de New York : une jeune diplômée, fraîche émoulue de l'université, était loin de représenter la candidate idéale. Elle prit une barre au chocolat cachée dans son bureau et ouvrit l'enveloppe. Elle sortit la feuille qui s'y trouvait, se préparant à un nouveau refus.

Elle formula les termes dans sa tête *(Merci de vous être adressée à nous, mais nous avons le regret...)*, avant de commencer sa lecture. On ne lui offrait pas de poste, mais on lui suggérait de venir à New York pour un entretien. Si celui-ci donnait satisfaction, elle pourrait effectuer le remplacement d'un professeur d'anglais qui partait en congé maternité dès la rentrée pour un an. N'en croyant pas ses yeux, elle poussa un cri de joie et se mit à danser dans sa chambre, la barre de chocolat toujours à la main.

Elle s'installa ensuite devant son ordinateur et rédigea une réponse, affirmant qu'elle serait ravie de passer l'entretien en question. Elle prit soin de préciser son adresse mail et son numéro de téléphone portable. Une fois la lettre imprimée, signée et mise sous enveloppe, elle enfila son manteau pour la déposer sans plus attendre au bureau de poste. Elle avait hâte qu'on lui fixe un rendez-vous. Si elle était engagée, elle réaliserait son vœu le plus cher. New York, et pas Los Angeles. Elle avait passé ses quatre années d'université à en rêver et elle éprouvait une immense gratitude à l'égard de l'enseignante qui prenait ce congé maternité. Avec un peu de chance, elle obtiendrait le poste. La nouvelle méritait d'être célébrée : elle s'offrit une pizza après avoir envoyé sa lettre. Elle songea qu'elle aurait peut-être dû téléphoner au lieu d'écrire. Quoi qu'il en soit, la direction de l'école avait son numéro, maintenant. La date de l'entretien fixée, elle sauterait dans le premier avion. De retour dans sa chambre, elle s'assit et, les yeux brillants, regarda la lettre qu'elle venait de recevoir. L'éventualité d'une place de professeur à New York fit de cette journée une des plus belles de sa vie.

On l'appela trois jours plus tard sur son portable. Le rendez-vous aurait lieu le lundi suivant. Elle décida de passer le week-end précédent à New York. C'est ainsi qu'elle s'aperçut que l'entretien tombait le jour de la Saint-Valentin, une date qu'elle exécrait depuis le cours moyen. Si elle était engagée, elle changerait d'avis. Dès que son interlocuteur eut raccroché, elle réserva son billet d'avion, puis s'étendit sur son lit, follement heureuse. Qu'allait-elle mettre pour l'entretien : une jupe, un pull et des hauts talons ? Ou bien un pantalon, un pull et des ballerines ? Elle ignorait ce qui convenait le mieux pour ce genre d'emploi, et elle ne connaissait personne qui pût l'aider. Elle devrait décider elle-même. Au prix d'un énorme effort, elle réussit à ne pas se ruer dans le couloir en poussant des hurlements de joie. Au lieu de cela, elle resta sur son lit, plongée dans une douce béatitude.

6

Le lycée Madison, sur la 76e Rue Est, près d'East River, figurait parmi les établissements les plus chics et les mieux cotés de New York. Il allait de la troisième à la terminale. Doté d'une excellente réputation, il était aussi très onéreux. Les filles et les garçons qui le fréquentaient étaient issus de milieux aisés ; cependant une poignée d'entre eux bénéficiaient d'une bourse. Une fois inscrits, les élèves disposaient de tous les moyens d'apprentissage possibles, ainsi que d'excellents programmes extrascolaires. Ils pouvaient ensuite prétendre aux meilleures universités du pays. Grâce à de généreux donateurs, les laboratoires et les salles informatiques étaient équipés de matériel dernier cri. Les installations auraient été dignes de n'importe quelle université. Le département des langues était exceptionnel : on pouvait apprendre le mandarin, le russe, le japonais et toutes les langues européennes. Quant au département d'anglais, sa réputation n'était plus à faire : plusieurs anciens élèves étaient devenus des écrivains à succès. Les enseignants, qui avaient tous fait leurs études dans des facultés prestigieuses, étaient remarquables. Comme toujours dans les écoles privées, ils étaient mal payés. Mais avoir un poste au lycée Madison était un privilège en soi. Pour Victoria, le seul fait d'avoir obtenu un entretien constituait une chance inouïe. Si elle était engagée, ne serait-ce que pour un an, son rêve le plus fou serait réalisé. Elle aurait tout donné pour y travailler.

Le vendredi, elle prit l'avion après son dernier cours et arriva à New York tard dans la soirée. Il neigeait et tous les vols avaient été retardés. On ferma d'ailleurs l'aéroport juste après son atterrissage et Victoria songea qu'elle avait eu de la chance que son avion n'ait pas été dérouté. Devant l'aéroport, les gens se battaient pour un taxi. Elle avait retenu une chambre dans le même petit hôtel où elle était descendue lors de ses précédents séjours. Il était 2 heures du matin, lorsqu'elle y parvint enfin. On lui avait réservé une chambre hideuse, mais le prix convenait à son budget. Elle enfila très vite sa chemise de nuit, se brossa les dents et se coucha sans même se donner la peine de défaire sa valise. Elle dormit d'une traite jusqu'au lendemain midi.

Lorsqu'elle s'éveilla, le soleil brillait et les trottoirs disparaissaient sous trente centimètres de neige. La ville ressemblait à une carte postale de sports d'hiver. Dans la rue, des enfants faisaient de la luge, tirés par leurs mères ; d'autres préféraient des batailles de boules de neige. Pour éviter d'être touchés, ils se cachaient derrière des voitures enfouies sous un épais tapis blanc que leurs propriétaires mettraient un temps fou à enlever. Des chasse-neige s'efforçaient de dégager les rues et de saler la chaussée. Par bonheur, Victoria avait apporté la paire de bottes qu'elle mettait presque chaque jour à Northwestern, elle était donc équipée pour affronter cette journée hivernale, typique de New York. À 13 heures, elle prit le métro qui l'emmenait chaque jour au travail en été. Peu après, elle descendait la 77ᵉ Rue Est, en direction du fleuve. Avant toute autre chose, elle voulait voir le lycée.

C'était un bel immeuble bien entretenu, disposant de plusieurs entrées. Récemment rénové, il avait tout d'une ambassade ou d'un bâtiment officiel. Une discrète plaque de bronze sur la porte indiquait : *Lycée Madison*. Elle savait que près de quatre cents élèves y étaient inscrits. Au sommet de l'immeuble, un jardin suspendu offrait un espace de détente pendant les repas et les récréations. Un gymnase ultramoderne avait été construit à la place d'un ancien parking, de l'autre côté de la rue. L'école offrait vraiment à ses élèves tous les aménagements susceptibles d'améliorer leurs performances. Par cet après-midi ensoleillé, le bâtiment se dressait, solide, dans la rue enneigée. Un gardien dégageait le passage devant le lycée. Victoria lui adressa un sourire, qu'il lui rendit gentiment. Elle avait du mal à imaginer qu'elle pourrait être assez chanceuse pour travailler dans la ville qu'elle préférait au monde. Debout devant l'immeuble, enveloppée dans la doudoune blanche offerte par sa mère, elle se faisait l'impression d'être un bonhomme de neige. Ce manteau n'avait rien d'élégant : lorsqu'elle le mettait, elle était certaine de ressembler au bonhomme Michelin, mais c'était le vêtement le plus chaud qu'elle possédât pour affronter le climat polaire de Northwestern. Elle portait un bonnet de laine blanche enfoncé jusqu'aux yeux d'où s'échappait une mèche blonde.

Victoria contempla longuement le lycée, puis reprit le métro en direction du centre et des magasins. Elle souhaitait trouver une tenue pour son entretien. Celles qu'elle avait apportées ne lui plaisaient pas ou étaient trop ajustées. Lorsqu'elle se présenterait devant ceux qui deviendraient peut-être ses employeurs, elle voulait être parfaite. Les candidats ne devaient pas manquer, et il y avait peu de chances pour qu'elle soit engagée alors qu'elle sortait tout juste de l'université, mais ses notes et ses références étaient bonnes. Par ailleurs, elle avait pour elle l'enthousiasme de la jeunesse. Elle n'avait pas parlé à ses parents de ses démarches, parce que son père continuait à espérer qu'elle choisisse un autre métier. Il souhaitait pour elle un meilleur salaire avec des possibilités d'avancement : l'enseignement ne correspondait pas aux critères familiaux. Si son père et sa mère expliquaient à leurs relations que leur fille était professeur, ils n'en tireraient aucune gloire ni véritable fierté. Mais pour Victoria, cet emploi au lycée Madison était plus important que tout. Lorsqu'elle avait envoyé sa candidature aux meilleures écoles privées de New York, cet établissement représentait à ses yeux le nec plus ultra, salaire médiocre ou pas. Si on lui offrait la chance d'y travailler, elle savait qu'elle saurait se contenter de petits revenus pour vivre.

Sortie du métro, elle descendit sur la 59ᵉ Rue et entra chez Bloomingdale's. Le plus souvent, malheureusement, les vêtements qui lui plaisaient n'existaient pas dans sa taille. En ce moment, elle se sentait un peu à l'étroit dans du 44. En hiver, elle se laissait parfois aller sans le vouloir. Elle prenait du poids et devait passer au 46. En été, la perspective de devoir s'habiller plus légèrement, de se montrer en maillot de bain ou en short et de ne plus pouvoir se cacher sous un gros manteau, l'incitait d'ordinaire à maigrir. Ces derniers temps, elle n'avait pas fait très attention. Elle s'était d'ailleurs promis de perdre du poids avant la remise des diplômes. Lorsqu'elle franchirait le seuil de sa première salle de classe, elle voulait se montrer à son avantage. Après de longues recherches infructueuses et quelques essais vraiment démoralisants, elle trouva un pantalon gris, un long blazer bleu marine et un pull à col roulé du même bleu pâle que ses yeux. Elle acheta des bottes à talons hauts qui apportèrent une touche moins stricte à l'ensemble. Vêtue ainsi, elle se trouva l'air digne et respectable. Son élégance discrète donnerait à son futur employeur l'impression qu'elle était suffisamment sérieuse pour exercer le métier d'enseignante. Les professeurs du lycée devaient certainement porter ce genre de tenue. Satisfaite de ses emplettes, elle retourna à son hôtel. Les chasse-neige sillonnaient toujours les rues. On voyait partout des congères et il régnait dans la ville une vraie pagaille, mais Victoria n'en avait cure. Elle comptait porter les boucles d'oreilles en perles que sa mère lui avait offertes. Le blazer bien coupé dissimulerait une multitude de défauts. Elle aurait une allure jeune, professionnelle et soignée.

Le matin de l'entretien, Victoria s'éveilla l'estomac noué. Elle prit sa douche, se lava les cheveux, les sécha avec soin et les réunit en une queue-decheval bien lisse au moyen d'un ruban de satin noir. Elle enfila la tenue qu'elle venait d'acheter, puis sa grosse doudoune et sortit sous le soleil de février. La température s'était réchauffée, transformant la neige en gadoue. De minces ruisseaux glacés coulaient dans les caniveaux et elle devait faire très attention à ne pas être éclaboussée au passage des voitures. Elle songea un instant à prendre un taxi, mais le métro serait plus rapide. Elle arriva à l'école dix minutes avant son rendez-vous, fixé à 9 heures. Des centaines de lycéens franchissaient les portes d'entrée. Ils portaient presque tous un jean, à l'exception de quelques filles, en bottes et minijupe malgré le froid. Seules les coiffures et la couleur des cheveux tranchaient sur l'uniformité des vêtements. Riant et parlant tous à la fois, leurs livres sous le bras, ils ressemblaient aux adolescents d'un lycée ordinaire, non d'un établissement d'élite. Les deux enseignants, un homme et une femme, qui filtraient les entrées étaient habillés dans le même style décontracté. La femme avait une longue natte et le crâne de l'homme était totalement rasé. Victoria remarqua un petit oiseau tatoué sur sa nuque. Tout en bavardant avec animation, ils suivirent les derniers arrivants à l'intérieur, Victoria sur les talons. Le cœur battant, elle espéra faire bonne impression. Elle avait rendez-vous avec le proviseur, Eric Walker. On lui avait dit qu'elle rencontrerait aussi son adjointe. Arrivée à l'accueil, elle donna son nom et attendit sur une chaise, dans le hall. Cinq minutes plus tard, un homme d'une quarantaine d'années vint la chercher. Vêtu d'un jean, d'un pull noir et d'une veste en tweed, il portait de grosses chaussures de marche. Souriant largement, il invita Victoria à entrer dans son bureau puis à s'asseoir sur une chaise dont le cuir avait vu des jours meilleurs.

— Merci d'être venue de Northwestern, lui dit-il après s'être assis en face d'elle.

Victoria ôta sa doudoune pour qu'il pût voir son blazer neuf. Elle espérait qu'il ne la trouverait pas trop collet monté pour son établissement, où l'atmosphère s'avérait plus décontractée qu'elle ne l'avait supposé.

— Je craignais que vous ne puissiez pas venir, avec cette tempête de neige, lui dit-il gentiment. Et avant que j'oublie, je vous souhaite une bonne fête de la Saint-Valentin. Nous avions prévu un bal, samedi, mais nous avons dû l'annuler. Les élèves qui habitent en banlieue ou dans le Connecticut n'auraient pas pu y participer. Certains viennent d'assez loin, si bien que nous avons reprogrammé la fête pour le week-end prochain.

Victoria remarqua que son CV était sur le bureau, ainsi que ses bulletins de notes, qu'elle lui avait fait parvenir. S'étant elle-même renseignée à son propos sur Google, elle savait qu'il était diplômé de Yale, qu'il avait fait sa maîtrise et un doctorat de philosophie à Harvard. Il aurait pu faire précéder son nom du titre de docteur, bien qu'il s'en fût abstenu dans sa correspondance avec elle. Il avait aussi publié deux livres sur l'enseignement secondaire destinés au grand public, ainsi qu'un guide à l'intention des futurs étudiants. En sa présence, elle se sentait insignifiante, mais son accueil fut chaleureux et il était clair qu'il lui accordait toute son attention.

Il s'appuya au dossier de son vieux fauteuil de cuir. Le beau bureau ancien qui se trouvait entre eux avait appartenu à son père, précisa-t-il en souriant. Tous les meubles de la pièce semblaient d'ailleurs patinés par l'âge, comme la bibliothèque qui croulait sous les livres.

— Dites-moi, Victoria, commença-t-il, pourquoi souhaitez-vous enseigner ? Et pourquoi ici ? Ne préféreriez-vous pas retourner à Los Angeles, où vous n'aurez pas à braver la neige pour vous rendre au lycée ?

Ils échangèrent un sourire. Il plaisait à Victoria, qui souhaitait l'impressionner sans savoir très bien comment s'y prendre. Elle n'avait pour elle que son enthousiasme et sa sincérité.

— J'aime les enfants et j'ai toujours voulu être professeur depuis que je suis toute petite. Je sais que je suis faite pour ce métier. Le monde des affaires ne m'intéresse pas et je n'ai pas envie de gravir les échelons d'une entreprise, même si cela correspond aux ambitions de mes parents. Pour ma part, je suis persuadée que si je réussis à aider un jeune à faire un bon choix de vie, à prendre la bonne direction, ce sera bien plus important.

Elle vit dans les yeux de son interlocuteur que c'était la réponse qu'il attendait. Elle en fut d'autant plus satisfaite qu'elle s'était exprimée avec franchise.

— Même si cela implique d'être mal payée et de gagner moins d'argent que tous vos amis ?

— Oui. L'argent n'est pas ma motivation principale. Je n'ai pas de gros besoins.

Il ne lui demanda pas si ses parents l'aideraient…
Ce n'était pas son problème.

— Vous gagneriez davantage dans le public, insista-t-il.

— Je le sais, mais ce n'est pas ce que je désire. Et je ne retournerai pas vivre à Los Angeles, parce que je veux habiter à New York depuis le lycée. J'aurais poursuivi mes études ici, si j'avais été acceptée à l'université de New York ou à Barnard. Je sais que c'est dans cette ville que je serai le mieux et Madison est l'établissement où je souhaite le plus enseigner.

— Pourquoi ? Les enfants riches ne sont pas plus faciles que les autres. Ce sont des gamins intelligents, qui ont beaucoup de tentations et donc leur lot de problèmes, eux aussi. Nous avons notre contingent d'élèves faibles, bien entendu, mais quels que soient leurs résultats, ils sont perspicaces et vous ne pourrez pas leur faire avaler n'importe quoi. Ils décèlent parfaitement l'incompétence, et ils ne se privent pas de le faire remarquer. Ils sont plus sûrs d'eux, plus effrontés que des adolescents issus de milieux moins favorisés. Ils peuvent rendre la vie dure à un enseignant et leurs parents ne sont pas tendres non plus. Ils sont très exigeants, ils veulent le meilleur de ce que nous pouvons leur offrir et nous sommes pleinement engagés dans cette mission. Avez-vous pensé que vous n'aurez que quatre ou cinq ans de plus que certains de vos élèves ? Ils peuvent être diffi-ciles, surtout dans ce lycée où certains d'entre eux sont plus mûrs qu'on ne l'est à leur âge. Ces adolescents évoluent dans un milieu très adulte, avec tout ce que cela implique. Êtes-vous prête à les affronter ?

Victoria hocha la tête, ses grands yeux bleus empreints de sérieux.

— Je le pense, monsieur Walker. Je crois… je suis certaine de maîtriser la situation, si vous m'en donnez l'occasion.

— L'enseignante que vous remplaceriez ne prend qu'un congé d'un an. Je ne peux rien vous promettre par la suite, même si vous fournissez un excellent travail. Ce n'est donc pas un engagement à long terme de notre part. À la fin de votre contrat, nous verrons ce qui se présente, un professeur peut décider de nous quitter ou prendre un congé particulier. Si vous espériez davantage, il vaudrait sans doute mieux que vous postuliez ailleurs.

— Je serais ravie d'être engagée pour un an.

Elle l'ignorait, mais la direction du lycée avait déjà vérifié ses références à l'agence de mannequins et au cabinet d'avocats. Le proviseur avait été impressionné par ce qu'on lui avait rapporté sur son sérieux, sa conscience professionnelle et son honnêteté. Elle avait passé tous les certificats nécessaires pour enseigner et, là encore, les rapports étaient très élogieux. Ce qu'Eric Walker avait besoin de savoir, désormais, c'était si elle était la personne la plus qualifiée pour travailler dans son établissement. Elle paraissait intelligente et posée. En outre, son désir si ardent d'obtenir le poste le touchait profondément.

Après quarante-cinq minutes d'entretien, Eric Walker la confia à son adjointe, qui lui fit visiter les bâtiments. Les classes étaient bien tenues et les élèves avaient à leur disposition un matériel sophistiqué. C'était un établissement de rêve pour n'importe quel enseignant. Les adolescents qu'elle croisa lui semblèrent motivés, intelligents, agréables. Elle rencontra ensuite la conseillère d'éducation, qui lui expliqua le genre de situation qu'elle aurait à gérer face à certains comportements. Rien de très différent des autres lycées, sinon que ces enfants étaient plus riches et, pour quelques-uns, avaient une histoire familiale très compliquée. La souffrance n'épargne pas plus les classes aisées que les défavorisées.

À la fin de ce second entretien, on la remercia d'être venue. Le proviseur devait recevoir d'autres candidats avant de prendre sa décision. Après avoir remercié tout le monde à son tour, Victoria se retrouva dans la rue. Elle contempla une dernière fois le bâtiment, suppliant le ciel d'être engagée. Le proviseur et son adjointe avaient été très aimables, mais il était difficile de savoir s'ils étaient simplement polis ou si elle leur plaisait. Elle gagna la 5e Avenue, puis elle prit la direction du Metropolitan Museum, où elle visita une nouvelle aile réservée à la civilisation égyptienne. Elle déjeuna ensuite à la cafétéria, avant de s'offrir un taxi qui la ramena à son hôtel.

Assise à l'arrière du véhicule, elle regarda défiler les rues de New York et les gens qui grouillaient comme des fourmis sur les trottoirs. Elle espérait seulement en faire partie un jour. Elle n'aurait sans doute pas de réponse du lycée Madison avant plusieurs semaines. Si elle n'était pas retenue, elle devrait envoyer sa candidature dans d'autres établissements, à Chicago ou même à Los Angeles.

Elle ne souhaitait pourtant retourner chez ses parents pour rien au monde. Mais si la chance ne tournait pas en sa faveur, elle y serait peut-être contrainte. Elle redoutait de devoir affronter à nouveau les mêmes problèmes. Cohabiter avec ses parents était une perspective vraiment trop déprimante.

Après avoir fait sa valise, elle reprit un taxi pour l'aéroport. Il y avait une heure avant l'embarquement et elle était tellement anxieuse d'être fixée sur son sort qu'elle s'assit dans un petit restaurant, où elle commanda un cheeseburger et un sundae caramel, qu'elle engloutit. Ensuite, elle se sentit stupide. Elle n'en avait pas besoin, pas plus que des frites qu'on lui avait servies en accompagnement. Mais elle était si nerveuse que la nourriture l'avait un peu réconfortée. L'espace d'un moment, elle en avait oublié ses angoisses. Que se passerait-il, si elle n'était pas engagée ? Elle se répétait qu'elle trouverait autre chose, mais le lycée Madison incarnait tous ses rêves. Hélas, il y avait peu de chance pour que le proviseur choisît une candidate sans expérience.

Quand on appela les passagers de son vol, elle se dirigea vers la porte d'embarquement. Il ne lui restait plus qu'à rentrer à Northwestern et à attendre. Tout bien considéré, la fête de la Saint-Valentin avait été plutôt plaisante cette année. Lorsqu'elle monta dans l'avion, elle était encore nerveuse, malgré toute la nourriture qu'elle avait absorbée. Cela n'avait servi à rien. En s'asseyant, elle se rappela qu'elle allait devoir se remettre sérieusement au régime et reprendre la course à pied. La remise des diplômes était dans trois mois… Mais quand l'hôtesse lui offrit un sachet de cacahuètes et un autre de bretzels, elle les mangea distraitement en repensant à l'entretien. Elle espérait n'avoir commis aucun impair, priant le ciel pour obtenir le poste.

7

Le premier week-end du mois de mars, Eric Walker appela lui-même Victoria. Il avait eu du mal à faire son choix parmi les divers candidats, lui dit-il, mais il était heureux de lui apprendre qu'elle avait le poste. Elle recevrait bientôt son contrat par mail.

La jeune femme fut au comble de la joie. Elle serait la plus jeune des professeurs du département d'anglais et elle aurait quatre classes, allant de la seconde à la terminale. Le premier septembre, elle devrait assister à la réunion de prérentrée et les cours commenceraient la semaine suivante. Incroyable : dans exactement six mois, elle enseignerait au lycée Madison, à New York ! Incapable de garder cette bonne nouvelle pour elle seule, elle téléphona à ses parents.

— C'est bien ce que je craignais, lui dit son père sur un ton désapprobateur.

À l'entendre, on aurait pu croire qu'elle avait été arrêtée, prise en flagrant délit d'exhibitionnisme dans un supermarché.

— Ce métier ne te rapportera pas un sou, Victoria. Il te faut exercer un *vrai* métier, dans la publicité ou les relations publiques… Une profession en lien avec la communication. De nombreuses possibilités s'ouvrent à toi. Si tu travaillais chez McDonald's, tu te ferais plus d'argent qu'en étant enseignante. C'est une perte de temps lamentable. Et pourquoi New York ? Pourquoi pas ici ?

Il ne lui demanda même pas dans quel établissement elle était engagée. Il ne la complimenta pas de l'avoir emporté sur d'autres candidats hautement diplômés. Il se borna à dire qu'elle choisissait une mauvaise voie dans la mauvaise ville et qu'elle serait toujours pauvre. L'enseignement était pourtant ce dont elle avait toujours rêvé et le lycée, l'un des plus prestigieux de New York.

— Je suis désolée, papa, répliqua-t-elle comme si elle avait mal agi, mais c'est un établissement formidable.

— Vraiment ? Et combien vont-ils te payer ?

Refusant de lui mentir, elle lui donna le montant exact de son salaire. Elle n'ignorait pas qu'elle aurait du mal à joindre les deux bouts, mais sa vocation valait ce sacrifice et elle n'attendrait rien de ses parents.

— C'est minable, grommela son père, dégoûté.

Sur ces mots, il tendit le récepteur à sa femme, dont la voix angoissée retentit aux oreilles de Victoria :

— Que se passe-t-il, ma chérie ?

— Rien. Je suis seulement ravie de pouvoir enseigner dans un merveilleux lycée de New York. Papa pense que mon salaire est insuffisant, c'est tout. J'ai pourtant eu beaucoup de chance d'être engagée.

— Quel dommage que tu veuilles être professeur !

Comme toujours, elle s'alignait sur les propos de son mari, faisant comprendre à sa fille qu'elle était en faute et qu'elle les décevait. Égaux à eux-mêmes, ils tournaient en ridicule tout ce qu'elle entreprenait, niant qu'elle pût réussir quoi que ce fût.

— Tu pourrais gagner bien plus en exerçant un autre métier.

— Sans doute, mais je veux être enseignante, maman. Et j'adore ce lycée, conclut-elle d'une voix qu'elle espérait vibrante de conviction.

En réalité, elle s'efforçait de ne pas perdre l'excitation et l'enthousiasme qui l'animaient avant de les appeler.

— J'en suis contente pour toi, ma chérie, mais tu ne pourras pas être professeur toute ta vie. À un moment ou un autre, il faudra bien que tu choisisses une vraie profession.

Mais depuis quand l'enseignement n'était-il pas une « vraie » profession ? Pour ses parents, tout tournait autour de l'argent.

— Ta sœur vient de gagner cinquante mille dollars en posant pendant deux jours pour une campagne nationale de publicité.

Plus que ce que Victoria gagnerait en un an. Pour Grace, le mannequinat était un jeu qui lui rapportait une fortune, alors que Victoria devrait travailler dur pour toucher un maigre salaire. C'en était presque choquant, mais tout le monde, elle y compris, savait que le professorat ne permettait pas de s'enrichir. De toute façon, elle n'aurait pas pu être mannequin comme sa sœur. Sa vocation était d'enseigner. Elle espérait seulement qu'elle ferait du bon travail.

— Où vas-tu habiter ? lui demanda sa mère d'une voix inquiète. Ton salaire te permettra-t-il de louer un appartement ? Les loyers sont très élevés là-bas.

— Je trouverai une colocation. J'irai à New York en août, pour que tout soit réglé avant la rentrée.

— Quand reviens-tu à la maison ?

— Tout de suite après la remise des diplômes. Je veux passer les vacances avec vous.

Cette année, elle ne comptait pas chercher un job d'été. Elle souhaitait faire quelques petits voyages avec Grace et consacrer le reste de son temps à sa famille avant de s'installer officiellement à New York.

Victoria ne retourna pas chez ses parents pendant les vacances de Pâques. Elle prit un emploi de serveuse dans un restaurant proche du campus, pour mettre un peu d'argent de côté. Et de nouveau, elle interrompit son régime à cause des délicieux repas compris dans son salaire. Elle adorait le pain de viande, la purée de pommes de terre arrosée de sauce, la meringue au citron et la tarte aux pommes. Elle avait du mal à résister aux crêpes aux myrtilles, servies à 6 heures du matin, quand elle commençait son service. Son rêve d'avoir maigri avant la remise des diplômes s'éloignait à toute allure. Ça finissait par la déprimer d'être continuellement au régime. Et passer sa vie en salle de gym, à suer sang et eau dans les cours ou sur un tapis de course pour expier ses péchés de gourmandise, était tout sauf amusant.

Malgré tout, après s'être tuée au sport tout le mois d'avril, elle parvint à perdre cinq kilos. Fière d'elle, elle alla louer la coiffe et la toge que l'on devait porter pour la remise des diplômes. Il y avait une longue file d'étudiants et, lorsque ce fut enfin son tour, l'employé l'évalua du regard.

— Grande taille, n'est-ce pas ? lui dit-il avec un large sourire.

Réprimant ses larmes, elle ne fit aucun commentaire lorsqu'il lui tendit une tenue trop ample pour elle. Elle la prit sans protester, songeant avec un brin d'ironie qu'elle flotterait pour une fois dans un vêtement. En dessous, elle comptait porter une jupe d'un beau rouge, un chemisier blanc et des chaussures à talons hauts. La jupe, courte, mettrait ses jambes en valeur.

Ses parents arrivèrent avec Grace la veille du grand jour. Vêtue d'un short et d'un tee-shirt blancs, sa petite sœur était plus belle que jamais. Elle avait quinze ans, et malgré sa petite taille, elle en paraissait dix-huit. Elle pouvait encore présenter des vêtements pour enfants. À côté d'elle et de sa mère, Victoria se sentait aussi imposante qu'un éléphant. Les deux sœurs s'étreignirent à s'étouffer.

Ils dînèrent dans un restaurant très sympathique, où étaient attablés d'autres étudiants. Victoria souhaitait inviter quelques amis, mais son père préférait rester en famille. Il répéta la même chose pour le déjeuner du lendemain, disant qu'il voulait profiter de sa fille. En réalité, Jim ne voyait pas l'intérêt de rencontrer ses amis. Victoria, qui avait l'habitude de ce comportement, apprécia quand même les moments passés avec ses parents. Grace était collée à elle, les deux sœurs redevenaient inséparables. Grace envisageait des études supérieures, elle aussi. Elle voulait s'inscrire à l'université de Californie du Sud, ce qui comblait d'aise ses parents : ainsi resterait-elle près d'eux. Son père se plaisait à répéter que sa cadette était une vraie Californienne, une manière de souligner que Victoria les avait trahis en postulant pour une université du Midwest. Elle songeait parfois qu'ils auraient pu louer plutôt son côté aventureux et la complimenter d'avoir choisi une voie moins facile.

La cérémonie de remise des diplômes se déroula en grande pompe. L'émotion était au rendez-vous et Christine pleurait déjà lorsque le défilé des étudiants commença. Au moment où sa fille passa près de lui, Jim avait l'œil humide et semblait exceptionnellement fier. Grace prit une photo de sa sœur qui lui fit une grimace, tout en s'efforçant de paraître solennelle.

Ce jour-là, près d'un millier d'étudiants furent appelés par ordre alphabétique. Après avoir reçu leurs diplômes, ils jetèrent leur coiffe en l'air. Du jour au lendemain, ils étaient diplômés et propulsés dans le monde, prêts à entamer la carrière qu'ils avaient choisie. Si pendant son séjour à Northwestern, Victoria avait été seule la plupart du temps, elle s'était quand même fait quelques amis. Ils avaient échangé leurs adresses mail, leurs numéros de portable, et s'étaient promis de garder le contact, même si cela semblait peu probable.

Le soir, Victoria dîna de nouveau avec ses parents au Jilly's Café. Cette fois, ils avaient vraiment un événement à célébrer, de même que les étudiants qui occupaient les tables voisines. Victoria, qui avait dû rendre sa chambre sur le campus, dormit avec sa sœur à l'hôtel Orrington. Les deux filles bavardèrent tard dans la nuit jusqu'à ce qu'elles cèdent au sommeil. Elles allaient passer les trois prochains mois ensemble. Victoria n'avait mis personne au courant, mais elle projetait d'entreprendre un régime très strict, de façon à perdre du poids avant la rentrée. Lorsqu'elle avait retiré sa robe de cérémonie, son père avait souligné qu'elle était plus grosse que jamais. Comme d'habitude, la remarque avait été accompagnée d'un grand sourire. Ensuite, il l'avait complimentée sur ses longues jambes, mais cela n'annula pas la blessure causée par le premier commentaire. Dès lors qu'il lui lançait l'une de ses plaisanteries coutumières, elle n'entendait jamais le compliment qui suivait.

Pendant le vol de retour pour Los Angeles, Victoria fut assise entre son père et sa sœur. Sa mère lisait un magazine de l'autre côté de l'allée centrale. Les deux filles avaient voulu rester côte à côte. Elles étaient si différentes qu'on avait peine à croire qu'elles étaient sœurs. En grandissant, Grace ressemblait de plus en plus à sa mère. Au même âge, Victoria ne ressemblait à aucun de ses parents.

Après le décollage, son père se pencha vers elle.

— Tu sais, tu auras le temps de te chercher un emploi convenable quand nous serons à Los Angeles. Tu peux toujours dire à cette école de New York que tu as changé d'avis. Réfléchis-y, chuchota-t-il comme s'ils complotaient ensemble.

— Je suis satisfaite de travailler à New York, papa. C'est un lycée prestigieux et si je manquais à ma parole, je serais définitivement grillée dans le monde de l'enseignement. Je veux ce poste.

— Mais tu ne souhaites sûrement pas être pauvre pour le restant de ta vie, je suppose ? s'exclama son père avec une moue méprisante. Tu n'as pas les moyens financiers d'être professeur et je n'ai pas l'intention de t'entretenir.

— Je n'espère rien de ce genre, papa. D'autres se sont contentés d'un salaire d'enseignant, alors, je peux faire de même.

— Mais tu n'y es pas obligée ! Je peux t'obtenir des entretiens d'embauche dès la semaine prochaine.

Son père voulait ignorer qu'elle avait accompli un véritable exploit en décrochant ce poste à New York. À ses yeux, ce n'était même pas un métier. Il ne cessait de lui répéter qu'elle devait en chercher un « vrai », avec une rémunération décente.

— Je te remercie pour cette proposition, lui répondit-elle poliment, mais pour l'instant, je m'en tiendrai à la décision que j'ai prise. Je pourrai toujours changer d'avis plus tard, si mon salaire s'avère vraiment insuffisant pour vivre. De toute façon, j'ai toujours la possibilité de prendre un job d'été, pour mettre un peu d'argent de côté.

— C'est navrant. À ton âge, tu peux t'en satisfaire, mais crois-moi, ce ne sera plus le cas quand tu auras trente ou quarante ans. Je te ferais engager dans mon agence de communication, si tu le souhaitais.

— Je ne veux pas faire carrière dans la publicité, rétorqua Victoria avec fermeté.

Elle ne se rappelait même pas le nombre de fois qu'ils avaient eu cette discussion. Pour toute réponse, il haussa les épaules, l'air mécontent. Une fois de plus, Victoria constatait que ses parents ne s'intéressaient qu'à deux choses, en ce qui la concernait : son poids et son futur salaire. Et, éventuellement, son absence de vie amoureuse. Dans leur esprit, c'était d'ailleurs la conséquence de sa corpulence. Chaque fois que la question se présentait dans la conversation, son père lui répétait que si elle maigrissait un peu, elle trouverait un petit ami. Victoria savait que ce n'était pas forcément le cas, puisque de nombreuses filles à la silhouette parfaite restaient célibataires. Alors que d'autres, en surpoids, connaissaient le bonheur, étaient fiancées ou mariées. L'amour n'était pas directement lié au poids, bien d'autres facteurs entraient en ligne de compte. Elle manquait cruellement d'assurance et le fait d'être constamment critiquée ne l'aidait pas à résoudre le problème. Ses parents n'étaient jamais fiers de ses succès. Bien sûr, ils lui avaient témoigné leur satisfaction lorsqu'elle avait obtenu son diplôme. Ils auraient juste souhaité qu'elle ait fait ses études à l'université de Los Angeles ou de Californie. Ensuite, ils auraient voulu qu'elle s'engageât dans une autre voie professionnelle, de préférence à Los Angeles. Quoi qu'elle fît, ce n'était jamais bien ou suffisant à leurs yeux. Et apparemment, ils ignoraient combien leurs reproches incessants la faisaient souffrir. Ils ne savaient pas non plus que c'était pour cette raison qu'elle refusait d'habiter à Los Angeles. Elle voulait mettre des milliers de kilomètres entre eux et ne revenir que pour Thanksgiving et Noël. Un jour, peut-être ne ferait-elle même plus l'effort de rentrer. Pour le moment, elle avait envie de passer du temps avec sa sœur, mais quand Grace aurait quitté la maison, elle ne savait pas si elle y remettrait les pieds. À leur insu, ils avaient réussi à la chasser très loin du domicile familial.

Jim récupéra sa voiture au parking de l'aéroport. Les deux sœurs avaient pris place sur la banquette arrière. À l'avant, leurs parents s'interrogeaient sur ce qu'ils allaient faire pour le dîner. Jim proposa de griller quelques steaks au barbecue, dans le jardin.

Tournant la tête, il adressa un clin d'œil à sa fille aînée.

— Je n'ai pas besoin de te demander si tu as faim. Et toi, Grace, est-ce que tu as envie d'un steak ?

Victoria eut l'impression de recevoir un coup de poing à l'estomac. Voilà la réputation qu'elle avait, l'image qu'ils avaient d'elle : celle d'une fille qui a toujours faim.

— Ce sera parfait, papa, répliqua distraitement Grace. On peut commander des plats chinois, si tu n'as pas envie de faire un barbecue. Ou bien Victoria et moi, on peut dîner dehors, si maman et toi êtes fatigués.

C'était ce qu'elles auraient préféré toutes les deux, mais elles ne désiraient pas blesser leurs parents. Jim répéta qu'il serait ravi de se charger du repas, aussi longtemps que Victoria ne serait pas la seule à manger. Ce fut la seconde pique en moins de cinq minutes. L'été allait être long, s'il commençait de cette façon. Rien n'avait donc changé... Elle était partie quatre ans, elle avait décroché son diplôme, et ils la traitaient encore comme la boulimique de service !

Ce soir-là, ils dînèrent dans le jardin. Christine décida de se passer de steak et de se contenter de salade, prétendant que la nourriture servie dans l'avion était trop lourde. Grace et Victoria mangèrent les grillades préparées par leur père. Grace prit une pomme de terre, mais pas Victoria.

— Tu es malade ? s'enquit son père avec un grand sérieux. Je ne t'ai jamais vue refuser une pomme de terre auparavant.

— Je vais bien, papa, répliqua doucement Victoria.

Piquée au vif par ses commentaires, elle avait décidé d'entamer un régime dès l'instant où elle aurait franchi le seuil de la maison. Elle tint parole, bien qu'on lui proposât souvent de la glace en dessert. Bien sûr, les commentaires seraient allés bon train si elle avait accepté.

Après le dîner, les deux filles écoutèrent de la musique dans la chambre de Grace. Malgré leur différence d'âge, elles se trouvaient de nombreux goûts communs.

Deux mois durant, elles furent inséparables. Victoria conduisit Grace partout où elle le désirait, devenant ainsi son chauffeur en même temps que sa demoiselle de compagnie. Elle revit quelques-unes de ses anciennes camarades de classe. Elle rencontra aussi plusieurs garçons qu'elle avait connus au lycée. L'un d'eux l'invita à dîner, puis à voir un film, mais ils n'avaient pas grand-chose à se dire. Il travaillait dans l'immobilier et était obsédé par l'argent. Il ne fut pas très impressionné par son choix de carrière. Grace était la seule à admirer sa décision d'entrer dans l'enseignement. Elle trouvait que le métier de professeur était admirable. Tous les autres pensaient qu'elle était folle et lui rappelaient qu'elle serait toujours pauvre.

Victoria profita de ces vacances pour stocker dans sa mémoire des souvenirs qu'elle chérirait à jamais. Grace et elle se confièrent leurs rêves, leurs espoirs et les griefs qu'elles nourrissaient contre leurs parents. Grace trouvait qu'ils la couvaient trop et elle détestait être pour eux un sujet de vanité. Victoria regrettait qu'ils n'aient pas eu le même comportement avec elle. Leurs vécus étaient diamétralement opposés. Si Victoria était invisible et quasiment inutile à leurs yeux, c'était à cause de Grace, mais elle n'en tenait pas rigueur à sa jeune sœur. Elle se souvenait encore avec émotion du jour où elle l'avait vue pour la première fois, à son retour de l'hôpital.

Pour Grace, cet été fut sa dernière chance de passer du temps avec sa grande sœur. Chaque matin, elles prenaient leur petit déjeuner ensemble. Elles riaient beaucoup. Victoria emmenait Grace à la piscine, où l'adolescente retrouvait ses amis. Elle jouait au tennis avec eux et ils la battaient chaque fois, parce qu'ils se déplaçaient plus vite. Elle aida Grace à acheter de nouveaux vêtements pour la rentrée scolaire. Elles décidèrent ensemble de ce qui était branché ou ringard, plongées dans des magazines de mode et commentant les dernières créations. Elles allaient à la plage, à Malibu ou ailleurs, quand elles ne paressaient pas dans le jardin, étendues l'une près de l'autre. Elles n'avaient pas besoin de se parler pour savoir combien elles étaient proches et heureuses d'être ensemble.

Dans la mesure où Victoria se chargeait de Grace, l'été fut aussi très agréable pour Christine. Elle disposa de tout le temps qu'elle voulait… Non pour être avec ses filles, mais pour jouer au bridge avec ses amies, son passe-temps favori. Malgré les protestations de Victoria, son père lui organisa plusieurs entretiens d'embauche afin qu'elle décroche un « meilleur » emploi que celui qui l'attendait à New York. Victoria le remercia et annula discrètement les rendez-vous. Elle ne voulait pas gaspiller son temps ni celui des autres. Fâché, son père lui répéta qu'elle ne prenait que des mauvaises décisions et qu'elle gagnerait une misère en tant que professeur. Victoria n'en avait cure.

Elle confia à Grace que si elle en avait les moyens, un jour, elle aimerait faire refaire son nez. Celui de sa sœur lui plaisait bien et elle en aurait voulu un semblable ou du moins un plus petit. Touchée, Grace affirma qu'elle était très belle et qu'elle n'avait pas besoin d'en changer.

Leur amour mutuel et sans réserve les ravissait. En revanche, celui de leurs parents était soumis à conditions. Pour être aimées, elles devaient être belles, réussir selon leurs critères et donner d'eux une image favorable. Grace avait joui de leurs faveurs parce qu'elle flattait leur orgueil. Et parce que Victoria était différente et qu'elle ne répondait pas à leurs vœux, ils l'avaient privée d'amour. En revanche, Grace avait toujours adoré sa grande sœur, elle la vénérait même. Victoria le lui rendait bien, elle voulait la protéger et elle espérait qu'elle ne finirait pas par ressembler à leurs parents. Elle aurait voulu l'emmener avec elle, et toutes deux redoutaient le jour où Victoria s'envolerait pour New York.

À son tour, Grace aida Victoria à agrémenter sa garde-robe de quelques accessoires indispensables pour affronter ses élèves. Cette fois, Victoria avait suivi son régime à la lettre et pouvait entrer dans du 42 au début du mois d'août. Elle avait perdu plusieurs kilos depuis son arrivée, bien que son père lui demandât régulièrement si elle allait se décider à maigrir un peu avant de repartir pour New York. Il n'avait pas remarqué que ses efforts étaient couronnés de succès, pas plus que sa mère, qui la trouvait toujours trop grosse. L'étiquette qu'ils lui avaient accolée depuis l'enfance était devenue comme un tatouage. Elle était « forte », leur façon à eux de dire qu'elle était grosse. Elle savait que même si elle pesait cinquante kilos, ils la verraient toujours ainsi. Ils lui renverraient toujours l'image de ses imperfections et de ses échecs, jamais celle de ses victoires. Ils ne voyaient que celles de Grace.

Avant le départ de Victoria, la famille partit une semaine au lac Tahoe. Ce fut un séjour agréable dans une jolie maison de location. Les deux filles firent du ski nautique, tandis que leur père conduisait le hors-bord. Grace insista sur le fait que les congés constituaient un des avantages de l'enseignement et qu'elles pourraient encore passer les grandes vacances ensemble. Victoria lui promit de l'inviter à New York et de lui faire visiter le lycée Madison.

Le jour du départ arriva, un moment redouté par les deux sœurs. Pendant le trajet jusqu'à l'aéroport, elles restèrent étrangement silencieuses. Elles s'étaient couchées la veille dans le même lit, pour bavarder, et avaient peu dormi. Victoria avait proposé à Grace de s'installer dans sa chambre après son départ, puisqu'elle la préférait à la sienne, mais Grace avait refusé tout net. Elle voulait que sa sœur se sente chez elle lorsqu'elle reviendrait. Les joues

ruisselantes de larmes, elles s'étreignirent longuement avant l'embarquement. Elles avaient eu beau
se persuader tout l'été du contraire, elles n'ignoraient pas que rien ne serait plus jamais pareil,
désormais. Victoria entamait sa vie d'adulte dans
une autre ville, et elles savaient toutes deux que ce
départ était nécessaire, que c'était la meilleure solution. Ce qui ne changerait jamais, c'était leur amour
mutuel. Lorsque Victoria reviendrait, ce serait en
visite. Il ne lui restait rien, ici, hormis des souvenirs
douloureux et sa sœur Grace. Ses parents l'avaient
abandonnée affectivement dès le jour de sa naissance, parce qu'elle ne correspondait pas à leurs
vœux et qu'elle ne leur ressemblait pas. À leurs
yeux, il s'agissait d'un crime impardonnable. Ils
s'étaient moqués d'elle sans pitié, ils l'avaient dimi-
nuée et reniée, lui ayant toujours fait sentir qu'ils
ne voulaient pas d'elle et qu'elle n'était pas assez
bien pour eux.

— Prends soin de toi et donne-nous de tes nouvelles, lui dit sa mère.

Elle l'étreignit mollement, comme elle l'avait
toujours fait. Comme si Victoria était trop grosse
pour qu'elle puisse refermer ses bras autour d'elle,
ou que sa corpulence fût une maladie contagieuse.
Christine avait trop peu de cœur pour en donner à
qui que ce fût, à l'exception de Jim. Elle avait gra-
tifié son mari de tout l'amour dont elle privait ses
filles, même Grace. Elle n'avait été que trop heureuse de laisser Victoria s'occuper de sa cadette.

— Je te trouverai un emploi, quand tu cesseras
d'enseigner, lui dit son père en l'embrassant. Cela
ne devrait pas durer longtemps, ajouta-t-il avec un

petit sourire. Un jour, tu en auras assez de crever de faim.

Malgré tout, il lui glissa un chèque de mille dollars dans la main. Un cadeau généreux qui venait à point nommé. Cette somme aiderait Victoria à payer la caution ou le loyer de l'appartement qu'il lui fallait encore trouver.

Grace et elle s'embrassèrent une dernière fois, puis elle s'arracha aux bras de sa sœur pour franchir la porte d'embarquement. Lorsqu'elle se retourna pour lui adresser un signe de la main, elle vit que Grace pleurait. Jim avait passé un bras autour des épaules de sa femme, laissant Grace de côté. Le regard qu'elles échangèrent disait tout. Victoria savait qu'elles resteraient alliées pour toujours. Elle posa la main sur son cœur avant d'envoyer un baiser à sa petite sœur, puis elle partit vers sa nouvelle vie. Désormais, ce qu'elle avait vécu à Los Angeles appartenait au passé.

8

Victoria se mit à la recherche d'un logement. Au bout d'une semaine sans résultat, elle commença à s'affoler. Elle n'avait pas les moyens de s'éterniser à l'hôtel, même si le chèque de son père constituait une aide inespérée et qu'elle eût mis de l'argent de côté grâce à son job des vacances. Elle appela le lycée, mais aucun professeur ne cherchait de colocataire. Elle contacta ensuite l'agence de mannequins où elle avait travaillé. Un des agents lui recommanda un ami qui habitait à six rues du lycée Madison et cherchait quelqu'un de plus avec qui partager le loyer. Elle l'appela immédiatement. Ils étaient déjà trois dans l'appartement, deux hommes et une femme. La chambre était petite, mais le prix correspondait à son budget. Il fut convenu qu'elle rencontrerait ses futurs colocataires le soir même. Néanmoins, elle ne voulait pas s'emballer avant d'avoir vu l'appartement.

Situé sur la 82ᵉ Rue Est, tout près du fleuve, l'immeuble datait d'avant-guerre. Il était en bon état même s'il avait visiblement connu des jours meilleurs. La porte cochère était fermée et elle dut sonner à l'interphone pour entrer. Elle prit ensuite l'ascenseur jusqu'à l'étage indiqué. Le couloir était sombre mais propre. Elle fut accueillie sur le seuil de l'appartement par une jeune femme en tenue sportive. Âgée d'une trentaine d'années, elle paraissait en grande forme physique. Elle précisa à Victoria qu'elle s'appelait Bernice mais que tout le monde l'appelait Bunny, car elle détestait son prénom. Elle travaillait dans une galerie d'art située dans un quartier résidentiel. Ses deux colocataires les rejoignirent. Bill avait rencontré Bunny à l'université de Tulane. Analyste financier à Wall Street, il venait de se fiancer et comptait déménager l'année suivante. Le week-end, il restait le plus souvent chez sa fiancée. L'autre homme, Harlan, était gay. Diplômé depuis peu, il travaillait au Costume Institute du Metropolitan Museum. Tous trois semblaient sérieux, aimables et s'exprimaient bien. Bill proposa à Victoria un verre de vin et quelques minutes plus tard, Bunny les quitta pour aller à la gym. Natif du Mississippi, Harlan possédait un solide sens de l'humour et un accent traînant qui lui rappela Beau.

Vaste et ensoleillé, l'appartement comportait une grande salle de séjour, un bureau étroit, une salle à manger, une cuisine un peu vieillotte, deux salles de bains et quatre chambres de taille modeste. Le loyer, plafonné, était parfaitement adapté au budget de Victoria. Ainsi qu'on l'avait prévenue, sa future chambre était petite, mais les pièces à vivre étaient spacieuses et agréables. Ses futurs colocataires ne voyaient aucun inconvénient à ce qu'elle reçût des amis. Le quartier était sûr et il y avait de nombreux commerces. C'était vraiment le logement idéal pour commencer sa vie new-yorkaise. Elle apprit que l'immeuble était habité par des personnes âgées qui vivaient là depuis des lustres et par des gens jeunes. Quand elle demanda à Bill et Harlan s'ils voulaient bien l'accepter comme quatrième occupant, ils donnèrent immédiatement leur accord. L'employé de l'agence de mannequins leur avait dit que c'était une chic fille. Avant de partir, Bunny avait déjà approuvé sa candidature. Souriante, Victoria serra chaleureusement les deux mains tendues. Ils n'exigèrent aucune caution et lui dirent qu'elle pouvait emménager tout de suite, du moins dès qu'elle aurait acheté un lit ! Harlan lui indiqua l'adresse d'un magasin qui lui livrerait un matelas sur un simple coup de fil, si elle avait une carte de crédit. L'efficacité new-yorkaise !

Victoria leur versa un mois de loyer et ils lui remirent un jeu de clefs. Quand elle rentra à son hôtel, la tête lui tournait. Elle avait un emploi et un appartement. Une nouvelle vie. Elle appela ses parents pour leur annoncer la bonne nouvelle, Grace s'en réjouit, mais son père la soumit à un interrogatoire serré sur le quartier et ses colocataires. Sa mère ne fut pas très contente d'apprendre qu'elle cohabiterait avec deux hommes. Victoria la rassura en lui disant que le premier était fiancé et que le second ne s'intéressait pas aux femmes. Sans nul doute, ses parents auraient préféré qu'elle vive seule, et non avec des étrangers, mais ils savaient qu'elle n'en avait pas les moyens, et comme il n'était pas dans leurs intentions de l'aider financièrement, ils ne purent que s'incliner devant son choix.

Le lendemain, sur les conseils de Harlan, elle loua une camionnette et se rendit chez Ikea. Elle acheta, pour un prix étonnamment modique, deux lampes, un tapis, des rideaux, deux miroirs, du linge de lit et de toilette, un fauteuil confortable, une paire de tables de chevet, une jolie commode et une petite armoire à glace, sa chambre n'étant équipée que d'une penderie et d'un placard. Elle espérait pouvoir y ranger toutes ses affaires.

Les employés du magasin l'aidèrent à charger ses acquisitions dans la camionnette, et une heure plus tard elle était de nouveau en bas de chez elle. Le gardien l'aida à tout transporter à l'étage. Harlan lui avait suggéré de demander à l'homme à tout faire de l'immeuble d'assembler les éléments pour elle en échange d'un bon pourboire. Pendant qu'il travaillait, Victoria appela le magasin de literie qui lui livra le sommier et le matelas dans la foulée. À 18 heures, quand Bunny rentra de son travail, Victoria était assise au milieu de sa chambre, fière de son installation. Elle avait choisi des meubles blancs, des rideaux en dentelle de la même couleur et un tapis blanc et bleu. Un couvre-lit coordonné à rayures et des coussins assortis conféraient à la pièce un air californien. Un fauteuil bleu et confortable trônait dans un angle. Si elle ne voulait pas rester dans la salle de séjour, elle pourrait s'y asseoir pour lire. Elle s'était offert un petit téléviseur qu'elle regarderait dans son lit. Un luxe que le chèque de son père lui avait permis de s'offrir.

— Tu m'as l'air euphorique, remarqua Bunny. J'aime bien tes meubles.

— Et moi donc ! s'exclama Victoria.

C'était sa première vraie installation. Jusque-là, elle avait vécu dans une chambre bien plus petite. Elle partagerait une des deux salles de bains avec

Bunny. Les hommes utilisaient l'autre. Elle ne pouvait rêver mieux.

— Tu restes ici, ce soir ? lui demanda Bunny. Moi, je ne sors pas, alors, n'hésite pas si tu veux que je t'aide à t'installer.

— C'est gentil, mais je dois d'abord récupérer mes affaires à l'hôtel.

Le matin, elle avait libéré sa chambre et réglé sa note, laissant ses bagages à la réception.

— Je ne vais pas tarder à y aller, ajouta-t-elle. Je ne serai pas longue.

Bill et Harlan, eux aussi de retour du travail, vinrent admirer la chambre. Selon Harlan, elle évoquait une petite maison à Malibu. Victoria avait acheté une photographie encadrée représentant une longue plage de sable fin et une mer turquoise. Victoria la trouvait apaisante. Une odeur de meubles neufs flottait dans la pièce, repeinte récemment. L'immeuble, orienté au sud, lui assurait un bon ensoleillement. De sa fenêtre, elle voyait la rue en contrebas et les toits des immeubles en face.

Ses nouveaux colocataires lui annoncèrent qu'ils restaient tous les trois à la maison pour dîner et l'invitèrent à se joindre à eux. Pour ne pas les faire attendre, elle se dépêcha de retourner à l'hôtel récupérer ses bagages avant de restituer la camionnette.

Lorsqu'elle revint avec ses quatre valises, une bonne odeur flottait dans l'appartement. Des rires lui parvenaient de la cuisine où Bill, Bunny et Harlan buvaient un verre en compagnie de Julie, la fiancée de Bill.

En chemin, Victoria s'était arrêtée pour prendre du vin espagnol. Ils débouchèrent la bouteille sur-le-champ car ils ne l'avaient pas attendue pour en vider une. À l'épicerie, Victoria avait eu la tentation d'acheter de la glace, mais avait résisté.

Vers 22 heures, affamés, ils s'attablèrent. Bunny avait préparé le repas pendant que les deux garçons étaient au sport. Tous s'entraînaient régulièrement et la fiancée de Bill, qui travaillait pour une grande marque de produits de beauté, avait un corps superbe. Ils se mirent à parler métier. Les colocataires de Victoria convinrent qu'elle avait choisi une profession formidable et qu'elle avait beaucoup de courage, car ses élèves n'étaient sans doute pas beaucoup plus jeunes qu'elle.

— Les gamins me terrifient, avoua Bunny. Chaque fois que l'un d'eux pénètre dans la galerie, je suis sur mes gardes. Ils cassent toujours quelque chose et ensuite c'est moi qui ai des ennuis.

Elle expliqua à Victoria qu'elle avait fait les Beaux-Arts. Son petit ami poursuivait ses études de droit à Boston. Ils se voyaient le week-end.

Leur vie semblait parfaitement organisée. Pendant le dîner, Harlan raconta qu'il avait rompu avec son ami six mois auparavant. C'est à cette époque qu'il avait emménagé dans cet appartement et décidé de faire une pause dans sa vie sentimentale. Victoria reconnut qu'elle n'avait pas de petit ami non plus. Jusque-là, aucune de ses idylles n'avait abouti, mais elle n'aimait pas la théorie de son père selon laquelle son poids était en cause. Elle se sentait maudite. Son père ne la trouvait pas assez jolie et sa mère était persuadée que sa trop grande intelligence éloignait les hommes. Elle était ou trop moche ou trop intellectuelle. Si elle exceptait son aventure avec Beau, elle n'avait connu que des amourettes. Sa brève liaison avec le physicien et quelques invitations à dîner ne l'avaient menée nulle part. Elle espérait que sa chance tournerait à New York. Jusque-là, c'était le cas : elle avait trouvé un appartement magnifique et trois colocataires fantastiques ! Le dîner fut délicieux. Bunny leur servit un gaspacho, suivi d'une paella aux fruits de mer, un choix idéal pour une chaude soirée d'été. Elle avait aussi préparé une sangria qu'ils burent après le vin. Pour le dessert, elle avait prévu une crème glacée onctueuse parsemée de morceaux de cookies au chocolat. La préférée de Victoria... Elle ne put résister.

— C'est comme de proposer de l'héroïne à un drogué, se plaignit-elle en s'en servant une bonne part.

— Moi aussi, j'adore ça, avoua Harlan.

Sans aucun dommage apparemment : il était très mince et avec son mètre quatre-vingt-dix-huit, il avait de la marge !

Victoria, qui s'était privée de dessert toutes les vacances, décida de s'accorder ce petit plaisir. Après tout, ils fêtaient son emménagement. Plus tard, elle se félicita de ne pas s'être resservie. À eux cinq, ils firent un sort à la glace. Néanmoins aucun d'entre eux ne semblait avoir de problème avec la nourriture. Sveltes et musclés, ils entretenaient leur forme physique. Bunny et Bill précisèrent que le sport était pour eux un excellent antidote au stress. Harlan détestait la gym, mais il estimait l'entraînement nécessaire pour se maintenir en bonne condition. Ils avaient d'ailleurs envisagé d'acheter en commun un tapis de marche, pour ne pas avoir à se rendre au club. Victoria trouva l'idée excellente. Elle n'aurait pas d'excuse, s'il était installé dans l'appartement ! Ses nouveaux amis fourmillaient d'idées et de projets. La perspective de vivre avec eux l'enchantait. Elle allait être bien plus heureuse que si elle avait dû habiter seule : elle aurait de la compagnie chaque fois qu'elle en aurait envie. Et quand ce ne serait pas le cas, elle se retirerait dans une chambre calme et joliment décorée. Les meubles qu'elle avait achetés formaient un ensemble ravissant et elle remercia une fois de plus Harlan, qui lui avait suggéré d'aller chez Ikea.

— Il se trouve que j'ai décoré des vitrines pour arrondir mes fins de mois, expliqua-t-il avec un sourire. J'ai travaillé pour des magasins de SoHo, ainsi que pour Chanel. Enfant, je voulais être décorateur d'intérieurs. Pour l'instant, je suis employé au Costume Institute, mais j'ai aussi d'autres projets.

Victoria adorait sa façon de s'habiller.

Elle espéra qu'en vivant avec eux et en fréquentant assidûment une salle de sport, elle pourrait maîtriser son poids. Il fluctuait constamment, et restait toujours trop élevé. Elle sentait que ses nouveaux colocataires, tous minces, auraient une influence positive sur elle. Depuis toujours, elle enviait les gens comme eux. Les gènes de son arrière-grand-mère paternelle la dotaient d'une poitrine avantageuse qui la faisait paraître encore plus grosse. Elle se demandait souvent si son aïeule avait eu de longues jambes minces comme les siennes. À cette époque, on portait des robes dont l'ourlet arrivait à la cheville, aussi les photographies ne révélaient-elles rien. Ayant maigri pendant l'été, Victoria pouvait de nouveau mettre des jupes courtes. Elle n'ignorait pas que cela redeviendrait impossible si elle se gavait de glace. Elle se repentait déjà d'avoir pris du dessert. Dès le lendemain, elle irait s'inscrire dans une salle de sport, peut-être celle de Bunny, ou faire du jogging. Soudain, Victoria fut submergée par tout ce qui l'attendait. Sans compter que la rentrée scolaire approchait à pas de géant. Et cette fois, elle serait enseignante, et non élève… Finalement, c'était très excitant !

Vers 1 heure du matin, après avoir longuement discuté, chacun regagna sa chambre. Julie passait la nuit avec Bill. Quand Victoria se fut glissée sous sa couette, elle sourit dans l'obscurité. Sa chambre était exactement telle qu'elle la voulait – un petit monde douillet pour faire face à la nouvelle existence qu'elle commençait à se construire. Dans quelque temps, elle aurait un emploi, des élèves, elle se ferait de nouveaux amis, et un jour peut-être rencontrerait-elle quelqu'un. C'était difficile à imaginer pour le moment. Cette colocation constituait une première étape. Et voilà qu'elle était newyorkaise !

En s'endormant, elle songea que Grace lui manquait déjà. Elle eut envie de l'appeler, même si elle lui avait parlé dans la journée, pendant qu'elle faisait ses achats. Grace s'était réjouie de toutes ces bonnes nouvelles et Victoria lui avait promis de lui envoyer des photos de l'appartement et de sa chambre. Lorsqu'elle s'abandonna au sommeil, elle pensait à sa petite sœur et au jour où celle-ci lui rendrait visite. Dans son rêve, elles faisaient les magasins ensemble et Victoria était soudain bien plus mince, comme si elle s'était dotée d'un nouveau corps pour sa nouvelle vie. La vendeuse lui apportait une robe en taille 44 et Victoria lui répondait que maintenant, elle mettait du 36. Dans le magasin, tout le monde applaudissait.

9

Avant l'arrivée des élèves, les professeurs effectuaient une prérentrée de deux jours pendant laquelle Victoria fit la connaissance de ses futurs collègues. Elle essaya de se rappeler leurs disciplines et leurs classes. Elle prit possession des manuels qu'elle allait devoir utiliser, tous choisis par la titulaire de son poste. Cette dernière avait photocopié le programme à son intention. Ce fut une agréable surprise, car Victoria s'était beaucoup inquiétée à ce sujet. Ce serait plus facile qu'elle ne le craignait, songea-t-elle en bavardant avec les autres enseignants. Le département d'anglais était un des plus importants, avec huit professeurs, trois hommes et cinq femmes, plus âgés qu'elle. Elle nota que les hommes qui travaillaient au lycée Madison étaient homosexuels ou mariés. Elle se moqua un peu d'elle-même, songeant qu'elle n'était pas venue pour trouver un petit ami, mais pour enseigner.

Le soir, elle étudia de nouveau les manuels et le programme. Elle prit des notes concernant les devoirs qu'elle comptait donner à ses élèves, ainsi que les interrogations auxquelles elle les soumettrait en cours. Elle aurait quatre classes : une seconde, une première et deux terminales. Lorsqu'elle faisait ses études à Northwestern, on l'avait prévenue que les élèves de terminale étaient difficiles à gérer. Au milieu de l'année, lorsqu'ils apprenaient qu'ils étaient admis dans un établissement supérieur, il devenait quasi impossible de les faire travailler. Cette première année d'enseignement allait constituer un véritable défi, mais Victoria avait hâte de commencer. La veille de la rentrée, elle ne ferma presque pas l'œil de la nuit.

Le jour même, elle était debout à 6 heures. Elle se prépara un petit déjeuner équilibré, composé d'œufs, de pain grillé, de céréales et de jus d'orange. Elle fit aussi le café pour ses colocataires. De retour dans sa chambre, douchée et habillée, elle revit ses notes et quitta l'appartement à 7 h 45. À 8 heures, elle était déjà au lycée, une demi-heure avant l'arrivée des élèves.

Elle se rendit directement dans sa classe et marcha nerveusement de long en large. À un moment, elle s'arrêta devant la fenêtre. Elle attendait vingt-quatre élèves de terminale, mais il y avait quelques tables supplémentaires et un grand bureau pour elle. C'était un cours d'expression écrite et elle avait prévu de leur donner des devoirs dès le premier jour. Après les vacances d'été, leur attention serait sans doute relâchée. Mais au premier trimestre, ils devraient remplir leurs dossiers de candidature auprès de différentes universités, et fournir des lettres de recommandation de leurs professeurs, dont Victoria. Ils avaient donc intérêt à se montrer sérieux et assidus pendant ses cours, car elle était en mesure d'influer sur leur avenir.

Aujourd'hui, elle allait pouvoir mettre un visage sur leurs noms, qu'elle connaissait déjà. Elle regardait par la fenêtre, lorsqu'elle entendit une voix dans son dos :

— Vous êtes prête pour l'assaut ?

Elle se retourna et vit une femme aux cheveux gris, vêtue d'un jean, d'un tee-shirt délavé arborant le nom d'un groupe musical, et chaussée de sandales. On aurait pu croire qu'elle était encore en vacances. Elle sourit devant l'expression étonnée de Victoria, qui avait revêtu pour sa première journée à Madison une jupe en coton noir, un chemisier en lin blanc et des chaussures à talons plats. Le haut bien large était destiné à cacher ses rondeurs, mais la jupe révélait ses jolies jambes. Bien sûr, elle n'était pas là pour séduire ses élèves, mais pour leur transmettre un savoir. Néanmoins elle tenait à se montrer à son avantage.

— Bonjour, dit Victoria d'un air surpris.

Elle avait vu cette enseignante dans la salle des professeurs, mais elle ne lui avait pas parlé et ne se souvenait pas de sa discipline. Malgré tout, elle n'aurait jamais osé la questionner.

— J'enseigne les sciences sociales, lui dit l'inconnue comme si elle avait lu dans ses pensées. Au cas où la meute serait déchaînée, je suis dans la salle voisine et je peux venir à la rescousse. Je m'appelle Helen.

Souriante, elle vint lui serrer la main. Elle était de la génération de la mère de Victoria, qui venait d'avoir cinquante ans.

— Je travaille ici depuis vingt-deux ans, continua-t-elle, alors si vous avez besoin d'une antisèche ou d'un guide, vous n'avez qu'à demander. Les gens sont plutôt gentils, ici… en dehors des gosses et de leurs parents. Enfin, certains d'entre eux ! Il y a aussi des gamins adorables, bien qu'ils évoluent dans un milieu très privilégié.

À cet instant, la sonnerie retentit. Quelques minutes plus tard, elles entendirent des piétinements dans l'escalier. On aurait dit le départ du marathon de New York.

— Merci, dit Victoria ne sachant qu'ajouter.

La remarque que sa collègue avait faite à propos des enfants et de leurs parents était plutôt inquiétante. Et assez bizarre aussi, venant d'une femme qui travaillait dans un établissement empli d'enfants fortunés. Une fois encore, Helen sembla avoir lu dans ses pensées.

— J'aime bien mes élèves, précisa-t-elle, mais j'ai parfois du mal à les confronter à la réalité. C'est difficile, quand vos parents possèdent un bateau, un avion, une maison dans les Hamptons et que vous passez tous les étés dans le sud de la France. Que l'autre moitié de la planète connaisse des conditions de vie bien différentes leur est étranger. C'est à nous de les introduire au monde réel. Quelquefois, c'est une tâche assez ardue. On y arrive plus ou moins avec bon nombre d'entre eux, rarement avec leurs parents qui ne veulent pas savoir comment vivent les autres. Ils pensent sans doute que ce n'est pas leur problème, mais les enfants ont le droit d'être informés et de faire leurs choix.

Victoria était plutôt d'accord. Néanmoins, elle trouvait Helen un peu amère, comme si elle leur en voulait. Victoria se demanda si elle enviait leurs privilèges. Tandis qu'elle y réfléchissait, sa première élève entra dans la classe. Helen regagna la sienne.

Cette première élève s'appelait Becki. Ses longs cheveux blonds lui arrivaient à la taille et elle portait un tee-shirt rose, un jean blanc et des sandales italiennes de prix. Jamais Victoria n'avait vu un si beau visage et un corps aussi parfait. Becki s'assit au milieu de la classe, ce qui signifiait qu'elle n'était pas pressée de participer, mais qu'elle ne faisait pas non plus partie des cancres du fond. Elle sourit à Victoria. Avec son air décontracté, elle donnait l'impression de penser que le monde était à ses pieds, et sa mine effrontée n'était pas sans rappeler à Victoria celle de certains de ses camarades au même âge. Victoria n'avait que quatre ans de plus qu'elle, et l'assurance de la jeune fille la fit trembler intérieurement. Elle se souvint alors qu'elle était maître à bord. D'ailleurs, ses élèves ignoraient son âge exact. Elle prit soudain conscience qu'elle allait devoir conquérir leur respect.

Quatre garçons firent irruption dans la salle presque en même temps. Ils regardèrent Becki, qu'ils connaissaient visiblement déjà. Ils lancèrent un coup d'œil vaguement curieux en direction de Victoria. Une troupe de filles entra à son tour, bruyante et rieuse. Elles saluèrent Becki, ignorèrent les garçons, jetèrent un regard furtif à leur professeur et s'installèrent au fond de la classe. Victoria en déduisit qu'elles voulaient continuer à bavarder, échanger des messages et peut-être des SMS : à surveiller. D'autres garçons et filles se présentèrent, suivis de quelques traînards isolés. Dix minutes plus tard, la classe était au complet. Victoria sourit largement à ses élèves, puis elle se présenta en écrivant son nom au tableau.

— Je souhaiterais que vous vous présentiez vous-mêmes, leur dit-elle ensuite, pour que je puisse mettre un visage sur vos noms.

Elle désigna une jeune fille assise à l'extrémité du premier rang, à gauche.

— Veux-tu commencer, je te prie ?

L'un après l'autre, ils s'exécutèrent, pendant que Victoria cochait sa liste.

Quand ce fut terminé, elle demanda :

— Quels sont ceux qui savent déjà à quelles universités ils vont postuler ?

Moins de la moitié des élèves levèrent la main.

— Toi, par exemple, tu veux bien nous le dire ? proposa-t-elle à un garçon assis au dernier rang, qui semblait s'ennuyer profondément.

Ce que Victoria ne savait pas, c'est qu'il avait été le petit ami de Becki l'année précédente, jusqu'à ce qu'ils rompent avant les vacances d'été. Becki venait de rentrer du sud de la France, où son père possédait une villa. Comme de nombreux élèves du lycée Madison, elle était fille de parents divorcés.

Le garçon que Victoria avait interrogé se mit à débiter la liste des universités où il prétendait vouloir s'inscrire : Harvard, Princeton, Yale, Stanford, Duke, Dartmouth et peut-être l'Institut de technologie du Massachusetts, toutes les meilleures universités du pays ; Victoria se demanda s'il disait la vérité ou s'il la faisait marcher. Bien entendu, elle ne savait pas encore à quels énergumènes elle avait affaire, mais elle comptait bien l'apprendre vite.

— Tu n'aurais pas oublié l'école du cirque à Miami ? s'enquit-elle très sérieusement, ce qui provoqua un éclat de rire général.

— Je veux être ingénieur chimiste, et je suivrai aussi des cours de physique, ou peut-être le contraire.

— Quelles sont tes notes en dissertation ?

C'était le genre de garçon qui devait penser que l'expression écrite ne servait à rien, sinon que c'était une matière obligatoire.

— Pas très bonnes, avoua-t-il sur un ton penaud. Je suis meilleur en sciences.

— Et vous ? lança-t-elle aux autres. Comment vous jugez-vous ?

Certains répondirent qu'ils faisaient des efforts, d'autres qu'ils avaient un bon niveau.

— Très bien. Si vous voulez vous inscrire dans ces universités, et je suppose que c'est le cas d'un certain nombre d'entre vous, vous devrez obtenir des notes convenables en expression écrite. Nous allons travailler à l'améliorer. Cela vous sera utile, quand vous rédigerez votre lettre de motivation, et je serai heureuse de vous aider à constituer vos dossiers, si vous le souhaitez.

Les propos de Victoria éclairaient de façon significative l'objet de sa discipline, et ils en comprirent l'intérêt. Après cela, ils l'écoutèrent plus attentivement.

Elle leur expliqua pourquoi il était important d'écrire clairement et de façon cohérente. Il ne s'agissait pas d'utiliser un langage fleuri, mais ils devaient être capables de rédiger une histoire intéressante, comportant un début, un milieu et une fin.

— Je pense que nous devrions nous amuser, dit-elle. L'écriture ne doit pas être une corvée, même si je sais que pour certains élèves c'est difficile.

Elle jeta un coup d'œil au garçon qui voulait être ingénieur chimiste et que l'expression écrite ne passionnait visiblement pas.

— Vous pouvez ajouter une note d'humour à votre histoire, utiliser le sarcasme. Vous avez le droit de rédiger un commentaire social sur l'état du monde, ou bien d'inventer un récit du début à la fin. Mais quoi que vous écriviez, faites en sorte que ce soit simple et clair, donnez aux autres l'envie de vous lire par votre originalité. C'est dans cet esprit que je vais vous demander de rédiger un texte que nous aurons tous plaisir à partager.

Elle se tourna vers le tableau noir et écrivit l'énoncé du sujet en lettres capitales, de façon qu'ils puissent tous le lire facilement : *« Mes vacances d'été »*.

Percevant quelques grognements dans son dos, elle fit face à la classe.

— Une petite astuce : ne me racontez pas vos vraies vacances, qui ont pu être aussi ennuyeuses que les miennes, à Los Angeles. Je veux que vous imaginiez celles que vous auriez aimé avoir. Lorsque je lirai vos devoirs, il faudra que vous me donniez l'envie de les vivre, moi aussi. Et vous devrez me faire comprendre pourquoi. Expliquez-moi ce qu'elles auraient eu de spécial. Vous pouvez rédiger votre texte à la première ou à la troisième personne. Mais je veux du contenu ! Je sais que vous en êtes capables. Le cours est terminé, vous pouvez partir.

L'espace d'un instant, les élèves la regardèrent avec étonnement, puis ils se levèrent en poussant des cris de joie. Victoria tapa de la main sur le bureau avant de leur annoncer qu'ils devraient rendre leur travail pour le prochain cours, à savoir trois jours plus tard. Il y eut quelques grommellements dans les rangs et elle précisa :

— Je ne vous demande pas d'écrire un roman.

Du coup, les visages s'épanouirent.

— J'aurais voulu passer mes vacances dans un bordel au Maroc, dit un garçon.

Ses camarades éclatèrent de rire. À leur âge, l'insolence envers un professeur déclenchait toujours l'hilarité. Victoria resta de marbre, bien qu'elle fût légèrement choquée.

— Pourquoi pas ? rétorqua-t-elle calmement. Mais je dois y croire. Si ce n'est pas le cas, tant pis pour toi. C'est justement le nœud du problème. Je dois être convaincue, m'attacher aux personnages, éventuellement en tomber amoureuse, tomber sous le charme de l'auteur... Voilà l'enjeu de l'écriture : persuader votre lecteur que cette histoire est véridique. Et pour y parvenir, vous devez d'abord y croire vous-mêmes. Amusez-vous bien.

Victoria avait une pause entre deux cours. Assise à son bureau, elle prenait quelques notes sur ses élèves quand Helen revint la voir. Elle semblait intéressée par les faits et gestes de sa jeune collègue. Carla Bernini, l'enseignante en congé maternité que Victoria remplaçait, était sa meilleure amie. La jeune femme se demanda si elle défendait le territoire de sa copine, ou si elle se contentait de le surveiller à sa place.

— Comment ça s'est passé ? s'enquit-elle en s'asseyant à l'un des pupitres.

— Plutôt bien, je crois. Ils ne m'ont pas lancé d'objets à la figure, ils n'ont pas fait exploser de pétards ou lancé de boules puantes. J'ai fait court, ce qui est toujours un atout.

Une tactique qu'elle avait déjà mise en pratique lors de ses stages pédagogiques. Il n'était pas nécessaire de discourir sur l'écriture pendant des heures. Il fallait s'y mettre, même si c'était difficile et un peu effrayant.

— Je leur ai donné un devoir assez facile qui me permettra d'évaluer ce qu'ils sont capables de faire.

— Ce ne doit pas être simple de prendre la place d'une autre, remarqua Helen.

Victoria haussa les épaules.

— J'essaie de ne pas y penser. Chaque enseignant a son style.

— Quel est le vôtre ? demanda Helen avec intérêt.

On aurait dit un entretien d'embauche, songea Victoria, qui se plia de bonne grâce à l'interrogatoire.

— Je ne le sais pas encore, puisque c'est mon premier jour. J'ai eu mon diplôme en mai.

— Eh bien ! Ce doit être un peu effrayant. Vous êtes une grande fille bien courageuse !

Son ton de défi rappela à Victoria celui de son père, mais elle s'en moquait. Elle savait qu'elle avait réussi son entrée en matière. Maintenant, il lui faudrait faire aussi ses preuves auprès des enseignants, pas seulement devant les élèves. Pour l'instant, tout allait bien.

Une heure plus tard, elle accueillait son autre groupe de terminales. Cette fois, plusieurs élèves arrivèrent vraiment en retard. Elle ne fit aucune remarque.

Le sujet qu'elle leur donna à traiter fut différent. Il s'agissait d'expliquer ce qu'ils voulaient faire plus tard et pourquoi.

— Je veux que vous réfléchissiez sérieusement à la question. Quand je vous lirai, je veux que votre choix m'inspire du respect et de l'admiration. Vous avez aussi le droit de me faire rire. Restez légers, à moins que votre vocation ne soit d'être ordonnateur de pompes funèbres ou embaumeur. Pour ce qui est des autres professions, tâchez d'être drôles.

Le second groupe quitta la salle à son tour. Le premier contact avait été positif et désormais, elle connaissait tous ses élèves de terminale. Ils semblaient plutôt gentils et ils ne lui avaient pas causé de difficultés particulières. Néanmoins, elle savait qu'ils avaient le pouvoir de lui rendre la vie infernale, et que sa jeunesse pouvait se retourner contre elle. Il était encore trop tôt pour qu'ils se sentent redevables du moindre fair-play envers elle, mais elle espérait que ce serait le cas un jour. Elle savait que gagner leur respect faisait aussi partie de son travail.

Une fois en salle des profs, Victoria consulta ses mails, puis elle lut une quantité de mémos adressés par le proviseur et la conseillère d'éducation : certaines nouvelles directives ministérielles auraient un retentissement sur le lycée. Dans l'après-midi, elle participa à un conseil réunissant les enseignants de sa matière et lorsqu'elle quitta l'école à pied, il ne lui fallut que dix minutes pour rentrer chez elle. Cette proximité était géniale.

Dès qu'elle eut franchi le seuil, ses trois colocataires s'enquirent de sa journée.

— C'était grandiose ! s'exclama-t-elle.

Une heure plus tard, Grace l'appela pour lui poser la même question et elle lui offrit la même réponse. Dans l'ensemble, tout allait bien et ses élèves lui plaisaient. Ils avaient beau avoir parcouru la planète avec leurs parents et faire comme s'ils connaissaient tout de la vie, il y avait quelque chose d'innocent et d'attendrissant chez eux. Elle voulait qu'ils apprennent à utiliser leur intelligence, qu'ils fassent preuve de bon sens et qu'ils réussissent l'existence de leur choix. Son travail, tel qu'elle le concevait, consistait à les introduire au monde. Elle comptait ouvrir pour eux toutes les portes qui leur permettraient d'y accéder.

Elles s'entrouvraient déjà.

10

Lorsqu'elle rencontra ses élèves de seconde et de première, Victoria constata avec surprise qu'ils étaient bien plus difficiles que les terminales. La classe de première était stressée parce que la charge de travail, plus importante que les années précédentes, allait peser lourdement sur leurs inscriptions dans les universités. Les élèves craignaient que Victoria leur donnât trop de devoirs. Quant aux secondes, ils se montrèrent hostiles, presque agressifs. À quinze ans, les filles étaient les plus pénibles. C'était un âge que la plupart des enseignants redoutaient. Victoria ne le prisait pas davantage, avec une exception pour Grace, qui était restée aussi gentille. Il y avait quelque chose de méchant dans leur comportement, et lorsqu'elles quittèrent la salle, Victoria entendit deux de ces filles échanger des propos désobligeants sur sa corpulence. Elles parlaient juste assez fort pour qu'elle pût les entendre. Elle eut beau se dire qu'il ne s'agissait que de gamines mal élevées, leurs commentaires la poignardèrent. L'une d'elles l'appela « la grosse » et l'autre ajouta que sa robe lui donnait l'allure d'un tonneau. Le soir même, après l'avoir enlevée, Victoria la mit sur une pile de vêtements à donner. Elle savait qu'elle ne se sentirait plus jamais bien dedans. Ce soir-là, dans la cuisine, elle termina un fond de crème glacée que quelqu'un avait laissé au congélateur. Et ce n'était même pas un parfum qu'elle aimait !

C'est alors que Harlan entra se faire un thé. Il lui en offrit une tasse.

— Mauvaise journée ?

— En quelque sorte, oui. J'ai fait la connaissance des secondes, aujourd'hui. Certaines filles sont de vraies vipères.

L'air malheureux, elle but son thé en grignotant les gâteaux qu'elle avait achetés sur le chemin du retour.

— Ce ne doit pas être facile, quand on est aussi jeune que toi, d'enseigner à des lycéens qui ont quasiment ton âge, compatit Harlan.

— Sans doute. Mais, dans l'ensemble, les terminales ont été plutôt gentils. Les pires, ce sont les plus jeunes. Je les ai trouvés horribles.

— Je n'aimerais pas exercer ton métier. Les gamins peuvent être extrêmement durs, et se retrouver face à trente paires d'yeux hostiles, cela me tuerait.

— Je n'ai pas beaucoup d'expérience, admit Victoria. J'ai fait mon stage avec des troisièmes, c'était très différent. Mes lycéens appartiennent à un milieu très favorisé, ils sont bien plus compliqués que ceux de mon stage à Chicago. Ils ne me laisseront aucun répit… Je dois m'arranger pour que mon cours les intéresse. À cet âge, on peut être sans pitié.

Harlan feignit de frissonner.

— Tu vis dangereusement !

— Ils ne sont pas aussi méchants que ça, assura Victoria en riant. Ce ne sont que des gosses.

Mais le lendemain, lorsqu'elle retrouva les terminales, elle se rangea à l'avis de Harlan. Elle s'attendait que tous les élèves lui rendent leur devoir, mais moins de la moitié l'avaient fait. Victoria fut terriblement déçue.

— Tu as une raison valable de ne pas être en règle ? demanda-t-elle à Becki Adams.

— J'avais trop de devoirs à rendre dans les autres matières, répondit l'adolescente en haussant les épaules.

Sa repartie fut saluée par un éclat de rire général.

— Puis-je te rappeler que ce cours est obligatoire ? Tes résultats trimestriels dépendront de tes notes en dissertation.

— Ouais, c'est ça ! dit Becki en se tournant vers sa voisine pour lui chuchoter quelques mots.

Elle jeta un coup d'œil à Victoria, comme pour lui faire comprendre qu'elle parlait d'elle. La jeune femme tâcha de faire bonne figure. Après avoir rassemblé les copies, elle remercia les lycéens qui avaient respecté le délai.

— Pour les autres, dit-elle d'un ton placide, vous avez jusqu'à lundi. J'espère que cela ne se reproduira plus.

Du coup, elle s'abstint de leur donner le devoir qu'elle avait prévu pour le week-end. Elle entreprit ensuite de leur expliquer le pouvoir des mots dans une dissertation. Cette fois, le groupe entier l'ignora. Au fond de la classe, deux filles se concentraient sur leurs iPod, trois garçons échangeaient des plaisanteries, plusieurs filles se passaient des petits mots et Becki sortit son BlackBerry pour envoyer un SMS. Victoria eut l'impression d'être frappée en plein visage. Elle ne savait trop quel comportement adopter. Ses élèves avaient quatre ans de moins qu'elle et ils se conduisaient comme des morveux.

— J'ai le sentiment que nous avons un problème, dit-elle calmement. Vous vous imaginez peut-être que vous n'êtes pas obligés d'être attentifs à mon cours ? Ou même d'être polis ? Est-ce que vous vous moquez complètement de vos notes ? Je sais que vous êtes en terminale et que ce sont vos bulletins de première qui vont figurer dans les dossiers que vous adresserez aux universités, mais si vous échouez dans cette matière, cela peut vous nuire gravement.

— Vous n'êtes là que temporairement, jusqu'au retour de madame Bernini, lança un garçon assis au dernier rang.

— Madame Bernini ne reviendra pas cette année, rectifia Victoria. Ce peut être une bonne ou une mauvaise nouvelle, suivant ce que vous en ferez. La balle est dans votre camp. Si vous avez de mauvaises notes en expression écrite, vous ne pourrez vous en prendre qu'à vous-mêmes. Vous pourrez toujours essayer de vous justifier devant votre délégué, ou vos parents. En ce qui me concerne, c'est très simple… Vous faites vos devoirs et vous êtes notés. Si cela vous est indifférent, si vous ne me rendez rien, vous échouerez dans ma matière. Je suis certaine que Mme Bernini verrait les choses de la même façon.

Tout en parlant, Victoria passa devant Becki et lui prit son portable. L'adolescente lui jeta un regard furieux.

— Vous n'avez pas le droit ! J'envoyais un SMS à ma mère !

— Fais-le une fois sortie d'ici. Si c'est une urgence, va au secrétariat, mais n'envoie pas de message pendant mon cours.

Se tournant vers une fille assise au deuxième rang qui envoyait en fait des SMS à Becki, Victoria lui dit sèchement :

— Cela vaut pour toi aussi. Que ce soit clair pour tout le monde : je ne veux ni portables ni iPod en cours ! Nous sommes là pour travailler votre expression écrite.

Ce discours ne sembla pas impressionner son auditoire. Pendant qu'elle leur parlait, la sonnerie retentit. Ils se levèrent avec un bel ensemble et n'attendirent pas son signal pour sortir. Découragée, Victoria rangea les copies dans sa mallette. Cela ne s'arrangea pas avec le groupe suivant, qui se montra tout aussi turbulent. On aurait dit que toutes les terminales s'étaient passé le mot. Elle avait été cataloguée comme le professeur qu'on pouvait bousculer, railler ou ignorer.

Quand Helen la rejoignit dans sa classe, une fois les élèves envolés, elle était au bord des larmes.

— Mauvaise journée ? demanda sa collègue avec compassion.

Jusque-là, Victoria ne savait pas trop si Helen était son alliée, mais elle lui parut amicale.

— Pas formidable, en tout cas, avoua-t-elle avec un soupir.

— Vous allez devoir les dompter très vite, si vous ne voulez pas qu'ils vous marchent dessus. Les terminales peuvent être coriaces, quand on ne leur montre pas qui commande. Les premières sont hyperangoissés et les secondes ne sont que des gamins. Quant aux troisièmes, ce sont des bébés qui sont morts de trouille pendant la première moitié de l'année. Ce sont des classes faciles.

Ce résumé de la situation fit sourire Victoria.

— Dommage que madame Bernini n'ait pas de troisièmes. Et pour couronner le tout, j'ai *deux* classes de terminale !

— Ils vous mangeront toute crue, si vous les laissez faire. Vous allez devoir être la meilleure. Ne soyez pas trop gentille et n'essayez pas d'être leur amie, d'autant plus que vous êtes vous-même très jeune. Nos élèves peuvent être formidables et ils sont en général intelligents, mais certains d'entre eux sont manipulateurs et se croient les maîtres du monde. Vous leur tiendrez lieu de serpillière, ainsi qu'à leurs parents, si vous ne prenez pas garde. Croyez-moi, vous devez faire preuve de sévérité.

Helen avait prononcé son petit discours avec le plus grand sérieux. Victoria hocha la tête.

— Vous avez sûrement raison. Moins de la moitié de la classe m'a rendu son devoir. Pendant que je leur parlais, ils rédigeaient des SMS ou ils écoutaient de la musique. J'aurais pu aussi bien être ailleurs.

Helen se rappelait combien ses propres débuts de jeune professeur avaient été difficiles.

— Soyez sévère, répéta-t-elle en suivant Victoria dans le couloir. Donnez-leur des devoirs difficiles, défiez-les, mettez-leur un F quand ils ne rendent pas leur copie. Renvoyez-les quand ils ne vous écoutent pas ou ne font pas le travail. Et confisquez les appareils, cela devrait les réveiller.

Victoria acquiesça. Elle détestait jouer ce rôle, mais elle devinait qu'elle n'avait pas le choix.

— Et oubliez ces petites vermines pendant le week-end, reprit Helen. Faites-vous plaisir, occupez-vous de vous, ajouta-t-elle sur un ton maternel. Lundi matin, bottez-leur le derrière. Croyez-moi, ils plieront l'échine et ils vous écouteront.

— Merci, dit Victoria avec un sourire. Passez un bon week-end.

Elle apprécia que sa collègue ait pris le temps de lui prodiguer de judicieux conseils, et elle se sentait plus en confiance avec elle.

— Vous aussi ! lança Helen avant de retourner dans sa propre salle pour y prendre ses affaires.

Le cœur lourd, Victoria rentra chez elle. Elle luttait avec ses deux classes de terminales, et cela ne s'était pas bien passé non plus avec les secondes et les premières. Pour un peu, elle se serait demandé pourquoi elle avait choisi ce métier. Naïve et idéaliste, elle avait échoué sur toute la ligne. La fin de la semaine avait été désastreuse et elle craignait de ne pas être capable de reprendre les rênes, ainsi que Helen le lui avait suggéré. Tout en réfléchissant, elle s'arrêta en chemin pour acheter de quoi dîner. Son choix se porta finalement sur trois parts de pizza, trois pots de glace Häagen-Dazs aux parfums différents et un sachet de cookies. En rentrant à la maison, elle mit la pizza au four et ouvrit en premier le pot de glace au chocolat. Elle en avait mangé plus de la moitié quand Bunny revint de sa séance de sport. Victoria avait projeté de l'accompagner toute la semaine, mais elle n'en avait pas eu le temps. Elle avait été absorbée par la préparation de ses cours et, le soir, elle était exténuée.

En la voyant manger sa glace, Bunny ne fit aucun commentaire, mais Victoria se sentit immédiatement coupable. Elle remit le couvercle sur le pot et le rangea dans le congélateur avec les autres.

Bunny avait remarqué combien elle semblait contrariée.

— Comment s'est passée ta semaine ? s'enquit-elle gentiment.

— Pas très bien. Les gosses sont difficiles et je suis nouvelle.

— Je suis désolée. Essaie de t'amuser un peu, ce week-end. Il paraît qu'il va faire très beau. Je pars pour Boston, Bill est chez Julie et je crois que Harlan compte se rendre sur Fire Island. Tu vas avoir l'appartement pour toi toute seule.

Ce n'était pas vraiment une bonne nouvelle pour Victoria. Elle se sentait abandonnée, déprimée, et Grace lui manquait.

Après le départ de Bunny, elle mangea la pizza et appela ses parents afin de bavarder avec sa sœur. Ce fut sa mère qui décrocha. Victoria lui assura qu'elle était en pleine forme. Ensuite, son père prit l'appareil.

— Tu es prête à jeter l'éponge et à rentrer à la maison ? lui demanda-t-il avec un grand rire.

Elle ne le lui aurait avoué pour rien au monde, mais c'était presque le cas. Elle s'était sentie totalement impuissante et en échec, face à ses élèves. Les propos de son père la remirent dans le droit chemin : elle n'était pas près de renoncer !

Elle s'efforça de prendre un ton joyeux :

— Pas encore, papa.

Mais lorsqu'elle eut Grace au bout du fil, elle faillit fondre en larmes. Sa sœur lui manquait vraiment et elle se sentit subitement très seule, dans cet appartement désert et dans cette ville où elle n'avait pas d'amis.

Elles bavardèrent longtemps. Grace lui raconta ce qu'elle faisait au lycée, parla de ses professeurs et de ses cours. Elle avait un nouveau garçon dans sa vie. Au contraire de la mienne, songea Victoria. Elle n'avait pas été aussi triste depuis longtemps, mais elle ne raconta pas ses malheurs de la semaine à Grace. Après avoir raccroché, elle prit le pot de glace à la vanille, retourna dans sa chambre, alluma la télévision et se coucha tout habillée. Elle vida entièrement le pot en regardant un film, et fut ensuite envahie par la culpabilité. Étendue sur son lit, elle sentait presque ses hanches s'élargir. Dégoûtée d'elle-même, elle se mit en pyjama et tira les couvertures sur sa tête. Elle dormit d'une traite.

Le lendemain, pour compenser ses excès de la veille, elle fit une longue promenade dans Central Park et courut autour du Reservoir, le magnifique plan d'eau. Le temps était splendide et elle remarqua de nombreux couples qui flânaient dans les allées. Une fois de plus, elle s'attrista de ne pas avoir d'homme dans sa vie. En regardant autour d'elle, il lui sembla qu'elle était la seule célibataire. Comme toujours, elle faisait figure de phénomène... Elle pleurait lorsqu'elle atteignit au pas de course la sortie du parc. Elle regagna l'appartement, se promettant de ne pas manger de glace ce soir-là. C'était un engagement qu'elle entendait respecter. Et devant un film, seule dans l'appartement désert, elle tint parole. À la place, elle dévora tous les cookies.

Elle passa son dimanche à corriger les devoirs que lui avaient rendus les quelques terminales. Elle les trouva étonnamment bons et imaginatifs. Certains élèves, dotés d'un réel talent, avaient rédigé des récits très élaborés. Le lundi matin, elle leur dit combien elle avait été impressionnée. Le dos rond, avachis sur leurs chaises, les autres ne lui témoignaient aucun intérêt. Il y avait au moins une douzaine de BlackBerry en évidence sur les tables. Elle fit le tour de la classe et les ramassa un à un. Comme leurs propriétaires protestaient vigoureusement, elle leur assura qu'ils pourraient les récupérer après le cours. Elle les posa sur son bureau, où plusieurs se mirent à vibrer, signalant l'arrivée de messages.

Les élèves dont elle loua le travail parurent agréablement surpris. Elle ramassa le reste des copies. Tous les élèves avaient fait le devoir, hormis deux grands et beaux garçons qui lui dirent avec arrogance et un brin de cynisme qu'ils n'étaient pas en mesure de le lui rendre.

— Il y a un problème ? demanda calmement Victoria. Le chien a mangé votre copie ?

— Non, répondit celui qui s'appelait Mike Mac-Duff. Nous étions dans les Hamptons et j'ai joué au tennis toute la journée, samedi. Dimanche, j'ai fait du golf avec mon père et, le soir, j'avais rendez-vous avec une fille.

— J'en suis ravie pour toi, Mike. Je ne suis jamais allée dans les Hamptons, mais on m'a dit que la région était très belle. Tant mieux si tu as passé un bon week-end, mais tu ne t'étonneras pas d'avoir un F à ton devoir.

Sur ces mots, elle se concentra sur le reste de la classe et distribua les photocopies d'une nouvelle qu'elle voulait leur faire lire. Derrière elle, Mike s'était renfrogné, et son camarade semblait mal à l'aise, ayant bien compris qu'il récolterait lui aussi un F.

Victoria aida ses élèves à analyser la nouvelle et elle leur montra comment elle était construite. L'histoire, captivante, leur plut visiblement. Du coup, ils lui accordèrent davantage d'attention et elle se sentit un peu mieux. Même Becki fit l'effort de participer. À la fin, Victoria leur proposa de rédiger à leur tour une nouvelle. En sortant, Mike s'arrêta devant son bureau. D'une voix maussade, il lui demanda de lui retirer son F s'il lui rendait le devoir qu'il n'avait pas fait.

— Désolée, Mike, mais c'est non, lui répondit-elle gentiment.

Elle se faisait l'effet d'être un monstre, mais elle se rappela les avertissements de Helen. Si elle voulait être respectée, elle devait faire un exemple.

— C'est dégueulasse ! dit-il à haute et intelligible voix, en sortant de la salle.

Il claqua la porte derrière lui. Victoria conserva son calme et se prépara pour le cours suivant, qui commençait cinq minutes plus tard.

Les élèves furent encore plus difficiles que les précédents. Une fille, apparemment déterminée à humilier Victoria, fit plusieurs remarques sur les femmes obèses avant même le début du cours. Victoria feignit de ne pas avoir entendu. L'adolescente s'appelait Sally Fritz. Elle avait des cheveux roux foncé, des taches de rousseur et une étoile tatouée sur le dos de la main.

Interrompant brutalement son cours, la jeune fille l'interrogea :

— Où avez-vous fait vos études, à propos ?

— À Northwestern. Tu penses leur envoyer ton dossier ? répliqua Victoria du tac au tac.

— Certainement pas ! Il y fait bien trop froid !

— C'est vrai, mais j'ai adoré cette université. Dès lors qu'on s'est habitué à la température, on constate que les cours sont excellents.

— J'espère obtenir la Californie ou le Texas.

— Je suis moi-même originaire de Los Angeles. On trouve quelques universités fantastiques en Californie, répondit aimablement Victoria.

— Mon frère est allé à Stanford.

Sally se comportait comme si elle ne se trouvait pas en classe. Elle était d'une insolence sans bornes, malgré cela, Victoria continua son cours. Elle leur distribua la même nouvelle qu'aux autres terminales. Le groupe se montra plus vivant et plus critique, ce qui rendit la discussion très intéressante. Malgré leur intention première de lui en faire voir de toutes les couleurs, ils participèrent au débat avec animation. Victoria les entraîna dans une analyse minutieuse du texte et certains d'entre eux en parlaient encore en sortant de la salle. Victoria était satisfaite. Peu lui importait d'être défiée par ses élèves ou même d'argumenter pied à pied avec eux, si elle les amenait finalement là où elle le voulait. Son objectif était de leur faire se poser des questions sur ce qu'ils savaient ou pensaient savoir. Grâce à cette nouvelle, elle était parvenue à ses fins, ce qui à ses yeux représentait une victoire. Avant de se rendre dans la salle des professeurs, où elle comptait corriger des copies, elle passa voir Helen.

— Merci pour le conseil, l'autre jour, lui dit-elle, ça m'a bien aidée.

— À leur botter les fesses ?

Victoria se mit à rire.

— Pas vraiment, non, mais j'ai donné un F à deux élèves qui ne m'ont pas rendu leur devoir.

— C'est un bon début, assura Helen. Je suis fière de toi – tu veux bien qu'on se tutoie ? Cela devrait secouer les autres.

— J'en ai aussi l'impression. J'ai confisqué les iPod et les portables chaque fois que j'en ai vu un.

— Ils détestent ça. C'est bien plus amusant d'envoyer des messages aux copains que d'écouter. Rassure-toi, ils en font autant avec moi, précisa Helen en riant. Tu as passé un bon week-end ?

— Pas mal. Samedi, j'ai fait une promenade dans le parc, et dimanche, j'ai corrigé des copies.

Victoria s'abstint de préciser qu'elle avait aussi dévoré une pizza, un litre de glace et un paquet entier de cookies. Elle savait que sa boulimie reflétait son découragement. En dépit de toutes les promesses qu'elle se faisait intérieurement, elle mangeait toujours davantage lorsqu'elle était malheureuse. Bientôt, elle devrait de nouveau s'habiller en taille 44, puis en 46. Elle avait d'ailleurs emporté l'ensemble de sa garde-robe, de façon à parer à toute éventualité. Néanmoins, elle espérait ne pas atteindre le 46, ce qui risquait de lui arriver si elle continuait à ce rythme. Elle savait qu'elle allait devoir se mettre au régime. Elle avait l'impression d'être sur des montagnes russes et de ne pouvoir en descendre. Dans la mesure où elle n'avait pas d'amis, pas de petit ami, aucune vie sociale et se sentait peu sûre d'elle face à ses élèves, elle risquait fort de se remettre à grossir malgré toutes ses bonnes résolutions. À la moindre crise, elle se ruait sur la glace, une pizza ou un paquet de biscuits. Ce week-end, elle avait même fait les trois.

Helen devina combien elle était seule. Sa jeunesse et son innocence la touchaient et elle la trouvait très sympathique.

— On pourrait peut-être aller au cinéma ensemble, le week-end prochain, suggéra-t-elle. Ou alors, assister à un concert au parc.

— Avec plaisir, s'empressa de répondre Victoria, ravie.

Elle se sentait comme la petite dernière et c'était bien le cas, puisqu'elle était le plus jeune professeur de l'école.

Helen avait le double de son âge, mais Victoria lui plaisait et elle la jugeait très intelligente. Elle devinait en outre que la jeune femme avait une véritable vocation pour l'enseignement et qu'elle s'investissait totalement dans son travail. Elle était naïve, mais Helen estimait qu'elle ne tarderait pas à acquérir les ficelles du métier. Au début, ce n'est facile pour personne, surtout quand on a affaire aux élèves des grandes classes. Les lycéens sont les plus difficiles. Malgré tout, Victoria paraissait de taille à gérer la situation, si elle arrivait à maintenir la discipline.

— Tu vas à la salle des profs ? lui demanda Victoria.

— Non, j'ai un autre cours, mais je te verrai plus tard.

La salle des professeurs était déserte. Tout le monde était parti déjeuner, ce que Victoria s'efforçait d'éviter. Elle avait apporté une pomme et s'était juré de s'en contenter. Elle la mangea en parcourant ses copies. Une fois de plus, elle constata que les textes rédigés par ses élèves étaient très bons. Il y avait parmi eux d'excellents éléments. Elle espérait seulement être suffisamment brillante elle-même pour capter leur intérêt et le conserver toute l'année. Elle se sentait très peu sûre d'elle. Maintenant qu'elle devait affronter le monde réel de la classe, sa mission lui paraissait bien plus ardue qu'elle ne l'avait prévu. Il faudrait plus que des mesures disciplinaires pour faire rentrer les élèves dans le rang. Helen lui avait donné quelques précieux conseils et Carla avait établi son programme avant de prendre son congé maternité. Victoria savait cependant qu'elle devrait insuffler à ses cours de la vie et du piquant, si elle voulait gagner le respect de ses élèves. Elle était morte de peur à l'idée d'échouer. Elle souhaitait plus que tout réussir. Le salaire était peut-être minable, mais elle s'en moquait ! Elle voulait être le genre de professeur dont on se souvient jusqu'à la fin de sa vie. Elle ignorait si elle en serait capable, mais elle ferait tout ce qui était en son pouvoir pour atteindre ce but. Après tout, l'année scolaire venait à peine de commencer !

Les deux semaines suivantes, Victoria fit son possible pour susciter et entretenir l'intérêt de ses élèves. Elle confisqua les portables, elle leur donna des devoirs difficiles et, un jour que sa classe de secondes était trop agitée, elle les emmena faire un tour dans le quartier, puis elle leur fit faire une rédaction sur le sujet. Elle s'efforça de mettre en application toutes les idées originales qui lui venaient à l'esprit, fit en sorte de connaître chacun de ses élèves et au bout de deux mois, elle eut l'impression que certains d'entre eux l'appréciaient. Le week-end, elle se creusait la cervelle pour trouver des sujets intéressants, de nouveaux livres à lire et des projets innovants. Parfois, elle les surprenait par des contrôles ou des devoirs sur table. On ne s'ennuyait jamais pendant ses cours. À la fin du mois de novembre, elle sentit qu'elle parvenait à son but et avait gagné leur respect. Tous ne l'aimaient pas, mais au moins ils l'écoutaient et participaient. Lorsqu'elle prit l'avion pour passer les fêtes de Thanksgiving chez ses parents, elle avait l'impression d'avoir réussi quelque chose... du moins jusqu'à ce qu'elle vît son père. La famille au complet l'attendait à l'aéroport. Jim fixa sa fille avec surprise, tandis que Grace se précipitait dans ses bras.

— Waouh ! s'exclama leur père. On dirait qu'ils font de bonnes glaces, à New York ! ajouta-t-il avec un large sourire.

Sa mère semblait chagrinée, non par le commentaire de son époux, mais par l'aspect de sa fille aînée. La jeune femme avait repris tous les kilos perdus en passant ses soirées et ses week-ends à corriger des copies ou à préparer ses cours. Elle avait survécu grâce aux plats achetés chez le traiteur chinois et aux milk-shakes au chocolat. Elle s'était concentrée, non sur elle-même, mais sur ses élèves. Pour en trouver l'énergie et la force, pour se réconforter, elle avait ingurgité tout ce qu'il ne fallait pas.

— Tu as certainement raison, papa, répliqua-t-elle.

— Pourquoi ne manges-tu pas du poisson et des légumes cuits à la vapeur, ma chérie ? s'enquit sa mère.

Ils ne l'avaient pas vue depuis trois mois, pourtant son poids était le seul sujet qui leur vînt à l'esprit. En revanche, Grace la contemplait avec un bonheur évident. Peu soucieuse de son aspect, elle se contentait de l'aimer. Bras dessus, bras dessous, les deux sœurs allèrent chercher les bagages ensemble, heureuses de se retrouver.

Pour Thanksgiving, Victoria aida sa mère à faire la cuisine. Le repas se déroula dans une très bonne ambiance et, miraculeusement, son père s'abstint de tout commentaire négatif. Comme la température était douce, ils s'assirent dans le jardin après avoir mangé. Sa mère lui posa des questions sur l'enseignement.

— Cela te plaît ? demanda-t-elle, toujours aussi étonnée par le choix de sa fille.

— J'adore ça ! répondit Victoria en regardant sa sœur. Les élèves de seconde sont affreux. Ce sont de petits monstres, comme toi. Je leur ai confisqué leurs iPod, pour les obliger à m'écouter.

— Pourquoi tu ne leur fais pas écrire des chansons ? suggéra Grace. Quand le prof nous l'a proposé, on s'est bien amusés.

Victoria la fixa un instant avec surprise.

— Quelle idée géniale !

Elle avait déjà hâte de s'y mettre. Elle avait prévu de faire étudier la poésie aux premières et aux terminales avant Noël, mais la proposition que lui soumettait sa sœur était séduisante. Elle comptait la mettre en pratique.

— Merci, sœurette.

— Si tu as besoin d'un conseil pour les secondes, tu n'as qu'à me demander, répondit la jeune fille, toute fière.

Pendant le séjour de Victoria, Jim parvint à ne pas aborder la question de son poids. Sa mère lui suggéra discrètement de chercher de l'aide auprès des Outremangeurs Anonymes, une association réunissant les mangeurs compulsifs. Cette proposition blessa Victoria au plus profond d'elle-même. Cela mis à part, elle passa un très bon week-end, surtout avec sa petite sœur. Le dimanche, sa famille la raccompagna à l'aéroport. Elle comptait revenir un mois plus tard, pour Noël, aussi les adieux avec sa sœur furent-ils moins déchirants cette fois-ci. Pendant son vol de retour, elle réfléchit à l'idée que lui avait suggérée Grace.

Le mercredi matin, lorsqu'elle leur présenta le thème du cours, les secondes furent ravis. L'écriture de chansons était un projet dans lequel ils pouvaient s'investir et, pour une fois, ils montrèrent de l'enthousiasme pour un devoir scolaire. Les premières et les terminales semblèrent nettement moins enchantés d'étudier la poésie. Par ailleurs, Victoria devait les aider à rédiger les lettres de motivation qu'ils allaient adresser aux universités. Elle était surchargée de travail.

Les chansons que les secondes écrivirent étaient fantastiques. L'un des garçons apporta une guitare et ils essayèrent de mettre certains de ses mots en musique. Ce travail remporta un franc succès et ils la supplièrent de prolonger le programme jusqu'à

Noël. Elle accepta et attribua d'excellentes notes à leurs œuvres. Elle n'avait jamais distribué autant de A ! La qualité des poèmes écrits par ses premières et ses terminales fut tout aussi étonnante. Aux vacances de Noël, Victoria sentit qu'elle avait gagné la confiance de ses élèves, ils se comportaient de façon satisfaisante pendant ses cours. Helen l'avait remarqué, elle aussi. Maintenant, lorsqu'ils sortaient de la salle, les élèves de Victoria semblaient heureux et enthousiastes.

— Qu'est-ce que tu leur as fait ? demanda-t-elle un jour à Victoria. Tu les as drogués ?

— J'ai suivi le conseil de ma sœur de quinze ans. J'ai proposé aux secondes d'inventer des chansons.

— C'est génial ! Je voudrais pouvoir en faire autant dans mes classes.

— J'ai volé l'idée au professeur de ma sœur, mais ça a marché. Les plus âgés étudient la poésie. Quelques-uns d'entre eux ont vraiment du talent.

— Toi aussi, remarqua Helen avec une admiration non dissimulée. Tu es un sacré bon prof, j'espère que tu le sais. Je suis bien contente que tu sois parvenue à te faire respecter. À leur âge, ils ont besoin qu'on leur impose des limites, une discipline et un cadre.

— J'ai bien été obligée de m'y mettre, admit honnêtement Victoria. Mais parfois, j'ai l'impression d'être en échec. L'enseignement exige bien plus d'inventivité que je ne le croyais.

— Il nous arrive à tous de rater des cours, mais cela ne fait pas de toi un mauvais professeur. Nous procédons par tâtonnements, jusqu'à ce que nous trouvions ce qui va emporter leur adhésion.

— J'aime ce que je fais, dit Victoria d'une voix heureuse. Pourtant, ils me rendent folle quelquefois. Ces derniers temps, malgré tout, je les trouve moins arrogants. L'un de mes élèves m'a même dit qu'il voulait s'inscrire à Northwestern, là où j'ai fait mes études.

Helen l'écoutait, un sourire aux lèvres. La passion de Victoria pour son métier était manifeste.

— J'espère qu'Eric aura le bon sens de t'engager définitivement, quand Carla sera revenue. Il serait fou de te laisser partir, dit-elle avec chaleur.

— Je lui suis déjà si reconnaissante de m'avoir offert le poste cette année.

En principe, les contrats avec les enseignants étaient renouvelés en mars et en avril. Elle ignorait s'il y aurait un poste disponible pour elle, mais elle l'espérait vivement. Eric Walker, le proviseur, avait eu des échos très positifs sur elle. Plusieurs parents d'élèves lui avaient dit combien ils appréciaient les sujets de ses devoirs. Elle savait susciter l'intérêt des lycéens et les encourager. Elle sortait des sentiers battus et ne craignait pas de tenter de nouvelles expériences. Exactement le genre d'enseignant que le lycée recherchait.

Depuis Thanksgiving, Victoria n'était plus aussi boulimique. Les remarques de son père et la suggestion de sa mère avaient calmé son appétit. Elle n'avait pas encore entamé de régime drastique, mais elle envisageait de s'y mettre aux vacances de Noël. Elle avait pensé s'inscrire aux Weight Watchers, mais elle craignait, du moins c'était son excuse, de ne pas avoir le temps d'assister aux séances. Pour le moment, elle se contentait de diminuer sa consommation de pizzas et de glaces.

Souvent, elle s'achetait des salades et du blanc de poulet, qu'elle mangeait dans la cuisine avec les autres. Et elle s'assurait d'avoir toujours un fruit dans son sac, pour calmer sa fringale de l'après-midi. En dehors de ses sorties au cinéma avec Helen, elle n'avait toujours pas de vie sociale, mais elle se plaisait énormément en compagnie de ses colocataires. Bill passait le plus clair de son temps avec Julie et Bunny retrouvait son petit ami à Boston presque tous les week-ends – elle songeait même à partir vivre avec lui. Quant à Harlan, elle le voyait plus que les autres : célibataires et bourreaux de travail tous deux, ils s'entendaient à merveille. Lorsqu'il rentrait le soir, épuisé, il n'aspirait qu'à une chose : s'effondrer devant la télévision dans sa chambre et dîner ensuite avec Victoria dans la cuisine.

— Qu'est-ce que tu comptes faire à Noël ? lui demanda-t-elle un soir, en buvant une tasse de thé.

— J'ai été invité à South Beach, mais je ne suis pas certain d'y aller. Je n'aime pas particulièrement Miami.

Harlan était un homme sérieux, très investi dans son travail au musée. Victoria savait qu'il était en froid avec sa famille et qu'il ne comptait donc pas retourner dans le Mississippi pour les vacances. Il lui avait rapporté que ses parents n'avaient toujours pas accepté son homosexualité et qu'il n'était pas le bienvenu chez eux. Victoria comprenait ce qu'il ressentait.

Ses parents non plus n'acceptaient pas sa différence. Ils ne supportaient pas ce surpoids qui faisait d'elle une étrangère parmi les siens. Sa mère aurait préféré mourir plutôt que d'avoir sa corpulence. De toute façon, elle n'aurait jamais laissé les choses en arriver là. Quant à son père, il multipliait les remarques sur son embonpoint, sans avoir conscience, croyait-elle, de la cruauté de ses propos.

— Moi, je rentre à Los Angeles, voir mes parents et ma sœur, dit-elle d'une voix pensive.

— Est-ce qu'ils te manquent ? s'enquit Harlan.

— Parfois. Après tout, c'est ma famille. Mais c'est surtout ma petite sœur que je regrette. Elle a toujours été mon bébé.

— Moi, j'ai un frère aîné qui me hait. Dans mon enfance, l'homosexualité était loin d'être bien vue, à Tupelo, dans le Mississippi. Cela reste le cas, d'ailleurs. Ses amis et lui avaient l'habitude de me rouer de coups à la moindre occasion. Je ne savais pas ce qui les poussait à agir ainsi. Je ne l'ai compris que lorsque j'ai eu quinze ans. Jusque-là, je pensais seulement que j'étais différent. Dès que j'ai eu dix-huit ans, je suis venu ici pour mes études. Je crois que mon départ les a soulagés. Je ne retourne voir ma famille que lorsque je suis à court d'excuses.

Quelle tristesse, songea Victoria. Harlan devait se sentir très seul. Elle avait la chance, elle, de pouvoir compter sur le soutien inconditionnel de Grace.

— Moi aussi, je fais un peu figure d'étrangère, dans ma famille, avoua-t-elle. Ils sont tous minces et bruns, avec des yeux marron. Je suis le vilain petit canard. Mon père ne m'épargne pas les remarques désagréables sur mon poids. Quant à ma mère, elle épingle de nouveaux régimes au-dessus de mon bureau.

— C'est cruel.

Bien entendu, Harlan avait noté les portions énormes que Victoria avalait, quand elle était fatiguée ou déprimée. Elle avait un joli visage et des jambes sublimes, malgré ses formes opulentes. C'était une belle jeune femme et il s'étonnait qu'elle n'eût pas de petit ami.

— Certains parents sont très destructeurs, ajouta-t-il. Du coup, je suis plutôt content de savoir que je n'aurai jamais d'enfants. Je ne voudrais infliger à personne ce que j'ai subi. Mon frère est un abruti fini. C'est un employé de banque ennuyeux comme la pluie. Marié avec deux enfants, il pense que l'homosexualité est une maladie. Il espère toujours que j'en serai délivré un jour, comme si je sortais d'une longue amnésie pour me rappeler que je suis « normal ». Ce serait moins embarrassant pour lui, conclut Harlan avec un petit rire.

À vingt-six ans, le jeune homme assumait totalement ses préférences sexuelles. Il espérait être un jour conservateur au Metropolitan Museum, même si le salaire n'était pas élevé. Il était aussi passionné par son métier que Victoria par le sien.

— Les fêtes de Noël seront quand même plaisantes, à Los Angeles ? s'inquiéta-t-il.

Victoria hocha la tête : surtout grâce à sa sœur.

— Quand Grace était petite et croyait au Père Noël, j'adorais cela. Aujourd'hui encore, nous lui laissons dans la cheminée des biscuits, ainsi que des carottes et du sel pour son renne.

Le tableau fit sourire Harlan. Il s'efforçait d'imaginer à quoi ressemblait sa vie en famille, car sa colocataire parlait très peu de ses parents, seulement de sa petite sœur.

— Et pour le nouvel an, tu as des projets ?

— Pas vraiment. D'habitude, je reste à la maison avec Grace, mais un de ces jours, elle sera en âge d'avoir un petit ami sérieux et je me retrouverai sur la touche !

— On pourrait peut-être faire quelque chose ensemble, si nous sommes tous les deux à New York. Ça te dirait d'aller regarder la descente de la boule lumineuse sur Times Square, le nez en l'air en même temps que les touristes et les prostituées ?

Cette idée les fit rire.

— Je pourrais revenir de Los Angeles à temps pour passer la soirée avec toi, réfléchit Victoria à voix haute. Tout dépend des projets de ma famille.

— Envoie-moi un SMS quand tu seras là-bas, suggéra Harlan.

Avant de partir pour Los Angeles, Victoria déposa un petit cadeau sur le lit de chacun de ses colocataires. Sa famille vint la chercher à l'aéroport. Ensemble, ils décorèrent le sapin et burent un délicieux punch. Victoria le trouva très bon même s'il lui brûla la langue. La tête lui tournait légèrement lorsqu'elle alla se coucher. Grace ne tarda pas à la rejoindre dans son lit. Elles bavardèrent, prises de nombreux fous rires, jusqu'à une heure avancée de la nuit. Leurs parents semblaient de bonne humeur. Jim venait de décrocher un contrat important pour l'agence et Christine avait remporté un tournoi de bridge. Quant à Grace, elle nageait dans le bonheur puisqu'elle était en vacances et qu'elle avait sa grande sœur pour elle toute seule. Victoria était heureuse d'être rentrée.

Le jour de Noël, ses parents et Grace apprécièrent ses cadeaux. Son père lui offrit un collier en or, d'une longueur stupéfiante.

— De cette façon, lui dit-il, je n'ai pas eu à me demander s'il t'irait.

Sa mère lui offrit un pull en cachemire et deux livres : un sur un tout nouveau régime et un second qui proposait des exercices physiques. Ni l'un ni l'autre n'avaient remarqué qu'elle avait perdu du poids depuis Thanksgiving, à la différence de Grace, qui la félicita, mais ses compliments ne pourraient jamais compenser le comportement insultant des parents.

Deux jours après Noël, Grace fut invitée à fêter la Saint-Sylvestre chez une amie, à Beverly Hills. Victoria resterait donc seule à la maison. Ses anciennes camarades habitaient dans d'autres villes et les deux qui vivaient encore à Los Angeles étaient parties skier. Grace proposa de renoncer à sa soirée.

— Ne sois pas bête… De toute façon, j'envisageais de retourner à New York.

Grace la dévisagea avec intérêt.

— Tu as un copain ? Pourquoi tu ne m'en as jamais parlé ?

— C'est juste un de mes colocataires. J'ignore s'il sera rentré, mais nous avions dans l'idée de sortir ensemble, ce soir-là.

Les yeux de Grace pétillèrent de malice.

— Tu lui plais ?

Victoria se mit à rire.

— Non, c'est juste un ami avec lequel je m'entends très bien. Il travaille au Metropolitan Museum.

L'adolescente leva les yeux au ciel.

— Comme ça doit être passionnant ! commenta-t-elle, moqueuse.

Elle était déçue qu'il ne s'agît pas d'un rendez-vous galant.

Finalement, Victoria quitta Los Angeles le matin du 31 décembre. Grace avait accepté l'invitation de son amie et ses parents devaient dîner chez des amis eux aussi. Elle leur expliqua qu'elle devait rentrer préparer ses prochains cours. Elle envoya un SMS à Harlan pour lui annoncer sa décision. Son père l'emmena à l'aéroport, pendant que sa mère et Grace se rendaient chez le coiffeur. Victoria avait fait ses adieux à sa petite sœur de très bonne heure.

— Tu penses revenir, à la fin de l'année scolaire ? lui demanda son père pendant le trajet.

— Je n'en sais rien encore, papa.

Elle préférait ne pas lui dire qu'elle n'en avait pas l'intention et qu'elle était heureuse à New York, même si elle n'avait pas beaucoup d'amis.

— Tu pourrais faire beaucoup mieux dans une autre carrière, lui dit-il pour la énième fois.

— J'aime enseigner, répliqua-t-elle doucement, pour la énième fois, elle aussi.

Il lui jeta un regard de côté et ajouta avec un large sourire :

— Au moins, je sais que tu ne te laisses pas mourir de faim !

Elle s'émerveilla qu'il ne manquât jamais une occasion de lui faire une remarque déplaisante ou de la dénigrer. C'était l'une des raisons de son départ de Los Angeles, et pas des moindres ! Elle préféra ne rien rétorquer et garda le silence jusqu'à

159

l'aéroport. Son père l'aida à sortir les bagages du coffre et donna un pourboire au porteur. Ensuite, il l'embrassa comme s'il ne lui avait pas lancé de pique dans la voiture. Un tel manque de sensibilité étonnait encore Victoria.

— Merci pour tout, papa.

— Prends soin de toi, dit-il avec sincérité.

— Toi aussi.

S'écartant de lui, elle franchit la porte d'embarquement. Au moment où elle montait dans l'avion, elle vit que Harlan lui avait envoyé un SMS : « Je serai à New York à 6 heures. »

« Et moi à l'appartement à 10 », répondit-elle.

« Times Square ? » demanda-t-il.

« Absolument ! »

« Ça marche ! » conclut Harlan dans un dernier SMS.

Victoria avait le sourire en éteignant son portable. C'était agréable de savoir qu'elle avait quelqu'un avec qui passer la soirée du nouvel an. Elle déjeuna dans l'avion, regarda un film et dormit pendant les deux dernières heures de vol. Il neigeait à New York. Dans le taxi qui la ramenait chez elle, elle trouva l'ambiance féerique. Elle était tout excitée, bien qu'elle fût triste d'avoir quitté Grace. Elle avait invité sa sœur à lui rendre visite au printemps. Leurs parents avaient annoncé qu'ils l'accompagneraient peut-être. Victoria espérait bien que non.

Harlan l'attendait dans l'appartement, tout bronzé après son séjour à Miami. Il lui raconta qu'il n'était pas fan du milieu gay là-bas, trop tape-à-l'œil et superficiel à son goût.

— Et toi, comment s'est passé ton séjour ?

Elle lui sourit, tandis qu'il débouchait une bouteille de champagne et lui en servait une coupe.

— Bien. J'ai eu beaucoup de plaisir à retrouver ma sœur.

— Et tes parents ?

— Ni mieux ni pire que d'habitude. J'ai passé de bons moments avec Grace, mais je suis contente d'être rentrée.

— Moi aussi, renchérit Harlan en sirotant son champagne. Tu ferais mieux de prévoir des bottes pour Times Square.

— Tu es toujours partant ?

Dehors les flocons de neige tourbillonnaient doucement avant de se poser sur le sol.

— Bien sûr ! Je ne manquerais ça pour rien au monde ! Nous devons voir la boule descendre lentement. Ensuite, on pourra se mettre au chaud.

Ils quittèrent l'appartement à 23 h 30 et prirent un taxi. Ils arrivèrent à Times Square dix minutes avant la nouvelle année. Une foule immense s'était réunie et regardait la boule géante brillant de mille feux. Victoria sourit à son compagnon, tandis que la neige poudrait leurs cheveux. Il n'y avait pas de meilleure façon de passer la soirée. Au premier coup de minuit, la boule à facettes amorça sa descente, tout le monde applaudit et s'embrassa. Les deux jeunes gens riaient, serrés l'un contre l'autre. Harlan déposa un baiser sur la joue de Victoria.

— Bonne année !

— Bonne année à toi aussi !

Les yeux levés vers le ciel, comme deux enfants émerveillés, ils regardèrent tourbillonner les flocons. L'un comme l'autre, ils vivaient un instant parfait. Ils étaient jeunes, ils habitaient à New York, ils étaient amis et fêtaient la nouvelle année. Ils restèrent là jusqu'à ce que leurs manteaux soient recouverts de neige. Alors seulement, ils se frayèrent un chemin parmi la foule et hélèrent un taxi.

Ils avaient passé une excellente soirée.

11

Début janvier, les élèves de terminale furent inte-
nables. Il ne leur restait que deux semaines pour
clore leurs dossiers d'inscription. Un grand nombre
d'entre eux avait besoin d'aide. Chaque jour, Victoria resta après ses cours pour les conseiller, ce
dont ils lui surent gré. Même Becki sollicita son
aide. Certains se confièrent à elle, lui parlant de
leur famille, de leur vie et de leurs rêves. Quelques-
uns avouèrent qu'il leur faudrait demander une
bourse, mais pour la plupart, les élèves du lycée
Madison n'avaient aucun problème financier. La
tension se relâcha dans la classe une fois les dossiers finalisés et envoyés par mail. Désormais, ils
n'en entendraient plus parler avant mars ou avril.
Il ne leur restait qu'à terminer l'année sans se faire
remarquer outre mesure pour éviter le renvoi.

Fin janvier, Victoria participa avec plusieurs
autres professeurs à un séminaire de deux jours au
Javits Center, qui organisait des groupes de discussion et des conférences, données par des éducateurs
de renom. Elle fut reconnaissante à l'école de lui
avoir offert cette possibilité. Elle assista à un cours
passionnant administré par un pédopsychiatre sur

les signes avant-coureurs des suicides adolescents. Elle sortait de la salle, lorsqu'un homme la bouscula. Il se répandit en excuses, tout en ramassant les brochures et les dépliants qu'elle avait laissés échapper. Lorsqu'il se redressa, elle fut frappée par sa beauté. Elle remarqua que plusieurs femmes ne se privaient pas de le dévisager.

— Je suis vraiment désolé, répéta-t-il avec un sourire éblouissant. Je pensais encore à ce que nous venions d'entendre. Cette conférence était très intéressante, n'est-ce pas ?

— Je suis tout à fait de votre avis.

Les propos du pédopsychiatre lui avaient ouvert les yeux. Jusqu'alors, elle n'avait jamais envisagé qu'un de ses élèves pût être tenté par le suicide. Elle comprenait maintenant que le risque était réel.

— J'enseigne en première et en terminale, reprit son interlocuteur. À en croire notre conférencier, c'est la tranche d'âge la plus menacée.

— Moi aussi, j'ai les mêmes classes, l'informa-t-elle.

— Dans quel établissement travaillez-vous ?

— Au lycée Madison, répliqua-t-elle avec un sourire empreint de fierté.

— J'en ai entendu parler. Vos élèves sont tous des gosses de riches, non ? Pour ma part, je suis dans le public. C'est un autre univers.

Ils se dirigèrent vers le buffet après que John Kelly se fut présenté. Elle le jugea sympathique. Outre sa beauté stupéfiante, il possédait une grande intelligence et une culture étendue. Ils furent rejoints par une de ses connaissances, une femme nommée Ardith Lucas, professeur comme eux. Ils se mirent à bavarder en déjeunant. Au cours de la conversation, Ardith, qui était bien plus âgée qu'eux, leur expliqua combien elle avait hâte de prendre sa retraite. Après quarante ans d'enseignement, elle estimait avoir fait son temps et aspirait à recouvrer la liberté.

À la fin du repas, John demanda à Victoria ses coordonnées et lui donna son numéro de téléphone ainsi que son adresse mail. Lorsqu'il lui dit qu'il espérait la revoir, elle eut le sentiment qu'il ne la courtisait pas mais qu'il recherchait simplement son amitié. Elle avait l'impression qu'il était homosexuel. Ne sachant trop si elle aurait un jour de ses nouvelles, elle n'y pensa plus. Une semaine plus tard, elle fut surprise de recevoir un appel téléphonique de sa part lui proposant d'aller visiter une exposition de peintres expressionnistes au Metropolitan Museum le samedi suivant. Ils se retrouvèrent dans le hall et passèrent un moment fort agréable. Ils déjeunèrent ensuite à la cafétéria. Victoria se plaisait bien en sa compagnie. Elle fit allusion à Harlan, qui travaillait au Costume Institute ce jour-là, préparant une nouvelle exposition. Ils décidèrent de s'y rendre après le café. Déjà surpris de voir Victoria, Harlan sembla très impressionné par John Kelly. Impossible de ne pas remarquer la beauté blonde du jeune homme et son corps athlétique. Dès qu'elle les vit ensemble, la première impression de Victoria se confirma. Les deux hommes étaient attirés l'un par l'autre comme des aimants. Harlan leur fit les honneurs de l'institut et, lorsqu'il les raccompagna à l'entrée, John répugnait visiblement à s'en aller. En descendant avec Victoria les marches du musée, il lui confia qu'il trouvait Harlan fantastique. Victoria s'empressa d'acquiescer. Heureuse de les avoir mis en relation, elle se faisait l'effet de Cupidon avec son arc. Obéissant à une impulsion subite, elle invita John à dîner pour le lendemain soir. Après avoir accepté avec enthousiasme, il prit le bus qui le ramènerait dans le centre où il habitait, pendant que Victoria retournait chez elle à pied.

Harlan ne rentra pas avant 20 heures. Aussitôt, il se précipita dans la chambre de Victoria, qui regardait la télévision, étendue sur son lit.

— C'est qui, cet Apollon que tu m'as amené, cet après-midi ? Quand vous êtes entrés, j'ai failli m'évanouir. Où l'as-tu rencontré ?

Son expression fit rire la jeune femme.

— J'ai fait sa connaissance à un séminaire réservé aux profs. Il m'est rentré littéralement dedans.

— Quelle chance tu as ! Il a l'air vraiment fantastique.

— C'est aussi mon impression, et... il est du même bord que toi, précisa Victoria en riant.

— En ce cas, pourquoi t'a-t-il invitée à sortir ? s'enquit Harlan d'une voix soupçonneuse.

— Je suis certaine qu'il ne s'agit que d'amitié. Crois-moi, il ne me regarde pas comme il te regarde. Je lui ai proposé de venir dîner ici demain soir.

Harlan ouvrit de grands yeux, comme s'il venait de gagner au Loto. De nouveau, Victoria ne put s'empêcher de rire.

— Ici ?

— Oui, et tu ferais bien de t'occuper du repas, parce que si c'est moi qui m'en charge, je risque

166

de vous empoisonner, sauf à commander des pizzas.

— Avec le plus grand plaisir ! dit gaiement Harlan avant de regagner sa propre chambre.

Il semblait sur un petit nuage. Jamais il n'avait vu quelqu'un d'aussi beau que John. Lui-même était bien de sa personne et Victoria trouvait qu'ils se complétaient à merveille. Elle se demanda si c'était son instinct ou une sorte de prémonition qui l'avait poussée à les présenter l'un à l'autre. Elle avait agi sur un coup de tête, mais vu le résultat, elle eut l'impression d'avoir été inspirée par le ciel. Son colocataire devait le penser aussi !

Harlan était un excellent cuisinier. Il passa la journée de dimanche dans la cuisine, préparant un gigot d'agneau, accompagné de pommes de terre et de haricots verts, et prévoyant pour le dessert un gâteau au chocolat acheté à la pâtisserie. John Kelly arriva pile à l'heure. Il apportait un bouquet de fleurs pour Victoria et une bouteille de vin pour Harlan. Celui-ci l'ouvrit et leur en servit immédiatement un verre, après quoi ils s'installèrent dans le salon pour l'apéritif. Une heure plus tard, ils passèrent à la salle à manger. Harlan avait sorti le grand jeu : sur la table, il avait disposé des sets, de jolies serviettes en lin et plein de bougies qui scintillaient. Pendant tout le dîner, ce fut un feu d'artifice de drôlerie, d'intelligence, de reparties. Les deux hommes semblaient faits l'un pour l'autre. À vingt-huit ans, John paraissait très mûr, sérieux, responsable. En même temps, il était de très bonne compagnie.

À la fin du repas, Victoria eut le sentiment qu'elle était de trop. Prétextant qu'elle avait des copies à corriger pour le lendemain, elle les laissa seuls, après avoir promis à Harlan de l'aider à tout nettoyer avant de partir pour le lycée. Elle ferma doucement la porte de la salle à manger derrière elle et se réfugia dans sa chambre pour regarder la télévision. Elle somnolait déjà quand John vint lui dire au revoir et la remercier de son invitation. Dès qu'il fut parti, elle se rendit dans la cuisine.

— Comment était-ce ? demanda-t-elle à Harlan avec un sourire.

— Waouh ! C'est un type extraordinaire. Cela faisait longtemps que je n'avais pas passé une aussi bonne soirée !

— Je crois que tu lui plais, remarqua Victoria en rinçant les assiettes que lui tendait son ami.

— Comment le sais-tu ?

— Ça se voit comme le nez au milieu de la figure ! Ses yeux s'illuminent chaque fois que vous vous regardez.

— J'aurais pu bavarder avec lui toute la nuit, avoua Harlan d'un air rêveur.

Victoria aimait l'idée qu'une idylle était en train de naître sous ses yeux et qu'elle en était à l'origine.

— Il t'a proposé de sortir avec lui ?

— Pas encore, mais il doit m'appeler demain. J'espère qu'il le fera.

— J'en suis certaine.

— Nous sommes nés le même jour, dit Harlan en riant.

— C'est sûrement bon signe. Désormais, tu as une dette immense envers moi. Si vous formez un jour un couple, je veux une rue à mon nom.

— Si cela arrive, je te donnerai tous les autographes de champions de base-ball que je collectionne depuis l'enfance et l'argenterie de ma grand-mère.

— Je veux seulement que tu sois heureux.

— Merci, Victoria. Je crois vraiment que c'est quelqu'un de bien.

— Comme toi ! s'exclama la jeune femme avec chaleur.

Le visage de Harlan se rembrunit.

— Ce n'est pas comme ça que je me vois. J'ai toujours eu l'impression que les autres étaient mieux que moi, plus intelligents, plus sympathiques, plus beaux, plus cool.

— Moi aussi, dit tristement Victoria.

Elle connaissait bien ce complexe, ainsi que son origine. Il remontait à l'époque où ses parents passaient leur temps à la dénigrer, où son père lui faisait comprendre qu'à ses yeux elle était grosse et laide. Il avait sapé sa confiance en elle et son amour-propre dès l'enfance. Aujourd'hui, c'était sa croix. Au plus profond d'elle-même, elle était convaincue qu'il avait raison.

— Je crois que nos parents sont les responsables du désastre, dit Harlan doucement. De son côté, John n'a pas eu non plus une vie toute rose. Sa mère s'est suicidée lorsqu'il était enfant et son père ne le voit plus parce qu'il est homosexuel. Malgré toutes ces épreuves, il a l'air plutôt sain et équilibré. Il sort d'une liaison qui a duré cinq ans. Il a rompu parce que son ami l'avait trompé.

Victoria se réjouissait pour Harlan et elle espérait que cette rencontre déboucherait sur une relation solide. Après qu'il se fut une nouvelle fois répandu en remerciements, ils éteignirent les lumières et gagnèrent leurs chambres respectives. Le dîner avait été délicieux et la soirée très plaisante. Elle avait beaucoup apprécié la conversation, mais les deux hommes avaient certainement goûté davantage encore leur tête-à-tête !

Le lendemain matin, elle partit de bonne heure et ne revit Harlan que le mercredi. Elle le retrouva à la cuisine, alors qu'ils venaient tous les deux de rentrer du travail. Elle n'osait pas lui demander si John l'avait appelé, mais Harlan ne laissa pas le suspense planer très longtemps.

— J'ai dîné avec lui hier soir, lui dit-il, un large sourire aux lèvres.

— Alors, c'était comment ?

— Génial. Je sais qu'il est encore trop tôt pour en être sûr, mais je crois que je suis amoureux.

— Vas-y doucement, tu verras bien comment ça tourne, entre vous deux.

Harlan hocha la tête, mais il paraissait bien incapable de suivre son conseil !

Le week-end suivant, John était de retour à l'appartement. Harlan et lui préparaient le dîner dans le wok que John se proposait de lui laisser. Lorsque Victoria entra dans la cuisine, ils l'invitèrent à partager leur repas, mais elle prétendit avoir d'autres projets. Elle alla au cinéma pour les laisser seuls et quand elle rentra, ils étaient sortis. Elle ignorait où ils étaient allés et cela ne la regardait pas. Désormais, la suite appartenait à leur histoire et à leur vie. Elle espérait seulement que l'amour naîtrait entre eux. Visiblement, les débuts étaient très prometteurs, songea-t-elle avec un sourire tout en regagnant sa chambre. Comme d'habitude pendant le week-end, l'appartement était vide. Cela lui rappela que depuis son arrivée à New York six mois auparavant, elle n'avait pas eu un seul rendez-vous galant.

Elle ne se rendait d'ailleurs nulle part où elle aurait été susceptible de rencontrer d'éventuels prétendants. Il y avait eu ce séminaire au cours duquel elle avait fait la connaissance de John, mais elle ne fréquentait aucune salle de sport et elle n'était membre d'aucune association. Elle n'allait pas non plus dans les cafés. Au lycée, il n'y avait aucun enseignant célibataire de son âge. Personne ne lui avait présenté une relation masculine intéressante et, de son côté, elle n'avait croisé personne. Elle en aurait été ravie, mais, pour l'instant, seul le travail remplissait son existence. Pour le moment, c'était le tour de Harlan et de John. Elle s'en réjouissait pour eux. Tôt ou tard, elle rencontrerait quelqu'un. À vingt-deux ans, elle ne parvenait pas à croire qu'elle resterait vieille fille, même si aux yeux de son père, elle était obèse. Il y avait un vieux proverbe que sa grand-mère répétait : « Chaque marmite a son couvercle. » Elle espérait que Harlan avait trouvé le sien. Avec un peu de chance, ce serait aussi son cas un jour.

12

En mars, pendant les vacances scolaires, ses
parents et Grace vinrent passer une semaine à New
York. Pendant que Jim et Christine allaient voir des
amis et s'occupaient de leur côté, les deux sœurs
s'en donnèrent à cœur joie à visiter la ville. Victoria
dénicha des restaurants dans un guide gastrono-
mique qu'on lui avait procuré et toute la famille
sortait dîner. Ce fut à chaque fois une réussite.
Ravie de son séjour new-yorkais, Grace dormait à
l'appartement. Leurs parents avaient réservé une
chambre au Carlyle, non loin du lycée Madison.
Étant en congé, Victoria eut beaucoup de temps à
leur consacrer. Ils vinrent plusieurs fois chez elle
et rencontrèrent ses colocataires. Son père aimait
bien Bill et trouva Bunny très jolie, mais Harlan
ne plut guère à ses parents. Plus tard, au dîner, Jim
fit divers commentaires désobligeants sur son
homosexualité. Victoria prit avec véhémence la
défense de son ami.

Lorsqu'ils repartirent pour Los Angeles, Grace
était persuadée de vouloir s'installer elle aussi à
New York. Si c'était possible, elle aurait même
aimé y poursuivre ses études. Ses notes n'étaient

pas aussi bonnes que celles de Victoria à son âge. Pour le moment, la jeune femme doutait que sa sœur fût admise à l'université de New York ou à Barnard. Cependant il y avait d'autres facultés qui prodiguaient un excellent enseignement.

Quinze jours plus tard, Eric Walker la convoqua dans son bureau. Elle eut l'impression d'être une gamine prise en faute. Quelqu'un aurait-il fait un rapport négatif sur elle, un parent s'était-il plaint ? Elle savait que plusieurs d'entre eux trouvaient qu'elle donnait trop de travail à leurs enfants. Sur ce point, elle restait inflexible : ses élèves devaient lui rendre tous les devoirs qu'elle distribuait. Elle avait été formée à bonne école, par Helen, dont la devise était : « Pas de pitié ». Victoria n'était pas aussi sévère que sa collègue, mais elle avait mis ses élèves au pas et ils avaient appris à la respecter durant les six derniers mois. Grâce aux bons conseils de Helen, elle n'avait plus eu un seul problème en classe.

— Comment trouvez-vous que se passent vos cours, Victoria ? s'enquit aimablement le proviseur.

Il ne paraissait ni fâché ni contrarié. Pourquoi l'aurait-il été d'ailleurs ? Peut-être voulait-il seulement garder le contact avec elle. L'année scolaire serait bientôt terminée et le contrat de Victoria prenait fin en juin.

— Je trouve qu'ils se passent bien, dit-elle avec sincérité.

Elle espérait avoir raison. Si Eric Walker ne la réengageait pas pour l'année suivante, elle devrait chercher un autre établissement. Elle partirait à regret, car le lycée Madison correspondait exactement à ses vœux et les élèves étaient pour la plupart brillants. Ils lui manqueraient tous.

— Comme vous le savez, Carla Bernini récupère son poste à la rentrée prochaine, commença le proviseur. Nous sommes heureux de la retrouver, mais vous avez fait un merveilleux travail, Victoria. Les enfants vous adorent, ils portent vos cours aux nues et les parents sont satisfaits. Je vous ai demandé de venir aujourd'hui parce que l'équipe sera modifiée à la rentrée, continua-t-il. Fred Forsatch prend une année sabbatique. Il veut suivre des cours à Oxford et passer quelque temps en Europe. Normalement, nous devrions lui trouver un remplaçant, puisqu'il enseigne l'espagnol. Mais Meg Phillips a une double formation et elle aimerait bien prendre sa relève, l'an prochain, ce qui nous laisse un poste d'anglais à pourvoir. Comme vous le savez, elle n'enseigne qu'aux terminales. D'après ce qu'on m'a dit, vous avez fait des merveilles avec eux. Accepteriez-vous de prendre ses classes, en attendant le retour de Fred ? Cela voudrait dire que vous resteriez avec nous un an de plus. Ensuite, nous verrons bien… Qu'en dites-vous ?

Les yeux écarquillés de surprise, Victoria l'avait écouté sans mot dire. C'était la meilleure nouvelle qu'elle eût entendue depuis qu'il l'avait engagée, l'année précédente. Elle était folle de joie.

— Oh, mon Dieu, vous ne vous moquez pas de moi ? Je suis ravie ! Vous êtes sérieux ?

Elle s'exprimait avec toute la fougue de sa jeunesse et, conquis par son enthousiasme, Eric ne put s'empêcher de rire. C'était exactement la réaction qu'il espérait.

— Non, je ne me moque pas de vous. Oui, je suis sérieux et oui, je vous propose un poste pour l'an prochain.

Ils bavardèrent encore quelques minutes, puis elle regagna la salle des professeurs où elle annonça la bonne nouvelle à tous ceux qui s'y trouvaient.

Plus tard, dans l'après-midi, elle remercia avec effusion le professeur d'espagnol à qui elle devait son nouveau contrat. Il rit de la voir aussi heureuse. La perspective de ce séjour d'un an en Europe, qu'il préparait depuis fort longtemps, le réjouissait lui-même énormément.

Victoria rentra chez elle sur un petit nuage. Ses colocataires la félicitèrent. Quant à ses parents, ils se montrèrent nettement moins enthousiastes. Elle ne s'attendait pas vraiment à une autre réaction de leur part, mais elle avait quand même souhaité leur téléphoner. Malgré leur déception prévisible, elle se sentait toujours obligée de les mettre au courant des événements importants de sa vie.

— Tu repousses seulement le moment de prendre un véritable emploi, lui dit son père. Tu ne pourras pas éternellement te contenter de ce salaire.

Pourtant c'était ce qu'elle faisait. Depuis son départ de la maison, elle n'avait jamais sollicité son aide. Elle maîtrisait son budget et, grâce à son loyer modéré, elle avait même réussi à faire quelques économies.

Elle avait beau savoir que c'était inutile, elle insista :

— C'est un vrai travail, papa. J'aime ce que je fais, mes élèves et l'école.

— Tu pourrais gagner trois fois plus dans n'importe quelle agence de publicité ici, ou dans toute autre société qui accepterait de t'engager.

Il s'exprimait sur un ton désapprobateur. Apparemment, il n'était pas impressionné que la meilleure école privée de New York appréciât sa fille aînée au point de lui proposer de prolonger son contrat d'un an.

— Il ne s'agit pas d'argent, dit-elle d'une voix déçue. Je suis un bon professeur.

— N'importe qui peut enseigner, Victoria. Tu fais de la garderie de gosses de riches.

En une seule phrase, il balayait ses compétences et sa carrière. Mais, dans ce domaine, Victoria n'était pas prête à le croire. Enseigner n'était pas donné à tout le monde. Il fallait des qualités particulières, qu'elle savait posséder. Elle n'eut pas sa mère au téléphone, car celle-ci jouait au bridge chez une amie. Victoria savait qu'elle n'aurait pas été plus admirative que son époux, qui lui soufflait ses répliques. Quel que soit le sujet, elle se bornait à répéter ses opinions.

— J'aimerais que tu réfléchisses sérieusement avant de signer ce contrat, la pressa-t-il.

— C'est déjà fait, répliqua-t-elle avec un soupir. C'est ce que je veux faire et là où je veux être.

— Ta sœur sera bouleversée, lorsqu'elle apprendra que tu ne reviens pas en Californie.

Il jouait maintenant la carte de la mauvaise conscience, mais Victoria avait averti Grace pendant les vacances de printemps qu'elle resterait à New York une année de plus, si on lui en offrait l'opportunité. Grace comprenait ses raisons, elle savait très bien pourquoi Victoria était malheureuse chez leurs parents. A contrario, leur gentillesse à son égard la culpabilisait, elle qui avait vu depuis son enfance combien ils étaient durs envers leur fille aînée. Rien d'étonnant à ce qu'elle eût imaginé que sa sœur avait été adoptée ! On avait du mal à croire qu'ils puissent être aussi critiques et dépourvus d'indulgence vis-à-vis de leur propre enfant. Jamais Jim n'avait été fier de sa fille, qui l'exaspérait. Et comme d'habitude, Grace fut la seule à la féliciter et à se réjouir quand Victoria lui annonça la nouvelle.

Harlan et John furent ravis, eux aussi. Ils la congratulèrent avec force embrassades. John passait beaucoup de temps à l'appartement, apprécié tout autant par Bill et Bunny. Le couple qu'ils formaient depuis maintenant deux mois était visiblement solide.

Ce soir-là, Victoria dîna avec eux. Elle leur rapporta la réaction de son père, précisant que cela n'avait rien d'inhabituel.

— Tu devrais en parler avec un psy, lui conseilla John.

Victoria fut choquée. Elle ne se connaissait aucune maladie mentale, elle ne souffrait pas de dépression et elle avait toujours réussi à gérer seule ses ennuis.

— Je ne crois pas en avoir besoin, protesta-t-elle, horrifiée et un peu mortifiée. Je vais très bien.

— Bien entendu, répliqua gentiment John. Mais certaines personnes peuvent avoir un effet toxique sur nos vies, en particulier nos parents. S'ils ont tenu ce genre de propos depuis que tu es toute petite, tu dois te débarrasser des messages qu'ils

177

ont gravés dans ton esprit et dans ton cœur, qui risquent à long terme de t'empêcher d'avancer.

Harlan, à qui elle avait raconté l'épisode de la reine Victoria, renchérit :

— Une thérapie pourrait t'aider.

Ils étaient convaincus que ses problèmes de poids étaient liés à la façon dont son père l'avait constamment dénigrée. Et d'après ce qu'en disait Victoria, sa mère ne valait guère mieux. Harlan frissonnait en repensant aux anecdotes qu'elle lui avait racontées sur son enfance. Selon lui, elle avait été victime de maltraitance psychique pendant des années. Ils ne l'avaient pas bourrée de coups de poing, mais de mots cruels.

— Je vais y réfléchir, murmura Victoria, guère convaincue.

Elle chassa très vite cette idée de son esprit. La seule perspective de consulter un thérapeute la bouleversait. Après le dîner, elle se servit généreusement en glace, alors que les garçons ne prenaient pas de dessert. Harlan n'aborda plus jamais le sujet du psy.

Avant l'été, Victoria chercha un emploi pour les mois de juin et de juillet, de façon à ne pas retourner chez ses parents. Elle accepta de donner des cours à des enfants défavorisés, attendant d'être placés dans des familles d'accueil, pour un salaire modique. Lorsqu'elle lui en parla, Harlan trouva la perspective plutôt déprimante, mais Victoria, qui devait commencer dès le lendemain de la fermeture du lycée Madison, était très excitée.

Cette année, Grace aussi avait trouvé un job d'été : hôtesse d'accueil au club de tennis et de natation où la famille était inscrite. Elle était ravie, tout comme ses parents. En revanche, le travail de Victoria leur déplut. Sa mère lui suggéra de se laver souvent les mains, si elle ne voulait pas que les gamins dont elle s'occupait lui transmettent une maladie. La jeune femme la remercia de sa sollicitude, mais la désapprobation parentale la contraria une fois de plus. Ils n'appréciaient pas son choix, en revanche ils étaient fiers que leur cadette accueillît les clients d'un club de sport ! Elle n'était pas fâchée contre sa sœur, mais elle leur en voulut.

Avant de commencer à travailler, Grace vint la voir à New York. Sans leurs parents, elles s'amusèrent encore plus qu'en mars. Dans la journée, l'adolescente s'occupait en visitant des galeries et des musées, et faisait les magasins. Le soir, Victoria l'emmenait au restaurant, au cinéma, et même au théâtre à Broadway.

Comme chaque année, Victoria retourna à Los Angeles au mois d'août, mais cette fois-ci pour quinze jours seulement. Une fois de plus, son père critiqua son métier à plusieurs reprises et sa mère la houspilla sans cesse à propos de son poids. Victoria avait un peu maigri au printemps, pour aussitôt regrossir. Avant de quitter New York, elle s'était lancée dans un régime à base de soupe au chou, affreusement contraignant mais efficace. Malheureusement, elle reprit tous les kilos perdus peu de temps après. Sans nul doute, elle était incapable de remporter la victoire. C'était vraiment décourageant.

Lorsqu'elle revint à New York, les propos de ses parents l'avaient démoralisée et elle reprit du poids. Elle se remémora la suggestion de Harlan de consulter un psy. D'humeur morose, la veille de la rentrée scolaire, elle se décida à téléphoner à la personne qu'il lui avait recommandée. Elle prit un rendez-vous pour la semaine suivante. À peine avait-elle raccroché qu'elle se rongea les sangs. La démarche lui paraissait si insensée qu'elle songea à annuler le rendez-vous. Elle n'en eut pas le courage. Elle se sentait coincée. La veille de cette première séance, elle mangea un cheesecake entier, seule dans la cuisine de l'appartement. Que ferait-elle, si cette femme découvrait qu'elle était folle, ou que ses parents avaient raison et qu'elle était une ratée ? La seule chose qui lui permit de ne pas renoncer fut l'espoir que ses parents se trompaient.

Quand Victoria se présenta au cabinet de la thérapeute, elle se sentait en piteux état : elle avait eu mal au ventre toute la journée et elle tremblait littéralement. Elle ne savait plus pourquoi elle avait pris ce rendez-vous et regrettait sa décision. Lorsqu'elle s'assit face au Dr Watson, la bouche sèche, il lui sembla que sa langue était collée au palais.

Elle trouva le médecin agréable et sensible. Âgée d'une quarantaine d'années, vêtue d'un tailleur bleu marine bien coupé, coiffée et maquillée avec soin, elle était plus élégante que Victoria ne s'y attendait. En outre, son sourire chaleureux lui illuminait le regard. Elle interrogea Victoria sur son enfance, ses études, sa sœur et ses parents. Il n'était pas difficile de répondre, surtout quand il s'agissait de Grace. Lorsqu'elle lui parla de la beauté de sa petite sœur, Victoria rayonnait. Elle raconta ensuite au médecin qu'elle se sentait si différente des autres membres de sa famille que sa sœur et elle croyaient qu'elle avait été adoptée.

— Qu'est-ce qui vous a fait penser une chose pareille ? demanda le Dr Watson d'un ton uni.

Elles étaient assises l'une en face de l'autre, sur des chaises confortables. Il n'y avait pas de divan dans son cabinet, seulement une boîte de mouchoirs en papier qui sembla à Victoria de mauvais augure. Les patients pleuraient-ils souvent, lorsqu'ils se trouvaient en consultation ?

— J'ai toujours été différente d'eux, expliqua-t-elle. Je ne leur ressemble pas du tout. Ils sont bruns, je suis blonde. Mes parents et ma sœur ont de grands yeux marron, les miens sont bleus. Je suis grosse... ils sont minces. Non seulement je prends facilement du poids, mais je mange trop chaque fois que je suis contrariée. J'ai toujours eu un problème avec... avec mon poids. Même nos nez sont différents, mais là, c'est parce que je ressemble à mon arrière-grand-mère.

À cet instant, Victoria laissa échapper une confidence qu'elle n'avait pas prévu de faire :

— Je me suis toujours sentie étrangère dans ma famille. Mon père m'a donné le même prénom que la reine Victoria, parce qu'il pensait que je lui ressemblais. Moi, je croyais que j'étais belle, puisque c'était une reine. Mais lorsqu'à l'âge de six ans, j'ai vu une photo d'elle, j'ai compris ce que mon père voulait dire. Cela signifiait que j'étais grosse et laide comme elle.

Le visage de la thérapeute exprimait la compassion.

— Qu'avez-vous fait, ce jour-là ?

— J'ai pleuré. J'en ai eu presque le cœur brisé. Jusqu'alors, j'avais toujours cru que j'étais belle, mais à partir de cet instant, la vérité m'est clairement apparue. Mon père plaisantait souvent à ce sujet. Quand ma petite sœur est née, j'avais sept ans et mon père a déclaré que j'avais été leur « gâteau test ». Il leur fallait essayer la recette et jeter en quelque sorte le brouillon, pour réussir la seconde fois. Grace était une enfant parfaite et elle leur ressemblait, ce qui n'était pas mon cas. J'étais le premier jet, elle était l'œuvre accomplie.

— Quel effet ces propos produisaient-ils sur vous ?

Le regard tranquille du Dr Watson était fixé sur le visage de Victoria aux joues ruisselantes de larmes, ce dont elle ne s'était pas rendu compte.

— Je me sentais horriblement mal, mais j'adorais tellement ma petite sœur que je m'efforçais de les oublier. J'ai toujours su ce qu'ils pensaient de moi. Jamais je n'ai trouvé grâce à leurs yeux. Peut-être ont-ils raison. Je veux dire… regardez-moi… je suis grosse. Et si par hasard je parviens à perdre du poids, je le reprends aussi vite. Chaque fois qu'elle me regarde, ma mère est hors d'elle et elle me répète que je devrais faire un régime ou du sport. Mon père me tend le plat de purée, et il se moque de moi quand j'en mange.

Ces révélations auraient horrifié n'importe qui, mais le Dr Watson demeurait impassible. Elle offrait à Victoria une oreille attentive, lâchant de temps à autre un murmure encourageant.

— Pourquoi pensez-vous qu'ils se comportent ainsi ? Le problème vient-il d'eux, ou bien de vous ? Est-ce que cela n'en dit pas long sur ce qu'ils sont, sur leur personne ? Diriez-vous des choses pareilles à votre enfant ?

— Jamais ! Ils souhaitaient peut-être que je m'améliore. La seule partie de moi qui leur convienne, ce sont mes jambes. Mon père prétend qu'elles sont superbes.

— Mais que disent-ils de votre personnalité, de l'être humain que vous êtes ? Vous avez l'air de quelqu'un de bien.

— Je pense que c'est le cas... je l'espère, du moins... je m'efforce de bien me conduire, sauf lorsqu'il s'agit de nourriture... je veux dire envers les autres. Je me suis toujours bien occupée de ma petite sœur.

— J'en suis certaine, tout comme je crois que vous vous comportez de façon exemplaire, dit le Dr Watson avec une chaleur qu'elle n'avait pas manifestée jusqu'alors. Mais vos parents ? Pensez-vous qu'ils agissent bien... à votre égard, par exemple ?

— Pas vraiment... quelquefois... ils ont payé mes frais de scolarité et nous n'avons jamais manqué de rien. Simplement, mon père prononce des mots qui me blessent. Il n'aime pas mon apparence et il n'apprécie pas mon métier.

— Que fait votre mère lorsqu'il s'exprime ainsi ?

— Elle est toujours de son côté. Je crois qu'il a toujours été plus important pour elle que ma sœur et moi. Il est toute sa vie. Grace a été un « accident ». Je n'ai compris la signification de ce mot qu'à l'âge de quinze ans. Je les avais entendus en parler dans ces termes avant sa naissance. Je m'imaginais qu'elle allait venir au monde tout abîmée. Bien entendu, cela n'a pas été le cas, c'était un bébé magnifique. Elle a même figuré dans des spots publicitaires.

La description qu'elle faisait de sa famille était parfaitement claire, non seulement pour la psychiatre qui l'écoutait, mais pour elle-même. Elle traçait le portrait d'un parfait narcissique et de son épouse docile. Ils s'étaient montrés incroyablement cruels envers leur fille aînée, qu'ils avaient rejetée et ridiculisée toute sa vie parce qu'elle ne flattait pas leur orgueil. En revanche, sa jeune sœur correspondait exactement à leurs vœux. Le plus étonnant, c'était que Victoria n'avait jamais haï sa cadette. Au contraire, elle l'adorait. C'était la marque d'une nature aimante et d'un cœur généreux. La beauté de sa sœur la ravissait et elle avait cru toutes les méchancetés que ses parents déversaient sur elle. Leur cruauté avait lourdement pesé.

Victoria était gênée de s'être laissée aller à ces confidences, mais elle n'avait dit que la vérité. La psychiatre ne mit d'ailleurs pas un instant sa sincérité en doute.

Soudain, elle jeta un coup d'œil à la pendule qui se trouvait derrière sa patiente et lui demanda si elle aimerait revenir la semaine suivante. Presque malgré elle, Victoria acquiesça. Le Dr Watson lui tendit une carte sur laquelle elle avait inscrit la date et l'heure du prochain rendez-vous convenu, puis elle sourit.

— Je pense que nous avons fait du bon travail, aujourd'hui, Victoria. J'espère que vous êtes de mon avis.

— Vraiment ?

Victoria parut surprise. Elle s'était montrée franche et honnête. Même si elle avait l'impression d'avoir trahi ses parents, elle n'avait pas menti. Ils avaient bien tenu les propos qu'elle venait de rapporter. Peut-être n'avaient-ils pas eu l'intention d'être aussi méchants. Et à supposer qu'ils aient agi à dessein ? Que pouvait-on en déduire sur eux ou sur elle ? C'était un mystère. Pour l'élucider, elle devrait attendre la séance suivante. À la fin de cette première séance, elle ne se sentait pas folle, ainsi qu'elle l'avait craint. Au contraire, elle était plus que jamais convaincue de sa santé mentale. Désormais, le comportement de ses parents lui apparaissait avec une douloureuse lucidité.

Le Dr Watson la raccompagna à la porte. Éblouie par les rayons du soleil, Victoria fut prise de vertiges l'espace d'un instant. Elle s'éloigna lentement. Cet après-midi, elle avait eu le sentiment d'avoir ouvert une porte et laissé entrer la lumière jusque dans les recoins les plus sombres de son cœur. Quoi qu'il arrivât, désormais, elle savait qu'elle ne pourrait plus la refermer. Et pendant tout le trajet jusqu'à chez elle, elle pleura de soulagement.

13

Pour sa seconde année à Madison, Victoria bénéficia d'une augmentation sensible de son salaire. Cette hausse n'impressionna pas son père, mais elle permit à la jeune femme de vivre un peu mieux. Désormais, elle n'enseignait plus qu'en terminale, sa classe favorite. Les élèves de première étaient trop stressés et les secondes, immatures et difficiles à gérer. À certains égards, c'étaient encore des bébés. Ils testaient leurs limites et se montraient souvent impolis. Les terminales étaient plus calmes et commençaient à prendre la vie avec un certain humour. C'était aussi la fin de leur enfance et la dernière année qu'ils passeraient sous le toit familial. Du coup, leur compagnie était plus agréable, malgré la mélancolie qui s'emparait d'eux durant les derniers mois qui leur restaient à vivre au lycée. Victoria était contente de partager cette expérience avec eux.

Carla Bernini avait repris son poste après son congé maternité. Elle ne cacha pas son admiration devant le travail que Victoria avait accompli avec ses élèves et la tint en haute estime, malgré sa jeunesse. Elles devinrent amies. Une fois, elle amena son bébé à l'école. Victoria le trouva très mignon. C'était un enfant heureux et en pleine santé, qui lui rappela Grace au même âge.

Elle continuait ses séances hebdomadaires avec le Dr Watson. La thérapie modifiait subtilement son regard sur la vie et sur elle-même. Elle envisageait sous un autre angle ce qu'elle avait vécu avec ses parents. Elle commençait à admettre qu'ils l'avaient blessée et maltraitée toute sa vie. Cette prise de conscience lui avait donné envie de se reprendre en main : elle avait entrepris de nouveau un régime et fréquentait une salle de sport. Parfois, elle sortait du cabinet les nerfs à vif, après avoir évoqué tout ce que ses parents lui avaient dit ou fait. Dans ces cas-là, elle rentrait chez elle et noyait son chagrin dans la nourriture. La glace était toujours sa drogue préférée et quelquefois sa meilleure amie. Mais, le lendemain, elle mangeait très peu et faisait davantage de sport pour compenser ses excès. Le Dr Watson lui avait donné l'adresse d'une nutritionniste qui l'avait aidée à planifier ses repas. Victoria avait aussi consulté un hypnotiseur, qu'elle avait trouvé aussi déplaisant qu'inefficace.

Le plus important restait qu'elle aimait son travail et ses élèves. Elle apprenait beaucoup, tant sur l'enseignement que sur la vie en général. Depuis qu'elle voyait le Dr Watson, elle avait davantage confiance en elle, bien que son problème alimentaire fût loin d'être résolu. Elle espérait y réussir un jour, tout en sachant qu'elle ne ressemblerait jamais à Grace ou à sa mère.

En début d'année, un nouveau professeur de chimie était venu remplacer celui qui était parti à la retraite. Avenant et d'un physique agréable, sans pour autant ressembler à un acteur de cinéma, il se montrait amical avec ses collègues et bienveillant envers les lycéens. Tout le monde l'appréciait. Victoria ne lui avait encore jamais parlé. Un jour, à l'heure du déjeuner, il s'assit non loin d'elle, dans la salle des professeurs. Elle mangeait une salade achetée chez le traiteur tout en corrigeant les dernières copies qu'elle voulait rendre à ses élèves dans l'après-midi. Son voisin déballa un sandwich à la viande et aux crudités qui sentait délicieusement bon. La jeune femme se fit l'effet d'un lapin en train de grignoter une feuille de salade. Elle l'avait assaisonnée de jus de citron, au lieu d'y ajouter une généreuse portion de mayonnaise ainsi qu'elle l'aurait préféré. Elle s'efforçait d'être raisonnable, d'autant qu'elle avait rendez-vous avec le Dr Watson le lendemain.

— Salut ! Je ne crois pas m'être encore présenté. Je m'appelle Jack Bailey, déclara-t-il entre deux bouchées.

Bien qu'il ne fût âgé que d'une trentaine d'années, il avait les cheveux poivre et sel et une barbe qui lui conféraient une certaine maturité aux yeux des lycéens. Grâce à cette apparence, on le prenait facilement au sérieux. Souriante, Victoria se présenta à son tour.

— Je sais qui vous êtes, dit-il. Les terminales de cette école vous portent aux nues. Ce n'est pas facile de vous succéder lorsqu'ils sortent d'un de vos cours, tant votre enseignement les enchante. Je me demande d'où vous sortez toutes ces idées. Vous êtes une star, ici.

Victoria trouva ces propos extrêmement gentils.

— Ils ne sont pas toujours aussi enthousiastes, assura-t-elle, surtout quand je leur fais subir des contrôles-surprises.

— Quand j'étais enfant, je n'arrivais pas à décider si je deviendrais chimiste ou poète. Je pense que vous avez fait le meilleur choix.

— Je ne suis pas poète, rectifia-t-elle, juste professeur. Vous vous plaisez bien parmi nous ?

Elle savait qu'il était diplômé de l'Institut de technologie du Massachusetts.

— Beaucoup. L'année dernière, j'enseignais dans une petite école rurale de l'Oklahoma. Ici, les élèves sont nettement plus évolués. Je suis originaire du Texas. Après mes études, j'ai vécu deux ans à Boston avant de partir pour l'Oklahoma. Je suis vraiment content de vivre à New York, conclut-il avec chaleur, tout en finissant son sandwich.

— Moi aussi. Je viens de Los Angeles et je ne suis ici que depuis un an. J'ai encore énormément de choses à découvrir.

— On pourrait peut-être le faire ensemble ? suggéra-t-il, les yeux pleins d'espoir.

L'espace d'un instant, le cœur de Victoria battit plus vite. Elle ne savait pas si sa proposition était sérieuse ou s'il voulait juste être gentil. Elle aurait adoré sortir avec quelqu'un comme lui. Ces derniers mois, elle avait été invitée par quelques garçons, dont un ancien flirt du lycée, mais ils étaient tous sans intérêt. Sa vie sociale était quasi inexistante et Jack était le seul homme intéressant de l'école. D'ailleurs, toutes les enseignantes parlaient de lui depuis son arrivée, elles le trouvaient « canon ». En discutant avec lui, Victoria ne pouvait que leur donner raison !

— Pourquoi pas ? répliqua-t-elle sur un ton léger.

— Vous aimez le théâtre ?

Lorsqu'il se leva, elle put constater qu'il la dépassait d'une tête. Il devait mesurer bien plus d'un mètre quatre-vingts.

— Oui, beaucoup, mais c'est un peu cher pour mon budget, répondit-elle avec franchise. J'y vais rarement.

— On joue dans un petit théâtre une pièce que j'aimerais beaucoup voir. Le propos est assez pessimiste, mais j'en ai entendu dire le plus grand bien. J'ai fait la connaissance de l'auteur. Si vous êtes libre, on pourrait y aller ce week-end.

Elle s'abstint de lui dire qu'elle était libre pour le restant de son existence, surtout pour lui. L'intérêt qu'il lui manifestait la flattait.

— Très volontiers, répondit-elle avec un sourire radieux.

Elle était pourtant certaine qu'il ne donnerait pas suite à cette invitation. D'ordinaire, les hommes se montraient amicaux, mais ne l'appelaient jamais. Elle avait d'ailleurs eu fort peu d'occasions de rencontrer des célibataires. Elle vivait et travaillait parmi des femmes, des enfants, des homosexuels et des hommes mariés. Dans son entourage, les célibataires séduisants étaient rares. Sa psy l'avait encouragée à sortir et à rencontrer davantage de monde, pas seulement des hommes, mais la vie de Victoria était confinée dans l'enceinte de l'école.

— Je vous enverrai un mail, promit-il en la quittant.

Ils sortirent ensemble de la salle des professeurs avant de prendre des directions opposées. En se dirigeant vers le labo de sciences, il lui adressa un dernier signe. De son côté, Victoria passa devant la classe de Helen, qui bavardait avec Carla Bernini. À son passage, les deux femmes se tournèrent vers elle et lui sourirent. Elle s'arrêta une minute.

— Salut, les filles !

Elle aimait bien cette camaraderie entre elles. Ses collègues étaient plus âgées, mais Victoria avait le sentiment d'appartenir à une sorte de famille, comme c'est souvent le cas dans les établissements scolaires : les enseignants incarnaient des frères et sœurs aînés, et les élèves faisaient figure de cadets.

— La rumeur rapporte que tu as déjeuné avec un type canon dans la salle des profs, dit Carla avec un large sourire.

Penaude, Victoria leur sourit en retour.

— Vous plaisantez, j'espère ? Nous étions assis à la même table, voilà tout ! La moitié de la gent féminine lui court après, au lycée. Il s'est juste montré poli avec moi. Vous avez dissimulé des micros dans la salle des professeurs ?

Les trois femmes rirent de bon cœur. Elles savaient à quel point les écoles peuvent être des usines à potins. Les enseignants échangent des confidences et colportent des ragots les uns sur les autres, comme les lycéens. Au final, rien ne reste secret très longtemps.

— Il est mignon, remarqua Carla, immédiatement approuvée par Helen.

Victoria leva les yeux au ciel.

— Croyez-moi, je ne l'intéresse pas. Je suis certaine qu'il a bien d'autres proies en vue.

Chacun savait que le nouveau professeur de français, une belle femme sensuelle, lui faisait des avances. Victoria était persuadée qu'elle n'avait aucune chance.

— C'est lui qui devrait s'estimer heureux s'il parvenait à te séduire, répliqua Carla avec enthousiasme.

— Merci pour le vote de confiance, dit Victoria avant de gagner sa propre classe.

Dans un lycée, les rumeurs se propageaient à la vitesse du son, pensa-t-elle. Jack lui enverrait-il vraiment un mail ? Elle en doutait, mais elle avait trouvé leur conversation très sympathique. Elle n'en attendait rien de plus et c'est ce qu'elle dit à sa thérapeute, le lendemain.

— Pourquoi ? lui demanda le Dr Watson. Pourquoi pensez-vous qu'il ne fera pas ce qu'il a dit ?

— Parce que ce n'étaient que des paroles en l'air, prononcées pendant le déjeuner. Il n'en avait sans doute pas vraiment l'intention.

— Et si c'était le cas ? Qu'en concluriez-vous ?

— Qu'il m'aime bien, ou alors qu'il se sent seul.

— Si je comprends bien, vous n'êtes bonne qu'à jouer les bouche-trous pour hommes solitaires. Et si vous lui plaisiez vraiment ?

— Je pense qu'il a seulement été poli, rétorqua fermement Victoria.

Elle avait été si souvent déçue par le passé… Des hommes qui semblaient s'intéresser à elle ne l'avaient jamais rappelée.

— Qu'est-ce qui vous fait penser cela ? l'interrogea la thérapeute. Vous ne méritez pas qu'un homme bien sorte avec vous ?

Il y eut un long silence, durant lequel Victoria réfléchit.

— Je n'en sais rien. Je suis trop grosse et nettement moins jolie que ma sœur. Je déteste mon nez et ma mère dit que les hommes n'apprécient pas les femmes intelligentes.

La psychiatre sourit, tandis que Victoria émettait un petit rire nerveux, gênée par sa propre réponse.

— Eh bien, nous pouvons nous mettre d'accord sur un point : vous êtes en effet intelligente. C'est déjà un bon début. En revanche, je pense que votre mère se trompe. Les hommes intelligents aiment les femmes intelligentes. Les plus superficiels les craignent peut-être, parce qu'ils se sentent menacés par elles. Mais je suppose qu'ils ne vous intéressent pas non plus. Je trouve votre nez très bien comme il est. Et le poids n'est pas une fatalité, c'est quelque chose que vous pouvez modifier. Si vous plaisez vraiment à un homme, s'il vous aime, il ne se souciera pas de votre poids. Vous êtes une femme très séduisante, Victoria, et n'importe quel homme pourrait s'estimer chanceux, s'il faisait votre conquête.

C'était agréable à entendre, mais Victoria ne la croyait pas tout à fait. Les preuves contraires pesaient lourd dans la balance : les paroles blessantes de son père, le rejet constant de ses parents, son propre sentiment de n'être qu'une ratée…

— Nous verrons bien s'il vous contacte, reprit le médecin. Au cas où il ne le ferait pas, cela voudrait seulement dire qu'il a d'autres préoccupations. Et certainement pas qu'aucun homme ne voudra jamais de vous.

À vingt-trois ans, Victoria n'en avait encore rencontré aucun qui fût sérieusement tombé amoureux d'elle. Elle avait été négligée et ignorée pendant des années, sauf par ses amis. À ses propres yeux, elle n'était qu'un objet informe, asexué et absolument incapable d'inspirer le désir. Il allait falloir beaucoup de travail et de détermination pour surmonter ces résistances. C'était pour cette raison qu'elle était là. Pour modifier l'image d'elle-même que ses parents avaient imprimée dans son cerveau. Elle était prête à tout pour y parvenir, même si le processus était long et douloureux. Vivre avec le sentiment de son propre échec serait pire. Parce qu'ils ne l'aimaient pas, ses parents lui avaient laissé en héritage la certitude qu'elle était dénuée d'attraits. Cela avait commencé le jour de sa naissance. Elle devait effacer un par un les messages désobligeants qu'ils n'avaient cessé de lui envoyer pendant vingt-trois ans. À présent, elle était décidée à relever le défi.

Néanmoins, Victoria sortit de cette séance un peu découragée. Parfois, il était douloureux de remonter dans le passé, de raviver d'odieux souvenirs pour les affronter. En rentrant chez elle, elle se sentait encore très abattue. Elle détestait se remémorer toutes ces fois où son père l'avait blessée pendant que sa mère ne voyait ni n'entendait rien, et ne prenait jamais sa défense. Sa propre mère ! Grace avait été la seule à bénéficier d'un soutien maternel.

Qu'en déduire ? Que sa mère ne l'aimait pas plus que son père ? La seule personne de la famille qui

lui avait donné son amour était une enfant inno-
cente. Cela impliquait qu'aucun adulte intelligent
ne pouvait lui accorder son affection, pas même ses
parents. Désormais, elle devrait se répéter que le
mal venait d'eux, non d'elle.

Une fois dans sa chambre, elle alluma son ordinateur pour lire ses mails. Grace lui avait écrit pour
lui raconter son quotidien de lycéenne et ses derniers tourments à propos d'un garçon dont elle était
amoureuse. À seize ans, Grace avait plus de prétendants que son aînée n'en avait connu en toute
une vie. Victoria terminait sa lecture quand un nouveau mail s'annonça. Elle mit quelques secondes à
identifier l'adresse de l'expéditeur : Jack Bailey, le
nouveau professeur de chimie rencontré dans la
salle des profs. Elle cliqua très vite sur le mail,
tâchant de réprimer son anxiété. Peut-être Jack
avait-il quelque chose à lui dire au sujet de leurs
élèves ? Après avoir lu le message, elle resta à le
fixer en silence.

Salut ! J'ai été content de faire votre connais-
sance hier, et de bavarder avec vous. J'ai réussi à
avoir deux billets pour la pièce dont je vous ai
parlé. Est-ce que vous êtes libre samedi ? On pour-
rait dîner avant ou après. Je propose qu'on mange
dans un petit restau à côté du théâtre. Le dîner
sera offert par un professeur de chimie affamé.
Dites-moi si vous n'êtes pas déjà prise et si la pro-
position vous tente.
À bientôt, au lycée.
Jack

Victoria demeura un long moment immobile, à s'interroger sur la signification de son message. Jack voulait-il être son ami… ou davantage ? Peut-être n'avait-il encore aucune relation à New York et se sentait-il seul ? Lui plaisait-elle ? Tout en s'efforçant de lire entre les lignes, elle se disait que son comportement ressemblait beaucoup à celui de Grace et à ses questionnements amoureux. Ce n'était peut-être que cela : une invitation lancée par un collègue sympathique. Pour le reste, ils verraient plus tard, du moins s'ils sortaient de nouveau ensemble. Dès qu'il fut rentré, elle s'empressa de demander à Harlan son avis.

— C'est ce qu'on appelle un rendez-vous galant, Victoria. Un homme t'invite à dîner au restaurant puis au spectacle. Et si vous vous plaisez, vous recommencerez. Qu'est-ce que tu lui as répondu ?

— Rien, pour l'instant. Je ne savais pas exactement ce que je devais lui dire. Tu penses vraiment qu'il me fait la cour ?

— Si tu additionnes les éléments suivants, je dirais qu'il y a des chances pour que ce soit le cas : c'est un samedi soir, il t'offre le restaurant et le divertissement, vous exercez le même métier, vous êtes de sexes opposés et vos âges concordent… Tous les indices sont réunis !

Il se moquait gentiment d'elle, mais Victoria ne semblait pas convaincue.

— Peut-être veut-il simplement que nous soyons amis…

— C'est possible, et bien des idylles commencent par l'amitié. Dans la mesure où vous travaillez tous les deux dans une école très soucieuse de la moralité des enseignants, je suppose que ce n'est ni un tueur en série ni un drogué et que son casier judiciaire est toujours vierge ! Je crois que tu peux accepter son invitation sans trop de risque. Emporte quand même une bombe de gaz lacrymogène si ça peut te rassurer !

La suggestion arracha un sourire à Victoria.

— La balle n'est pas seulement dans son camp, précisa Harlan. Tu peux aussi décider qu'il ne te plaît pas, finalement.

— Je ne vois pas pourquoi, répondit-elle. Il présente bien, et il est intelligent. Il pourrait sortir avec n'importe qui, s'il en avait envie.

— Oui, et toi aussi. Je te ferai remarquer que c'est à *toi* qu'il a envoyé le mail. Vous êtes sur un pied d'égalité et, en l'occurrence, tu as la même liberté de choix que lui. Que je sache, ce n'est pas l'empereur de Chine !

Le moment était venu d'affronter la réalité. La plupart du temps, elle avait tellement l'impression qu'elle ne pouvait pas inspirer l'amour, elle était tellement convaincue de sa propre médiocrité qu'elle n'imaginait pas avoir son mot à dire. La décision n'appartenait pas seulement à Jack, Harlan avait raison.

— Et n'oublie pas le test des côtes d'agneau, dit très sérieusement son colocataire en leur préparant du thé.

— Quoi ? demanda Victoria, intriguée.

— Tu rencontres un mec beau à tomber, au point que c'est à peine si tu peux respirer en sa présence. Il est brillant, charmant et drôle. Tu n'as vraiment jamais vu un homme aussi superbe. Peut-être même conduit-il une Ferrari. C'est alors que tu le vois en train de manger une côte d'agneau… Un vrai cochon, à croire qu'il est né dans une porcherie. Résultat : tu ne veux plus jamais le revoir.

Victoria éclata de rire.

— On ne peut pas lui apprendre les bonnes manières ?

Harlan secoua la tête de manière théâtrale.

— Jamais. C'est beaucoup trop embarrassant. Tu ne peux pas présenter à tes amis un type qui bave sur sa côtelette, aspire bruyamment sa soupe et se lèche les doigts. Oublie le mec qui bouffe comme un ogre. Et justement, tu auras l'occasion de lui faire passer l'examen puisqu'il t'invite à dîner.

— D'accord, je commanderai des côtelettes d'agneau et je les lui ferai goûter.

— Crois-moi, c'est le test suprême. Tout le reste, on peut vivre avec, ou presque !

Victoria se mit à rire de bon cœur, mais la plaisanterie de Harlan comportait un fond de vérité. Au début d'une relation, on ne pouvait prédire ce qui nous ferait fondre ou nous dégoûterait à jamais. Victoria n'avait jamais pu supporter les hommes qui laissaient un maigre pourboire, voire pas du tout, et se montraient désagréables ou vulgaires avec les serveurs. Mais jusqu'à présent, elle n'avait jamais soumis ses cavaliers au test de la côtelette d'agneau !

— Qu'est-ce que tu vas faire, alors ? s'enquit Harlan. Si je puis me permettre une suggestion, accepte l'invitation. Je ne sais pas à quand remonte ton dernier rendez-vous et tu ne dois pas le savoir non plus.

— Tu te trompes ! protesta-t-elle. Je suis sortie avec un garçon à Los Angeles, cet été. J'étais en quatrième avec lui, et je l'ai revu à la piscine.

— Ah oui ? Tu ne m'en as jamais parlé.

— Il était d'un ennui ! Il vend des biens immobiliers pour sa mère et pendant tout le dîner, il n'a cessé de me parler de ses douleurs lombaires, de ses migraines et de ses cors aux pieds, héréditaires, selon lui. Autant dire que j'ai passé une soirée mortelle.

— Seigneur ! Et on se demande pourquoi ce genre de gars reste célibataire ! Il ne doit pas y avoir beaucoup de filles qui acceptent un second rendez-vous ! J'espère que tu n'as pas couché avec lui.

— Non, répliqua dignement Victoria. Il avait mal à la tête. Je pouvais en dire autant au dessert. J'ai terminé mon repas et j'ai filé. Il m'a appelée deux fois sur mon portable, par la suite. J'ai menti et prétendu que j'étais repartie pour New York. Par bonheur, je n'ai plus croisé son chemin.

— À la lumière de cette expérience, je crois que tu devrais accepter l'invitation du prof de chimie. S'il ne doit pas subir une intervention aux orteils et s'il n'a pas la migraine au dîner, ce sera un bon début.

— Tu as raison.

Victoria retourna dans sa chambre et écrivit à Jack Bailey qu'elle acceptait son invitation avec plaisir. Elle offrit de payer sa part, puisqu'ils étaient tous les deux des enseignants mal payés. Il répondit par retour de mail que ce n'était pas nécessaire, aussi longtemps qu'elle ne voyait pas d'inconvénient à dîner dans un restaurant modeste. Il ajouta qu'il passerait la prendre.

Il ne restait plus à Victoria qu'à se trouver la tenue adéquate. Harlan avait son idée sur la question.

— Une jupe très courte. Avec des jambes comme les tiennes, tu ne devrais porter que des minijupes. Si seulement les miennes étaient aussi belles, plaisanta-t-il.

Il disait vrai. Victoria avait de longues jambes fuselées qui détournaient l'attention de sa taille et de ses hanches. Harlan trouvait qu'elle avait le visage typique d'une jolie Américaine blonde et saine. En outre, elle était gentille, intelligente, vive et dotée d'un solide sens de l'humour. Qu'est-ce qu'un homme pouvait espérer de plus ? Il espérait que ce rendez-vous serait le premier d'une longue série et qu'elle serait aussi heureuse qu'elle lui avait permis de l'être en lui faisant rencontrer John Kelly, avec qui il filait le parfait amour depuis huit mois. Ils envisageaient d'ailleurs d'emménager ensemble. Harlan était devenu le meilleur ami et le seul confident de Victoria, en dehors de sa sœur. Il lui donnait d'excellents conseils.

Le samedi soir, Jack arriva à 19 heures précises. Les colocataires de Victoria étaient sortis. Cette dernière lui fit les honneurs de l'appartement, qu'il trouva très agréable et spacieux.

— Je vis dans une boîte à chaussures en comparaison !

— Le loyer est plafonné. J'ai la chance de pouvoir y vivre avec trois autres personnes. Je l'ai trouvé dès mon arrivée à New York.

— Une vraie chance, en effet.

Elle lui offrit un verre de vin, puis ils prirent le métro pour se rendre au restaurant, dans Greenwich Village. La pièce commençait à 21 heures, aussi avaient-ils juste le temps de dîner.

Victoria avait suivi les conseils de Harlan, qui avait inspecté sa tenue. Elle portait une jupe noire courte, un tee-shirt blanc sous une veste en denim, ainsi que des sandales à talons hauts qui mettaient ses jambes en valeur. Très légèrement maquillée, ses cheveux blonds lâchés sur les épaules, elle était vraiment très jolie. Harlan lui avait dit que, pour un premier rendez-vous, sa tenue était absolument parfaite, à la fois jeune, sexy et simple. Elle ne donnait pas l'impression de vouloir en faire trop. Il lui avait expliqué avec sérieux qu'un décolleté était exclu pour une première sortie. Ce serait un atout pour plus tard, avait-il ajouté. De toute façon, Victoria n'en avait jamais eu l'intention. Elle se sentait à l'aise dans son tee-shirt un peu large. Durant le trajet, Jack et elle ne cessèrent de bavarder. Il possédait un solide sens de l'humour, et la façon dont il lui décrivit les établissements scolaires où il avait travaillé la fit s'étrangler de rire. Il était clair qu'il aimait vraiment les enfants et tout aussi évident qu'elle lui plaisait beaucoup.

Lorsqu'ils furent au restaurant, elle parcourut le menu, les sourcils froncés. Elle avait toujours eu un faible pour le pain de viande et la purée de pommes de terre, qui lui rappelaient sa grand-mère maternelle, mais elle ne voulait pas trop manger. Le poulet frit était tout aussi tentant. Elle se décida finalement pour une escalope de dinde et des haricots verts. Elle faillit éclater de rire quand Jack commanda des côtelettes d'agneau. Il les mangea avec une fourchette et un couteau. Apparemment, il n'avait rien d'un ogre et elle pourrait dire à Harlan que son prétendant avait passé le test avec succès. Elle espérait qu'elle avait aussi passé le sien ! Au dessert, ils partagèrent une tarte aux pommes faite maison avec une boule de glace à la vanille.

Lorsqu'ils eurent terminé, Jack remarqua :

— J'aime les femmes qui ont bon appétit.

Il lui raconta que la dernière fille avec qui il était sorti était anorexique. Elle ne mangeait jamais rien en sa présence, ce qui le rendait fou.

Ils aimèrent tous les deux la pièce, dont ils parlèrent pendant le trajet du retour. Le thème était plutôt déprimant, mais les dialogues sonnaient juste et les acteurs également. Profitant de la tiédeur de la nuit, ils bavardèrent un instant devant la porte de son immeuble. Victoria remercia chaleureusement Jack. Elle avait passé une excellente soirée. Cependant elle ne l'invita pas à monter. Il était encore trop tôt, même si elle avait le sentiment que ce qui se passait entre eux ne relevait pas uniquement de l'amitié. Jack semblait très heureux lui aussi. Il la serra dans ses bras, puis elle le remercia une nouvelle fois avant de rentrer chez elle d'un pas dansant, le sourire aux lèvres. L'appartement était vide. L'espace de quelques secondes, elle regretta presque de ne pas l'avoir invité à boire un verre.

À sa grande surprise, Jack la rappela le lendemain matin. Il allait visiter une exposition et il voulait savoir si ça lui dirait de l'accompagner. Ils se retrouvèrent au centre-ville et dînèrent une fois de plus ensemble. Lorsqu'elle retourna au lycée le lundi matin, ils étaient déjà sortis deux fois ensemble et elle brûlait d'en parler à sa thérapeute. Il lui semblait avoir remporté une vraie victoire et mériter qu'on la complimente. De plus, Jack et elle avaient de nombreux points communs. À l'heure du déjeuner, ils se retrouvèrent dans la salle des professeurs. Elle apprécia sa discrétion, car il ne fit aucune allusion à leur week-end. Elle ne souhaitait pas que toute l'école sache qu'ils se voyaient en dehors du travail. Il se montra amical, rien de plus, mais le soir même, il l'appelait pour lui proposer un dîner au restaurant et un film le vendredi suivant. Lorsqu'elle en parla à ses colocataires, elle frémissait d'excitation.

— On dirait le début d'une belle histoire, dit Harlan en lui souriant. En plus, il a réussi le test des côtelettes d'agneau ! Merde, Victoria, voilà une affaire qui marche !

Se sentant un peu bête, elle se mit à rire et faillit reprendre du pain beurré à l'ail. Elle se retint à temps. John était un formidable cuisinier, cependant elle voulait vraiment perdre du poids, et désormais elle avait une bonne raison de le faire.

La soirée du vendredi fut aussi agréable que les deux autres. Le dimanche, ils se promenèrent dans le parc, main dans la main. Ils achetèrent des glaces à un marchand ambulant, mais elle se força à jeter la sienne avant de l'avoir finie. Elle avait perdu un kilo pendant la semaine et travaillé ses abdominaux chaque soir, devant la télévision. Sa psy elle-même se réjouissait de son idylle, bien que Victoria n'eût pas encore sauté le pas avec Jack. Il ne le lui avait pas demandé et, de son côté, elle ne souhaitait pas se presser. Elle voulait être sûre de ses sentiments pour lui. Le sexe ne lui suffisait pas, elle recherchait une relation vraie et, après quatre rendez-vous, Jack commençait à lui apparaître comme le candidat idéal. Un dimanche après-midi, ils revinrent à l'appartement et il fit la connaissance de Bunny et de Harlan, qui le trouvèrent tous les deux très sympathique.

Le mois d'octobre fut la période la plus excitante qu'elle eût vécue depuis fort longtemps. Jack et elle continuaient de se voir le week-end et il l'embrassa au cours du troisième. Après en avoir discuté, ils convinrent qu'ils souhaitaient encore attendre avant de passer à l'étape suivante. Avec une prudence teintée de maturité, ils voulaient mieux se connaître avant de faire l'amour. Victoria se sentait en sécurité auprès de Jack. Il ne la pressait pas, il la respectait et chaque fois qu'ils se rencontraient, ils étaient un peu plus proches l'un de l'autre. Le Dr Watson applaudissait des deux mains.

Victoria avait parlé à Jack de ses parents, sans se confier outre mesure. Elle n'avait pas mentionné le « gâteau test » ou la reine Victoria. Elle lui avoua qu'ils n'avaient jamais été fiers d'elle et qu'ils critiquaient son choix professionnel.

— Je ne suis pas mieux loti que toi, déclara Jack. Ma mère désirait que je sois médecin comme mon grand-père. Quant à mon père, il souhaite toujours que je devienne avocat, comme lui. J'adore mon métier, mais ils ne cessent de me rappeler que je n'aurai jamais un salaire décent, que jamais je ne pourrai entretenir une femme et des enfants. D'autres gens y parviennent, pourtant, et l'enseignement est ma vocation. Quand j'ai fait mes études à l'Institut de technologie du Massachusetts, mon père espérait au moins que je deviendrais ingénieur.

— Le mien s'exprime à peu près dans les mêmes termes, hormis la question de l'épouse et des enfants. Personne ne félicite jamais les enseignants d'avoir choisi ce métier. Notre rôle est pourtant extrêmement important, nous avons une influence majeure sur les enfants.

— Je le sais bien ! Des joueurs de base-ball sont payés cinq millions de dollars pour tenir une batte, mais l'éducation des jeunes ne vaut pas un clou. Franchement, c'est un peu écœurant, non ?

Victoria acquiesça avec un grand sourire. D'ailleurs, songea-t-elle, ils étaient d'accord quasiment sur tout. Cela faisait maintenant un mois qu'ils se voyaient tous les week-ends et Victoria devinait qu'ils ne tarderaient pas à faire l'amour. Très détendue en sa compagnie, elle était en train de tomber amoureuse. Jack était fantastique, intelligent, droit, honnête, chaleureux et drôle. Il possédait toutes les qualités dont elle avait rêvé chez un homme et, ainsi que Grace l'aurait qualifié, elle le trouvait super-mignon. Sa sœur, à qui elle avait parlé de sa relation, était ravie. En revanche, Victoria n'avait rien dit à ses parents et elle avait demandé à Grace d'en faire autant. Elle ne voulait pas entendre leurs commentaires négatifs ou leurs prévisions pessimistes. Ils n'imaginaient pas qu'un homme puisse tomber amoureux d'elle. Pourtant, à l'évidence, Jack la trouvait jolie. L'intérêt qu'il lui manifestait lui faisait chaud au cœur, et elle s'épanouissait comme une fleur au soleil. Elle se sentait légère, plus sûre d'elle, heureuse. Le Dr Watson était soucieuse… Victoria devait puiser en elle-même l'estime de soi, non la chercher auprès d'un homme. Mais Jack l'y aidait certainement.

Elle avait perdu cinq kilos en surveillant les quantités et le type d'aliments qu'elle avalait. Elle suivait les conseils de la nutritionniste, qui lui avait recommandé de ne pas sauter de repas et de se nourrir sainement. Cette fois, elle n'avait pas fait de régime extravagant, elle n'avait pas eu recours à des tisanes ou à des laxatifs. Le bonheur suffisait à rendre sa façon de vivre plus harmonieuse. Pour Thanksgiving, Jack et Victoria envisageaient, après avoir vu leurs familles respectives, de revenir à New York pour le week-end de façon à passer une partie de leur congé ensemble.

Un soir, elle était justement en train d'y penser lorsque, entrant dans la cuisine, elle trouva Harlan et John en grande conversation. Constatant qu'ils avaient l'air contrariés, elle inventa très vite une excuse pour quitter la pièce. Harlan la rappela au moment où elle regagnait sa chambre :

— Tu as une minute à nous accorder ?

Victoria hésita. Le visage crispé de John lui faisait penser qu'ils s'étaient disputés et elle espéra que ce n'était pas sérieux. Leur relation, après un an ou presque, paraissait très solide. S'ils rompaient, elle en serait désolée, sachant à quel point Harlan aurait du mal à s'en remettre.

— Bien sûr, répondit-elle.

Elle ignorait quelle aide elle pourrait leur apporter, mais était prête à essayer. John laissa échapper un soupir, pendant que Harlan lui faisait signe de s'asseoir à la table.

— On dirait que vous avez un problème, les garçons, dit-elle gentiment.

— En quelque sorte, admit John. Nous avons une sorte de dilemme moral.

— Entre vous ? s'étonna Victoria.

Elle ne pouvait croire que l'un d'eux ait trompé l'autre. Certaine que Harlan était fidèle, elle avait toujours supposé que John l'était aussi. Ils possédaient tous deux de solides valeurs morales et... ils s'aimaient.

— Non. Il s'agit d'une amie, répondit Harlan. Je déteste me mêler des affaires des autres. Je me suis toujours demandé comment je réagirais si je découvrais quelque chose susceptible de blesser quelqu'un que j'aime, tout en étant persuadé de la nécessité de mettre cette personne au courant. C'est une situation à laquelle j'espérais ne jamais être confronté.

— Et tu y es confronté à présent ? s'informa Victoria avec candeur.

Les deux hommes hochèrent la tête de concert. Après avoir soupiré pour la seconde fois, John estima que c'était à son tour de parler. Il était clair que la mission était trop pénible pour son ami. En outre, c'était lui qui tenait l'information de première main. Harlan et lui en discutaient depuis deux semaines et ils avaient espéré que la situation évoluerait d'elle-même, mais ça allait même de mal en pis... Ils ne voulaient pas que Victoria, qu'ils considéraient presque comme une sœur, fonce droit dans le mur.

— Je ne connais pas tous les détails, mais cela concerne Jack... Ton Jack. J'ai discuté avec une collègue de mon lycée. C'est une garce, que je n'ai jamais appréciée. Très imbue d'elle-même, elle court toujours derrière un homme ou un autre. Récemment, elle parlait d'un professeur avec qui elle avait une liaison. Il travaille dans un autre établissement et elle ne le voit qu'une nuit par week-end, ce qui la contrarie énormément. Il lui consacre un après-midi et une nuit et elle croit qu'il la trompe, bien qu'il affirme le contraire. En dehors de cela, elle le trouve fantastique et prétend qu'il est fou d'elle. Ils projettent de passer le jour de Thanksgiving ensemble, plutôt que dans leurs familles. Mais il lui a annoncé qu'il irait voir ses parents le samedi et qu'il resterait avec eux le dimanche. Elle en était là de ses confidences, quand une sonnette d'alarme a retenti dans mon esprit, j'ignore pourquoi. Je lui ai alors demandé, mine de rien, son nom et celui de son lycée. Elle m'a dit qu'il s'appelait Jack Bailey et qu'il enseignait à Madison.

John posa un regard compatissant sur Victoria, qui semblait sur le point de s'évanouir ou de fondre en larmes.

— On dirait que ton type court deux lièvres à la fois, poursuivit-il. Je voulais te prévenir avant que tu ne t'attaches trop. Apparemment, il partage ses week-ends, et maintenant Thanksgiving, entre vous deux. C'est un procédé dégueulasse s'il ne t'a pas prévenue et si vous n'êtes pas d'accord à ce sujet. Et, franchement, cette fille est une vraie garce. Elle est dépourvue de toute morale et je ne comprends pas ce qu'il fait avec elle, alors qu'il t'a, toi.

Harlan et John en étaient malades pour elle depuis quinze jours et, à présent, Victoria l'était aussi. Elle se mit à pleurer. Harlan lui tendit un mouchoir. Les deux hommes souffraient de lui avoir révélé la vérité, mais elle devait savoir qui elle fréquentait et ce qu'elle aurait à affronter.

— Qu'est-ce que je vais faire ? leur demanda-t-elle à travers ses larmes.

— Lui en parler, dit simplement John. Tu as le droit de lui réclamer des comptes. Il passe beaucoup de temps avec toi, mais apparemment tout autant avec elle, chaque week-end. Elle m'a révélé qu'ils couchaient ensemble depuis deux mois.

Il ne remua pas le couteau dans la plaie en ajoutant que sa collègue avait mentionné que Jack était « un bon coup ». Victoria n'avait pas besoin de l'entendre, d'autant plus que ses amis se doutaient qu'elle comptait sauter le pas prochainement. En effet, Victoria pensait profiter de l'absence de ses colocataires pour Thanksgiving afin d'inviter Jack à passer quelques jours chez elle, lorsqu'ils reviendraient de chez leurs parents. Elle savait désormais qu'il n'avait jamais eu l'intention de leur rendre visite et qu'il lui avait menti. New York était une grande ville, ce qui lui avait évité de le croiser au bras de sa rivale. Néanmoins, le monde était petit puisqu'il avait une liaison avec une collègue de John. Il y avait une chance sur un million pour que cela arrive, et pourtant... la providence s'en était mêlée.

— Qu'est-ce que je dois lui dire ? Vous croyez que c'est vrai ?

Elle espérait encore le contraire, mais John ne lui laissa pas cette illusion, même si c'était douloureux à entendre.

— J'en suis sûr, dit-il. Cette fille est une traînée, mais elle n'a aucune raison de me mentir ou d'inventer toute cette histoire. C'est lui qui est malhonnête. Même si vous n'avez pas encore couché ensemble, il s'est conduit envers toi de façon lamentable. Tu sors avec lui depuis presque aussi longtemps qu'elle et il est clair qu'il se moque de vous deux.

Pétrifiée sur son siège, Victoria sentit un froid glacial l'envahir. Ses amis la virent frissonner.

— Et vous pensez qu'il me dira la vérité ?

— Probablement. Il a été quasiment pris la main dans le sac. Je suis curieux de savoir quelle sera sa réponse et quelle explication il te fournira. Il aura du mal à se justifier ou à jurer qu'il est blanc comme neige, à mon avis.

— Quoique je ne lui aie jamais demandé s'il fréquentait une autre femme... reconnut Victoria avec honnêteté. Je ne pensais pas avoir à le faire, j'étais persuadée que ce n'était pas le cas.

— Voilà pourtant une bonne question à poser, remarqua Harlan. Certaines personnes n'avouent que si on les interroge. Mais dans la mesure où vous vous voyiez tous les week-ends et que vous construisiez une relation amoureuse, il aurait dû t'en parler, que tu le lui demandes ou non.

Victoria remercia John de l'avoir informée, même si ces révélations lui avaient fait beaucoup de mal. John semblait très malheureux de les lui avoir fournies, mais ils savaient tous trois que c'était nécessaire. Elle resta assise avec eux dans la cuisine un long moment, réfléchissant à ce que ses amis lui avaient appris. Partagée entre la peine et la colère, elle se fit répéter ce qu'ils savaient. Le lendemain au lycée, elle parvint à éviter Jack toute la journée. Elle ne se sentait pas prête à l'affronter. Il l'appela le soir même.

— Où étais-tu aujourd'hui ? Je t'ai cherchée partout, dit-il avec sa sollicitude habituelle.

On était jeudi et ils étaient censés dîner ensemble le lendemain soir. Victoria s'efforça de parler avec naturel, mais ce fut difficile. Elle voulait être face à lui quand elle l'affronterait. Ce n'était pas le genre de discussion à avoir au téléphone. Elle n'avait pas dormi la nuit précédente et elle s'était sentie mal toute la journée. Il est toujours difficile de croire que quelqu'un qu'on estime, qui se montre franc et honnête et en qui on a une totale confiance, puisse se révéler aussi malhonnête. Cette découverte lui avait brisé le cœur. Toutes ses craintes remontaient à la surface et, de nouveau, elle se croyait incapable d'inspirer l'amour. Elle espérait que Jack lui fournirait une explication raisonnable de ses actes, si ce n'est qu'elle ne parvenait pas à en imaginer une seule. Elle voulait entendre ce qu'il aurait à lui dire, mais le témoignage de John semblait quasiment irréfutable.

Elle prétendit avoir passé la journée à discuter avec ses élèves et leurs parents des procédures d'inscriptions universitaires. Elle l'invita à passer boire un verre le lendemain soir avant le restaurant. Il s'empressa d'accepter, plus chaleureux que jamais. Elle ne lui avait jamais demandé de passer les deux soirées du week-end avec elle parce qu'elle ne voulait pas se montrer trop collante. Elle décida de le lui proposer, pour voir sa réaction.

— Que dirais-tu d'aller au cinéma samedi soir ? Il y a de très bons films ces temps-ci.

— Plutôt dimanche après-midi, répliqua-t-il avec une pointe apparente de regret dans la voix.

Samedi, je dois corriger des copies toute la journée et toute la soirée. J'ai pris un sacré retard.

Victoria avait sa réponse. Il pouvait lui consacrer le vendredi soir et le dimanche après-midi, pas le samedi. Le cœur brisé et l'estomac noué, elle comprit que les révélations de John étaient véridiques. Elle aurait tant souhaité qu'il se trompât. Hélas, ce n'était pas le cas.

Le vendredi, elle se montra distraite et nerveuse toute la journée. À l'heure du déjeuner, elle croisa Jack dans la salle des professeurs. Elle prétendit qu'elle était déjà en retard à une réunion et se rua hors de la pièce. Le vendredi soir, Jack se présenta chez elle à l'heure prévue, plus séduisant et décontracté que jamais. Il avait cette particularité de paraître honnête et sincère en toute occasion. Il émanait de lui une telle intégrité que tout le monde voyait en lui une personne de confiance. Victoria lui avait accordé la sienne sans réserve, alors qu'il n'était pas celui qu'il semblait être. C'était une pilule difficile à avaler. Ils étaient seuls dans l'appartement. Au courant de son projet, Harlan et John lui avaient laissé le champ libre, prêts à intervenir, sur un simple appel téléphonique, si elle avait besoin d'eux.

Ne sachant comment aborder le sujet, elle servit à Jack un verre de vin, les mains tremblantes. Elle portait un vieux pantalon usé et un pull élimé. Soudain, elle n'éprouvait plus le besoin de se faire belle pour lui. Désormais, elle se sentait laide, privée d'amour, trahie. Une impression horrible. Elle ne s'était pas lavé les cheveux ni maquillée. La notion de compétition avec l'autre femme lui était totalement étrangère.

Toute son énergie, toute sa confiance en elle avait fondu comme neige au soleil. Jack venait de lui prouver que son père avait raison : elle n'était pas digne d'être aimée.

Jack l'observait attentivement tout en buvant son vin à petites gorgées. Il devinait qu'elle était bouleversée.

— Quelque chose ne va pas ?

Tremblant encore plus, elle posa son verre.

— Peut-être, murmura-t-elle en levant les yeux vers lui. C'est à toi de me le dire. Je ne t'en ai jamais parlé, mais John, l'ami de Harlan, travaille à l'école Aguilleras, dans le Bronx, comme l'une de tes amies qui prétend qu'elle est ta maîtresse depuis deux mois et qu'elle te voit tous les weekends. Du coup, je me trouve bien naïve et toi, je te trouve bien malhonnête. Quelle est ta version de l'histoire, Jack ?

Elle le fixait droit dans les yeux et il soutint son regard l'espace d'une minute. Posant à son tour son verre, il se leva et alla se planter à la fenêtre. Au bout de quelques instants, il se tourna vers elle, visiblement furieux. Il venait de se faire prendre la main dans le sac…

— Tu n'as aucun droit de m'espionner, commença-t-il.

Cette attaque ne le menait nulle part et Victoria ne tomba pas dans le piège.

— Ce n'est pas ce que j'ai fait. Je l'ai su par hasard et sans doute ai-je eu de la chance que John m'en parle. Cette femme se vante de t'avoir pris dans ses filets. Le monde est petit, Jack, même dans une ville de la taille de New York. Combien de temps pensais-tu pouvoir mener ce double jeu, et pourquoi ne me l'as-tu pas dit ?

— Tu ne m'as jamais posé la question, je ne t'ai donc pas menti, rétorqua-t-il avec colère. Je ne t'ai jamais promis l'exclusivité. Si tu voulais t'en assurer, tu n'avais qu'à demander.

— Tu ne penses pas qu'au point où nous en étions de notre relation, tu aurais dû m'en parler ? Nous nous voyons chaque week-end depuis presque deux mois. Si j'ai bien compris, tu as eu une liaison avec elle dans la même période. Et elle, qu'est-ce qu'elle en pense ?

— Je ne lui ai jamais promis l'exclusivité non plus. De toute façon, ce ne sont pas tes affaires. Je n'ai pas couché avec toi, Victoria, et je ne te dois rien, sinon une bonne soirée quand nous sortons ensemble.

— C'est ainsi que tu vois les choses ? Je suis désolée, mais mes valeurs sont différentes. Si j'avais fréquenté un autre homme, que j'aie couché avec lui ou non, je te l'aurais dit, pour ne pas fonder notre relation sur des mensonges. J'avais le droit d'être mise au courant, Jack. Je méritais de savoir, comme être humain, et comme quelqu'un pour qui tu étais censé avoir de l'affection. Nous ne nous bornions pas à dîner ensemble, nous construisions quelque chose de plus sérieux. Et je suppose que tu as joué à cette femme la même comédie. Et à qui d'autre, encore ? Tu dégages des créneaux en semaine, aussi ? On dirait que tu es un homme plutôt occupé, quoique pas très honnête. C'était dégueulasse, Jack, et tu le sais parfaitement.

— Oui, et alors quoi ?

Pour la première fois, il se montrait déplaisant et froid. Il n'appréciait pas d'être critiqué ou de devoir rendre des comptes. Il voulait agir selon son bon plaisir, peu lui importait qui il blessait, pourvu qu'il s'en sortît indemne. Il n'était pas l'homme qu'elle avait cru, et de loin. Victoria songea avec un peu d'ironie qu'il avait peut-être passé avec succès le test des côtelettes d'agneau, mais qu'en épreuve de probité, il avait lamentablement échoué. Le fait qu'elle ne lui eût jamais posé la question n'excusait pas son mensonge par omission.

— Je ne te dois aucune explication, dit-il alors en la fixant sans bienveillance. Nous sommes seulement sortis ensemble et si cela ne te convient pas, la porte est ouverte. En l'occurrence, c'est moi qui vais la prendre. Merci pour le verre.

Sur ces mots, il se rua dehors et claqua le battant derrière lui. Et voilà… c'était fini. Pendant deux mois, elle était sortie avec un homme qui lui plaisait, en qui elle avait confiance. Il lui avait menti, il l'avait trompée et n'en éprouvait aucun remords. En définitive, il n'avait pas eu la moindre affection pour elle, c'était évident.

Après son départ, Victoria resta sur sa chaise, tremblante mais fière d'avoir eu le courage de l'affronter. La confrontation avait été horrible et douloureuse. Elle avait beau se répéter qu'elle avait de la chance d'avoir découvert le pot aux roses avant de s'engager plus avant, il lui semblait être en deuil. Elle regagna sa chambre, s'étendit sur son lit et pleura toutes les larmes de son corps, étouffant ses sanglots dans l'oreiller. Elle en voulait énormément à Jack, mais par-dessus tout, elle doutait plus que jamais d'elle-même. Lorsqu'elle se rappelait l'expression de Jack, juste avant son départ, elle ne pouvait s'empêcher de penser que si elle en avait valu la peine, il l'aurait aimée.

Mais cela n'avait pas été le cas.

14

Quand Victoria se rendit à Los Angeles pour Thanksgiving, elle était encore anéantie par la déception que lui avait infligée Jack. Elle était heureuse de voir Grace et de passer les fêtes avec elle, mais elle était dans un état pitoyable. Grace, qui en avait parfaitement conscience, était triste pour elle. Il suffisait de voir ce qu'elle mangeait pour savoir à quel point elle était bouleversée. Ses parents remarquèrent qu'elle avait grossi et Victoria repartit pour New York dès le samedi. Elle ne pouvait pas tenir plus longtemps.

Le lundi matin, elle appela le Dr Watson et elle se rendit à son cabinet. Depuis plusieurs semaines, Jack occupait une grande partie des séances. Quelle que fût la façon dont Victoria présentait les choses, elle trouvait toujours une raison de se rabaisser. Dans son esprit, si elle avait été vraiment digne d'être aimée, Jack se serait comporté différemment.

— Vous n'êtes pas en cause, lui dit gentiment la thérapeute. Le problème vient de ce qu'il est, de son manque de probité, de sa malhonnêteté. Ce n'est pas vous qui avez failli, c'est lui.

Sur un plan purement intellectuel, Victoria le savait, mais elle ne parvenait pas à l'intégrer psychologiquement. Inéluctablement, elle en revenait toujours à la question de savoir si elle était attirante ou non. Si ses parents ne l'avaient pas aimée, qui le pourrait ? Elle partait d'ailleurs du même principe en ce qui les concernait. Leur incapacité à aimer leur fille aînée en disait long à leur sujet, mais elle continuait de se le reprocher. Lorsqu'elle retourna à Los Angeles, pour Noël, elle tenta de remplir son vide intérieur avec des litres de glace. Elle semblait ne pas pouvoir sortir de sa dépression. Bien entendu, ses parents ignoraient tout de sa relation avec Jack.

Elle ne leur en avait jamais parlé, sachant que si elle l'avait fait, ils auraient trouvé le moyen de lui imputer la responsabilité de la rupture. Bien entendu, Jack ne pouvait pas l'aimer, grosse comme elle l'était. Sa rivale était d'ailleurs probablement mince… Quelque part, Victoria le croyait aussi. Elle n'avait jamais demandé à John à quoi ressemblait l'autre femme, mais elle avait bien assimilé les messages de ses parents, qu'ils soient subliminaux ou exprimés ouvertement. Les hommes n'aimaient que les femmes qui ressemblaient à Grace et aucun d'entre eux n'était attiré par une femme intelligente. Physiquement, elle n'avait rien de commun avec sa sœur, et elle était plutôt brillante… personne ne voudrait jamais d'elle. Lorsqu'elle regagna New York, pour le nouvel an, elle était toujours sérieusement déprimée. À minuit, elle se trouvait dans l'avion, et quand le capitaine adressa ses vœux aux passagers, elle enfouit son visage dans sa couverture et pleura.

Entre Thanksgiving et Noël, elle avait vécu un calvaire, au lycée. Elle ne déjeunait plus jamais dans la salle des professeurs. Elle restait dans sa classe ou elle sortait se promener le long de l'East River. On avait bien raison de dire qu'il valait mieux éviter de mêler amour et travail, parce que, ensuite, on avait bien du mal à recoller les morceaux. Pour comble d'infortune, la rumeur circulait parmi les professeurs et les élèves qu'elle était sortie avec Jack et qu'il l'avait plaquée. C'était extrêmement humiliant. Jack aurait dû avoir honte de s'être aussi mal conduit, mais c'était elle qui rasait les murs. Juste avant Noël, elle apprit qu'il sortait avec le professeur de français qui lui courait après depuis la rentrée. Supposant qu'il poursuivait sa liaison avec l'autre enseignante, Victoria en fut désolée pour sa collègue. Sans doute n'était-il pas plus honnête envers elle qu'il ne l'avait été avec elle. À moins que le professeur de français ne fût plus intelligente qu'elle. En ce cas, elle avait posé la fameuse question concernant l'exclusivité de leur relation. Mais il pouvait très bien lui mentir. De toute façon, ce n'était plus le problème de Victoria. Jack Bailey ne faisait plus partie de sa vie. C'était un rêve qui s'était volatilisé avant même de se réaliser. Au passage, Victoria avait abandonné tout espoir d'une vie amoureuse satisfaisante. Helen et Carla s'efforçaient de la réconforter du mieux possible, mais elle les évitait aussi. Elle ne voulait plus aborder cette question avec personne, que ce fût à l'école ou ailleurs. Elle n'en parlait pas non plus à John et à Harlan. Cette histoire appartenait au passé. Mais ils devinaient à quel point elle en avait été affectée.

En janvier, elle fit la tournée des universités en compagnie de Grace pendant un long week-end. Cette distraction fut la bienvenue. Elles en visitèrent trois dans l'est du pays, mais sa jeune sœur avait déjà décidé de rester sur la côte Ouest. Elle demeurait une vraie Californienne, pourtant cela ne les empêcha pas de profiter de cette expédition qui leur fournissait une merveilleuse occasion d'être ensemble. Grace s'abstenait de tout commentaire quand Victoria dévorait un énorme steak et des pommes de terre à la crème, suivis d'un sundae caramel. Elle savait combien sa rupture avec Jack l'avait anéantie. De son côté, Victoria n'était pas sans remarquer que ses pantalons les plus larges étaient devenus trop étroits depuis Thanksgiving. Elle savait qu'elle devait y remédier, mais elle n'était pas encore prête à abandonner ce que sa thérapeute appelait la « bouteille cachée sous le lit », dans son cas des nourritures trop riches. À long terme, cette boulimie la rendait de plus en plus dépendante, comme une alcoolique, mais l'espace d'une minute, elle lui procurait un certain réconfort.

L'événement le plus marquant du séjour de Grace à New York fut la journée qu'elle passa au lycée Madison. Elle assista aux cours de Victoria et bavarda avec ses élèves. Cette rencontre permit à ces derniers de mieux connaître leur professeur. Grace obtint un grand succès, en particulier auprès des garçons, qui voulurent tous avoir son adresse électronique et savoir si elle était sur Facebook, ce qui était le cas. Elle leur fournit les renseignements demandés comme si elle distribuait des bonbons dont ils s'emparaient aussitôt avec avidité. Victoria se réjouit qu'elle s'en allât avant que ses classes ne soient complètement sens dessus dessous. À presque dix-huit ans, elle était plus belle que jamais. En sa présence, Victoria se fit soudain l'effet d'être vieille et énorme. Elle était déprimée à l'idée qu'elle aurait vingt-cinq ans quelques mois plus tard… un quart de siècle. Et qu'aurait-elle à montrer ? Elle n'avait pas d'homme dans sa vie et bataillait toujours contre son poids. Elle avait un métier et une sœur qu'elle aimait, rien d'autre. Elle n'avait pas de petit ami, ce qui n'était pas une nouveauté, et sa vie sociale se réduisait à la fréquentation de Harlan et de John. À son âge, c'était nettement insuffisant. Quand Victoria dit au Dr Watson combien elle avait pris de plaisir à faire cette tournée des universités avec Grace, la thérapeute trouva un nouvel angle d'attaque.

— Je voudrais que vous réfléchissiez à la question que je vais vous poser, dit-elle tranquillement.

Durant l'année et demie qui venait de s'écouler, Victoria avait appris à lui faire confiance et à attacher de l'importance à ses propos.

— Est-il possible que vous refusiez inconsciemment de maigrir pour ne pas avoir à rivaliser avec votre ravissante sœur cadette ? En vous cachant derrière votre propre corps, vous vous retirez de la compétition. En maigrissant, vous craignez peut-être de ne pas pouvoir l'égaler, ou bien vous ne le souhaitez pas.

Balayant d'un geste la suggestion, Victoria la rejeta en quelques mots :

— Je n'ai pas à rivaliser avec une adolescente de dix-sept ans et je ne vois pas pourquoi je le ferais. Je suis une adulte et c'est une enfant.

— Vous êtes aussi deux femmes, dans une famille où vos parents vous ont montées l'une contre l'autre. Depuis sa naissance, ils vous ont dit que vous ne correspondiez pas à leurs attentes, contrairement à elle. Ce faisant, ils vous ont infligé à toutes les deux un lourd fardeau, mais surtout à vous. Vous avez donc préféré vous retirer de la course.

C'était un point de vue intéressant que Victoria refusait d'examiner.

— J'étais déjà grosse, quand elle est née, insista-t-elle.

— Grosse en comparaison de votre sœur. Ne mélangez pas tout. Cela n'a rien à voir avec le surpoids.

La thérapeute suggérait que son embonpoint était une armure, un camouflage qui empêchait les gens de la voir en tant que femme, alors même qu'elle était jolie, mais peut-être pas aussi belle que sa sœur. Refusant la concurrence, elle avait donc disparu dans un corps qui la rendait invisible pour la plupart des jeunes hommes, hormis celui qui serait le bon. Le médecin espérait pourtant que Victoria maigrirait avant de le rencontrer, pour la bonne raison qu'elle souffrait de son surpoids.

L'espace d'un instant, le visage de Victoria exprima la colère.

— Êtes-vous en train de me dire que je n'aime pas ma sœur ?

— Non, répliqua tranquillement la thérapeute, je suis en train de vous dire que vous ne vous aimez pas vous-même.

Victoria se tut un long moment, tandis que les larmes ruisselaient le long de ses joues. Elle avait appris depuis longtemps à quoi servait la boîte de mouchoirs. Elle savait aussi pourquoi les autres patients l'utilisaient aussi souvent qu'elle.

Au printemps, le proviseur offrit à Victoria un poste permanent au lycée Madison. Elle apprit avec soulagement que le contrat de Jack Bailey n'était pas renouvelé. Selon la rumeur, il ne correspondait pas à l'esprit de l'établissement. Sa liaison avec le professeur de français avait mal tourné et on les avait vus en train de se disputer dans les couloirs. La Parisienne ardente l'avait giflé devant tout le monde. Ensuite, Jack avait eu une aventure avec la mère d'une élève, ce qui constituait une infraction sévère au code tacite institué dans l'école. Son départ soulageait Victoria. Chaque fois qu'elle le rencontrait au détour d'un couloir, elle se rappelait qu'elle avait été incapable de lui inspirer de l'amour et combien il avait été malhonnête et goujat.

Elle fut ravie de ne plus avoir à se préoccuper de ce qu'elle ferait l'année suivante. Désormais, le lycée Madison devenait son second foyer et elle avait la sécurité de l'emploi. Lorsqu'elle les invita à déjeuner et leur apprit la nouvelle, Helen et Carla en furent ravies pour elle. Le soir même, elle fêta de nouveau l'événement avec Harlan et John. Bill avait déménagé pour s'installer avec Julie. John avait repris sa chambre en location pour en faire son bureau, puisque, désormais, il partageait la chambre de Harlan. Bunny aussi appréciait John, qui complétait bien leur groupe. Elle-même passait de plus en plus de temps à Boston et Victoria devinait qu'elle ne tarderait pas à les quitter à son tour.

Peut-être même allait-elle se marier. En revanche, Harlan, John et elle ne comptaient pas s'en aller de sitôt. Elle n'avait pas appelé ses parents pour leur annoncer qu'elle avait dorénavant un emploi fixe. Elle l'avait dit à Grace, qui devait avoir son diplôme deux mois plus tard et se réjouissait d'avoir été acceptée par l'université de Californie du Sud. Elle envisageait d'habiter sur le campus. Leurs parents étaient désolés de voir leur nid déserté, mais ils avaient cédé car Grace s'était montrée inflexible sur ce plan. Victoria fut frappée par le fait que l'installation de Grace dans une résidence universitaire les bouleversait davantage que son propre départ à plus de cinq mille kilomètres. Quoi qu'il arrivât, Grace était toujours la prunelle des yeux de son père et son bébé. Victoria n'était que leur brouillon, leur « gâteau test. » Ils ne l'avaient pas jetée à la poubelle, mais c'était tout comme. Leur manque d'affection et leur désapprobation continuelle lui avaient fait tout autant de mal.

C'était la triste réalité de leur relation.

15

Quand Grace eut son diplôme, ce fut l'occasion pour ses parents de donner une grande fête. Victoria n'avait pas eu droit à de telles festivités, même à la fin de ses années d'université. Leurs parents permirent à Grace d'inviter une centaine de camarades pour un barbecue qui eut lieu dans le jardin. Debout devant le brasero, Jim faisait griller le poulet, les steaks et les saucisses. Les serveurs étaient en jeans et tee-shirt. La fête fut un succès. Victoria arriva le lendemain pour assister à la cérémonie. Vêtue de la tenue traditionnelle, Grace était ravissante. Lorsqu'elle reçut son diplôme, son père se mit à pleurer. Victoria ne se rappelait pas l'avoir vu aussi ému pour elle, sans doute parce qu'il ne l'était pas. L'événement fut d'ailleurs riche en émotion et quand les deux sœurs s'embrassèrent, elles fondirent en larmes.

— Je n'arrive pas à y croire ! s'écria Victoria avec un rire tremblant. Mon bébé a grandi ! Comment oses-tu aller à la fac ! C'est insupportable !

Elle aurait souhaité que Grace eût davantage lutté pour s'inscrire dans une université new-yorkaise, au lieu de rester à Los Angeles. De cette façon, elle n'aurait plus été seule à New York, mais surtout, sa sœur aurait échappé à l'influence suffocante de leurs parents. Ils ne la lâchaient pas un instant et son père exerçait sur elle un énorme ascendant. Il tentait de façonner chacune de ses opinions. Victoria s'était montrée réfractaire, mais Grace adhérait en grande partie au mode de vie de ses parents, à leurs convictions, à leurs choix politiques et à leur façon de voir la vie. Elle était d'accord avec eux sur de nombreux points et elle les admirait. Mais Grace et Victoria n'avaient pas vraiment eu les mêmes parents. Ceux de Grace étaient en adoration devant elle, ils soutenaient la moindre de ses décisions. Il y avait de quoi être enivrée. Grace n'avait aucune raison de se rebeller contre eux ou de vouloir les quitter. Elle se pliait aux désirs de son père, qui était son idole. Les parents de Victoria l'avaient ignorée ou tournée en ridicule, ils n'avaient jamais approuvé le moindre de ses faits et gestes. Elle avait eu toutes les raisons du monde de les quitter, mais Grace en avait tout autant de rester auprès d'eux. On avait du mal à croire que leurs expériences et leurs vies aient été si différentes, avec les mêmes parents. C'était véritablement le jour et la nuit, comme si elles avaient vécu aux antipodes l'une de l'autre. L'existence de Grace avait été bien plus facile que celle de Victoria, avec des parents tendres et affectueux. Victoria devait se le rappeler de temps à autre, si elle voulait comprendre pourquoi sa sœur ne voulait pas se séparer d'eux. En décidant de s'installer sur le campus, elle avait déjà accompli un grand pas, même s'il paraissait minuscule à son aînée. Victoria estimait toujours que leurs parents étaient toxiques et son père une personnalité narcissique. Elle aurait souhaité que sa sœur pût un peu respirer loin d'eux, mais Grace se serait plutôt battue pour ne pas les quitter.

Le présent que Victoria faisait à sa sœur, pour fêter son diplôme, n'était pas des moindres... Elle gérait son budget avec minutie et économisait le plus possible. Elle avait beau vivre à New York, elle ne faisait pas de dépenses extravagantes. Elle offrit pourtant à sa sœur un voyage en Europe. Étant plus jeunes, elles y étaient déjà allées avec leurs parents, mais ces derniers n'éprouvaient plus l'envie de voyager depuis des années. Victoria avait donc décidé d'emmener Grace à Paris, à Londres et à Venise pendant le mois de juin. Si elles en avaient le temps, elles comptaient aussi se rendre à Rome. Grace était tellement excitée qu'elle ne tenait pas en place. Victoria était tout aussi ravie. Elles pensaient s'absenter pendant trois semaines et passer trois ou quatre jours dans chaque ville. Depuis qu'elle avait un poste fixe au lycée Madison, Victoria avait eu une augmentation qui la dispensait de chercher un job d'été. En rentrant de son voyage en Europe, elle devait se rendre dans le Maine avec Harlan et John.

De son côté, Grace avait un milliard de projets, avant la rentrée universitaire. Bientôt, songeait Victoria, tout allait radicalement changer. Grace devenait une adulte, Victoria vivait loin et leurs parents pourraient retrouver un peu d'autonomie et s'adonner aux activités de leur choix. Ils se retrouveraient pendant les vacances, mais, entre-temps, ils mèneraient des vies séparées... sauf Victoria, qui avait un métier, mais pas de vie. À vingt-cinq ans, il lui semblait qu'elle avait encore un long chemin à parcourir, avant d'en avoir une. Elle se demandait parfois si elle y parviendrait un jour. Pour plaisanter, elle faisait de temps à autre allusion à la vieille fille qu'elle serait. Il lui semblait que ce serait son lot, dans l'existence.

Pendant ce temps, Grace avait des douzaines de prétendants à ses trousses. Elle ne les appréciait pas tous, mais il y en avait deux dont elle était toujours folle et entre lesquels elle ne parvenait pas à choisir. Elle n'avait jamais eu de problème pour trouver des petits amis. Quant à Victoria, elle ne cessait de prouver à ses parents que leurs prédictions étaient justes. Selon les dires de son père, elle n'était pas assez jolie et bien trop grosse pour séduire un homme. Et si l'on en croyait sa mère, elle était trop intelligente pour en prendre un dans ses filets. Dans tous les cas, elle n'en avait pas.

Grace arriva à New York avec deux valises remplies de vêtements d'été. Le lendemain de la fermeture du lycée, elles partirent pour l'aéroport de bon matin. Pour sa part, Victoria n'avait qu'une seule valise. Elle se chargea de l'enregistrement des bagages pendant que sa sœur discutait avec ses amies au téléphone. Victoria avait un peu l'impression d'organiser un séjour linguistique pour lycéens, mais elle était vraiment contente de faire ce voyage avec sa sœur. Elles franchirent la porte d'embarquement de très bonne humeur. Grace tapotait encore frénétiquement sur son clavier quand l'hôtesse demanda aux passagers d'éteindre leurs téléphones portables. Victoria, qui tendait leurs passeports, se faisait l'effet d'être la mère de Grace, et non sa sœur.

Pendant le trajet, qui dura six heures, elles bavardèrent, mangèrent, dormirent et regardèrent deux films. Le temps passa à la vitesse de l'éclair et, à 22 heures, l'avion atterrit à l'aéroport Charles-de-Gaulle. Pour elles, il n'était que 16 heures et elles s'étaient bien reposées, aussi n'étaient-elles fatiguées ni l'une ni l'autre. Très excitées, elles traversèrent la capitale française en taxi. Victoria consacrait une grande partie de ses économies à ce voyage, mais son père lui avait envoyé un gros chèque pour l'aider, ce dont elle lui était reconnaissante.

À la demande de Victoria, exprimée dans un français haché, le taxi traversa la place Vendôme, passa devant le Ritz. Il parvint ensuite place de la Concorde, avec ses fontaines illuminées, puis obliqua vers les Champs- Elysées en direction de l'Arc de triomphe. La voiture s'engagea dans la prestigieuse avenue au moment même où la tour Eiffel se mettait à scintiller de mille feux, comme elle le faisait dix minutes par heure. Les deux jeunes femmes étaient subjuguées par tant de beauté, mais Grace regardait autour d'elle avec une sorte d'effroi mêlé de vénération. Un immense drapeau flottait au-dessus de l'Arc de triomphe.

— Mon Dieu ! murmura-t-elle en se tournant vers sa sœur. Je ne veux plus jamais repartir.

Victoria se contenta de lui sourire et lui prit la main. Le chauffeur tourna autour de l'Arc de triomphe, puis reprit l'avenue des Champs- Elysées, en direction de la Seine. Elles admirèrent de loin les Invalides, qui abritaient le tombeau de Napoléon, le taxi franchit le pont Alexandre-III et gagna la rive gauche. Victoria avait retenu une chambre dans un minuscule hôtel de la rue Jacob, dont elle avait entendu parler. Elles comptaient voyager à moindres frais, descendre dans de petits hôtels, manger dans des bistros, visiter des galeries et des musées. Leur budget était serré, mais c'était un voyage dont elles se souviendraient toute leur vie, elles le savaient. Victoria faisait là un incroyable cadeau à sa sœur.

Ce soir-là, elles mangèrent une soupe à l'oignon dans un petit restaurant proche de leur hôtel. Après le dîner, elles se promenèrent dans le quartier, puis elles regagnèrent leur chambre et bavardèrent jusqu'à ce que le sommeil les emportât. Depuis que l'avion avait atterri, Grace n'avait cessé de recevoir des SMS de ses amis et cela continua toute la nuit.

Le lendemain matin, les deux jeunes femmes prirent un café au lait et des croissants dans le hall de l'hôtel. Elles se rendirent ensuite à pied au musée Rodin, rue de Varenne. De là, elles rejoignirent le boulevard Saint-Germain, bourdonnant d'activité. Elles prirent un café aux Deux Magots, le vénérable établissement qui avait accueilli tant d'artistes. Elles allèrent ensuite au Louvre et passèrent l'après-midi à admirer ses trésors.

Le jour suivant, elles visitèrent le musée Picasso, que Grace tenait absolument à connaître. Elles dînèrent place des Vosges, dans l'un des plus anciens quartiers de Paris, le Marais. Puis elles firent une balade en bateau-mouche sur la Seine.

Elles virent une exposition au Grand Palais, se promenèrent au bois de Boulogne, admirèrent le grand hall du Ritz, longèrent la rue de la Paix. Au bout de cinq jours, il leur semblait avoir arpenté Paris en tous sens. Lorsqu'elles partirent pour

Londres, elles avaient vu tout ce qu'elles voulaient voir et elles débordaient toujours d'énergie. Les deux premiers jours, elles visitèrent la Tate Gallery, le musée Victoria et le musée de cire de Mme Tussaud. Elles virent les joyaux de la couronne à la Tour de Londres, assistèrent à la relève de la garde, à Buckingham Palace, se rendirent aux Écuries royales, admirèrent l'abbaye de Westminster et firent toute la longueur de New Bond Street, admirant les boutiques de luxe trop chères pour elles. À Paris, Victoria s'était acheté un sac hors de prix au Printemps. Dans King's Road, Grace craqua pour des tee-shirts et des jeans fantaisie. Mais, dans l'ensemble, elles s'étaient comportées sagement et avaient dépensé leur argent avec parcimonie. Le soir, elles dînaient dans de petits restaurants et, dans la journée, elles s'achetaient des sandwiches à des échoppes. Une fois encore, elles réussirent à voir tout ce qu'elles désiraient. Chaque jour, leurs parents se tenaient au courant de ce qu'elles faisaient. Victoria savait parfaitement qu'ils ne s'inquiétaient que parce que Grace était avec elle. Ils répétaient d'ailleurs sans cesse que leur fille cadette leur manquait.

Elles étaient parties depuis près de deux semaines lorsqu'elles s'envolèrent pour Venise. Là-bas, leur rythme se ralentit considérablement. La vue du Grand Canal leur coupa le souffle. Victoria loua les services d'un gondolier, qui les emmena jusqu'à leur hôtel. Mollement étendue dans l'embarcation, sa sœur avait l'air d'une princesse. À peine étaient-elles en Italie que tous les hommes qui les croisaient n'avaient d'yeux que pour Grace. Lorsqu'elles se promenaient dans les rues de

Venise, les admirateurs de la jeune fille ne se gênaient pas pour les suivre.

Elles traversèrent la place Saint-Marc, achetèrent une glace et entrèrent dans la basilique. Ensuite, elles arpentèrent pendant des heures les ruelles sinueuses et visitèrent des églises. Lorsqu'elles s'arrêtèrent finalement pour déjeuner, Victoria commanda une énorme assiette de pâtes, qu'elle dévora. Grace se contenta d'en picorer quelques-unes. C'était délicieux, lui dit-elle, mais l'excitation lui coupait l'appétit et il faisait chaud. En dehors de cette halte, elles ne se reposèrent pas une minute. Toutes deux convinrent ensuite que Venise était leur ville préférée. Elles firent bien d'autres promenades et d'autres repas, adoptant un rythme moins soutenu. Elles passèrent aussi des heures à la terrasse des cafés, à regarder les passants. Grace insista pour acheter un camée monté en broche, qu'elle destinait à sa mère. Cette idée ne serait pas venue à Victoria, qui convint cependant que le bijou était très joli. C'était de toute façon une délicate attention. Elles achetèrent une cravate pour leur père chez Prada et de petites babioles pour elles. Victoria tomba en arrêt devant un bracelet en or, dans une boutique de la place Saint-Marc, mais elle décida que ses moyens ne lui permettaient pas de se l'offrir. Grace acheta une petite boîte à musique en forme de gondole qui jouait un air qu'elles ne connaissaient ni l'une ni l'autre.

Les jours et les nuits qu'elles passèrent à Venise furent absolument idylliques. Elles visitèrent le palais des Doges et toutes les églises signalées par leur guide. En passant sous le pont des Soupirs en gondole, elles s'embrassèrent. C'était censé signifier qu'elles ne se quitteraient jamais, même si cette promesse était en général formulée par les amoureux. Mais Grace prétendit qu'elle s'appliquait aussi à elles. Elles choisirent de passer leur unique soirée de gala au Harry's Bar, où elles s'offrirent un prodigieux dîner. À Venise, la cuisine était vraiment délicieuse. À chaque repas, Victoria mangeait du risotto ou des pâtes assaisonnées de sauces exquises. Au dessert, elle prenait un tiramisu. En l'occurrence, elle ne cherchait pas à calmer ses angoisses, mais les effets sur son corps étaient les mêmes.

Elles partirent à regret et s'envolèrent pour Rome, dernière partie de leur voyage. Elles marchèrent de plus belle, firent les magasins, visitèrent des églises et des monuments. Elles admirèrent la chapelle Sixtine, descendirent dans les catacombes et flânèrent autour du Colisée. À la fin du séjour, elles étaient toutes deux épuisées mais heureuses. Ainsi que Victoria l'avait espéré, ce périple resterait gravé dans leur mémoire et elles le chériraient à jamais. Elles venaient de jeter une pièce dans la fontaine de Trevi et s'installaient à une terrasse de café de la *Via* Veneto quand leur père les appela. Il attendait leur retour avec impatience et Grace paraissait elle aussi très excitée à l'idée de le revoir. De Rome, les deux jeunes femmes devaient s'envoler pour New York où Grace passerait deux jours avant de regagner Los Angeles. Victoria avait promis de l'aider à s'installer dans sa résidence universitaire, en août, mais elle ne comptait pas aller à Los Angeles cette année. Désormais, sa vie était à New York et elle savait que Grace passerait beaucoup de temps avec ses amis, avant qu'ils s'égaillent dans leurs universités respectives. Victoria était soulagée de ne pas passer deux ou trois semaines avec ses parents. Elle en profiterait pour se détendre à New York.

Pendant le trajet en avion, les deux sœurs parlèrent de tout ce qu'elles avaient fait et vu. Au grand plaisir de Victoria, elles ne s'étaient pas ennuyées une seconde. Grace était une compagne très agréable. Leurs points de vue sur leurs parents différaient totalement, mais Victoria évitait de s'attarder sur ce sujet. Elles discutèrent donc de tout autre chose et Grace la remercia mille fois pour cet incroyable cadeau. Elles étaient à mi-parcours quand la jeune fille tendit à son aînée un petit paquet emballé dans du papier italien et entouré d'un ruban vert. Arborant une expression mi-excitée mi-énigmatique, elle le lui remit en réitérant ses remerciements. Ce voyage était le plus beau cadeau qu'on pouvait faire à quelqu'un pour fêter un diplôme, affirma-t-elle.

Victoria déballa avec soin le paquet, devinant qu'il contenait quelque chose de lourd. Dans une petite bourse de velours noir, elle découvrit le bracelet en or dont elle était tombée amoureuse à Venise.

La générosité de sa sœur lui coupa un instant le souffle.

— Oh, mon Dieu, Grace, c'est une folie !

Grace lui passa le bijou au poignet.

— Je l'ai acheté avec mon argent de poche et la somme que papa m'a remise pour le voyage, dit-elle fièrement.

Victoria se pencha pour l'embrasser.

— Je ne le quitterai jamais.

— Je n'ai jamais passé d'aussi bons moments de toute ma vie, déclara Grace, l'air heureuse. Cela n'arrivera sans doute plus jamais et je suis triste que ce soit fini.

— Moi aussi, avoua Victoria. Nous pourrons peut-être recommencer quand tu auras terminé tes études.

Un sourire mélancolique étira les lèvres de la jeune femme. Cette échéance paraissait bien lointaine, pourtant elle savait combien les années passaient vite. Hier encore, lui semblait-il, elle sortait du lycée. Aujourd'hui, elle avait pourtant vingt-cinq ans et son diplôme universitaire depuis trois ans. Elle était persuadée que sa sœur verrait le temps s'enfuir tout aussi rapidement.

Durant le trajet, elles bavardèrent un long moment avant de s'endormir. Elles ne se réveillèrent que lorsque l'avion atterrit à New York. Le voyage était bel et bien terminé, malheureusement. Partageant le sentiment que ces semaines passées ensemble avaient été magiques, elles échangèrent un regard empreint de nostalgie. Si cela avait été possible, elles seraient reparties sur-le-champ.

Il leur fallut une heure pour récupérer leurs bagages et passer la douane, puis une autre heure pour rentrer en taxi. Quand il s'arrêta devant l'immeuble de Victoria, Rome, Venise, Londres et Paris semblaient être à des millions d'années-lumière.

— Je veux repartir ! s'exclama Grace d'une voix lugubre quand Victoria ouvrit la porte du logement.

Comme c'était le week-end, il n'y avait personne et elles avaient l'appartement pour elles toutes seules.

— Moi aussi, répliqua Victoria, qui lisait un message laissé par Harlan.

Il avait mis quelques provisions dans le réfrigérateur pour le petit déjeuner. Cela faisait tout drôle d'être rentrée, songea Victoria en posant leurs affaires dans sa chambre.

Ce soir-là, elles se couchèrent de bonne heure après avoir appelé leurs parents pour leur dire qu'elles étaient bien arrivées. Grace se préoccupait toujours de les rassurer. Jamais elle n'avait manifesté la moindre rébellion et Victoria le regrettait parfois. Un peu d'insoumission aurait sans doute été plus sain que cette docilité. Grace était trop proche de leurs parents, mais Victoria espérait que sa sœur gagnerait en autonomie, une fois à l'université. Malheureusement, elle devinait que leurs parents lui demanderaient sans cesse de revenir à la maison. Pour sa part, Victoria se réjouissait d'avoir choisi Northwestern, mais ils n'avaient jamais été aussi attachés à elle qu'à leur petite dernière.

Le lendemain matin, Victoria fit du pain perdu pour le petit déjeuner. Elles prirent ensuite le métro pour SoHo et se promenèrent parmi les marchands ambulants, les gens qui faisaient leurs courses et les touristes. Il y avait énormément de monde dans les rues et elles déjeunèrent à la terrasse d'un petit café. Pourtant, cela n'avait rien à voir avec l'Europe. Elles convinrent qu'elles auraient préféré se trouver à Venise, qui avait constitué le temps fort de leur voyage. Victoria arborait fièrement le bracelet en or offert par Grace.

Le dimanche, elles assistèrent à un concert à Central Park, puis dînèrent, et Grace fit de nouveau sa valise. Victoria avait déjà rangé toutes ses affaires. Les deux sœurs bavardèrent dans la cuisine jusque tard dans la nuit. Les colocataires de Victoria ne revenaient que le lundi. Le week-end prochain, ce serait le 4 juillet, aussi Grace avait-elle un million de projets. Victoria n'en avait aucun, puisque Harlan et John devaient partir pour Fire Island et Bunny à Cape Cod.

Le lendemain matin, Victoria accompagna sa sœur à l'aéroport. Elles pleurèrent toutes les deux. C'était la fin d'un beau voyage au cours duquel elles avaient passé ensemble de merveilleux moments. Après le départ de Grace, Victoria eut le sentiment d'avoir été poignardée en plein cœur. Dans la navette qui la reconduisait à New York, elle reçut un SMS de sa sœur, qui le lui avait écrit avant le décollage : « Meilleures vacances de toute ma vie et toi, tu es la meilleure des sœurs. Je t'aime pour toujours. G. »

Victoria le lut, les larmes aux yeux. La porte de l'appartement franchie, elle appela le Dr Watson et eut la bonne surprise d'apprendre qu'elle pouvait être reçue dans l'après-midi.

Victoria fut heureuse de retrouver sa thérapeute, à qui elle raconta son voyage. Elle lui dit combien Grace était facile à vivre et combien elles avaient pris du bon temps ensemble. Après lui avoir montré son bracelet, elle se mit à rire en évoquant les hommes qui suivaient Grace, en Italie.

— Et vous ? s'informa doucement le médecin. Qui vous suivait ?

— Vous plaisantez ? Ils avaient le choix entre Grace et moi, pourquoi voulez-vous qu'ils me suivent ?

— Vous êtes une jolie femme, vous aussi, assura le Dr Watson.

Évaluant ce que Victoria avait fait pour sa jeune sœur, elle espérait qu'elle y avait trouvé un bénéfice personnel.

— Grace est ravissante, mais elle est très proche de nos parents et cela m'inquiète, avoua Victoria. Je ne pense pas que ce soit très sain. Ils sont plus gentils avec elle qu'ils ne l'ont jamais été avec moi, mais ils l'étouffent, ils la traitent comme si elle leur appartenait. Mon père lui bourre la tête de ses opinions, alors qu'elle devrait avoir son propre avis sur les choses.

— Elle est jeune, elle finira par prendre son indépendance, répliqua la psychiatre avec philosophie. Elle leur ressemble peut-être plus que vous ne le pensez. Ça doit être plutôt confortable, pour elle.

— J'espère que non, dit Victoria.

La thérapeute acquiesça, mais elle savait que tout le monde n'était pas aussi courageux que Victoria, qui s'était libérée de l'emprise parentale pour s'installer à New York.

— Parlez-moi de vous, dit-elle. Que comptez-vous faire des jours qui viennent, Victoria ? Quels sont vos buts ?

Victoria émit un petit rire, ainsi qu'elle le faisait souvent lorsqu'elle avait vraiment envie de pleurer. De cette façon, elle avait moins peur.

— Maigrir et avoir une vie. Rencontrer un homme qui m'aime et que j'aime.

Pendant le reste de l'été, elle comptait perdre le poids qu'elle avait pris en Italie.

— Comment allez-vous vous y prendre ? demanda le Dr Watson, faisant allusion à cet inconnu que Victoria espérait rencontrer.

— Pour l'instant, je ne vais rien faire du tout. Je viens de rentrer et ce n'est pas facile, de faire de nouvelles connaissances. Toutes mes relations sont mariées, fiancées ou homosexuelles.

— Vous devriez peut-être diversifier vos activités, tenter de nouvelles expériences. Où en êtes-vous, avec votre poids ?

D'ordinaire, soit elle faisait un régime, soit elle nageait dans le désespoir.

— En Italie, j'ai mangé beaucoup de pâtes, et à Paris, je me suis gavée de croissants. Je suppose que je vais devoir régler l'addition. C'est un combat perpétuel.

Avant le voyage, elle s'était acheté un livre exposant les principes d'un nouveau régime, mais elle ne l'avait pas encore lu. Elle devinait que quelque chose l'empêchait de maigrir comme elle l'aurait voulu. Pourtant, elle était certaine que, de l'autre côté de l'arc-en-ciel, une fois ses kilos envolés, l'homme de ses rêves l'attendait.

— Sachez qu'un de ces jours vous pourriez rencontrer celui qui vous aimera telle que vous êtes. Vous n'avez pas à vous lancer dans des régimes déments pour trouver un homme. Vous serez en meilleure santé si vous êtes mince, mais votre vie amoureuse n'en dépend pas.

— Personne ne s'intéressera à moi tant que je serai grosse, dit sombrement Victoria.

Les propos de son père lui apparaissaient comme une sorte de malédiction.

— C'est faux, répliqua calmement la psychiatre. L'homme qui vous aimera vous appréciera grosse, mince ou quelle que soit votre corpulence.

Victoria ne répondit pas, mais il était clair qu'elle n'en croyait pas un mot. Elle savait à quoi s'en tenir. Aucun homme ne tambourinait à sa porte, ne l'arrêtait dans la rue pour lui demander son numéro de téléphone ou ne sollicitait un rendez-vous.

— Vous pouvez toujours retourner chez la nutritionniste, suggéra le médecin. Il me semble que cela vous a plutôt réussi.

Elles avaient parlé plusieurs fois des Weight Watchers, mais Victoria n'y était jamais allée, prétendant qu'elle était trop occupée pour consacrer du temps aux séances.

— Vous avez raison... je l'appellerai dans quelques semaines.

Auparavant, elle souhaitait retrouver ses marques à New York. Ce qui était certain, c'était qu'elle devait perdre du poids avant la rentrée scolaire. Depuis son retour d'Italie, elle portait de nouveau ses vêtements les plus larges. Durant la suite de la séance, elle parla de nouveau du voyage. En sortant du cabinet, elle avait le sentiment d'être coincée. Persuadée que sa vie ne la menait nulle part, elle s'offrit un cornet de glace sur le chemin du retour. De toute façon, songea-t-elle, cela ne ferait aucune différence. Elle commencerait sérieusement son régime dès le lendemain.

Lorsqu'elle rentra, Harlan, John et Bunny étaient à la maison. Ravis de se revoir, ils dînèrent ensemble le soir même quand Bunny revint de la salle de sport. John avait préparé une salade de pâtes au homard irrésistible. Harlan remarqua que

Victoria avait grossi, mais il ne fit aucun commentaire. Pendant le repas, Bunny leur annonça qu'elle était fiancée et leur montra sa bague. Elle devait se marier au printemps suivant. La nouvelle ne surprit personne et Victoria en fut ravie pour elle.

Un peu plus tôt, Grace lui avait envoyé un SMS pour lui dire qu'elle était bien arrivée. Le soir, elle appela sa sœur aînée avant d'aller se coucher. Elle lui raconta que ses parents l'avaient invitée à dîner au restaurant et qu'elle partait pour Malibu avec des amis le lendemain. Elle ne risquait pas de manquer d'occupations pendant l'été. Cette nuit-là, Victoria rêva de Venise. Assise dans une gondole avec Grace, elle passait sous le pont des Soupirs. Ensuite, elles allaient manger un risotto au Harry's Bar.

Le reste de l'été s'enfuit bien trop vite. Victoria passa le week-end du 4 juillet dans un bed and breakfast des Hamptons, en compagnie de Helen et d'un groupe d'enseignantes célibataires. En août, elle se rendit dans le Maine avec Harlan et John. Il y eut quelques journées torrides à New York durant lesquelles elle se contenta de traîner sans rien faire. Trouvant qu'il faisait trop chaud pour s'adonner au jogging, elle alla une ou deux fois au sport. C'était un effort symbolique, mais elle manquait totalement d'énergie. Depuis qu'elle avait quitté Grace, elle se sentait triste et seule. Les bons moments qu'elles avaient passés ensemble lui manquaient horriblement. Elle assista une fois à une séance des Outre-mangeurs anonymes, mais elle n'y retourna plus jamais.

Comme promis, elle prit l'avion pour la Californie afin d'aider Grace à s'installer dans sa chambre universitaire. Ce fut une journée emplie de confusion, de souvenirs doux-amers, de larmes et d'adieux. Victoria aida sa sœur à défaire ses valises, pendant que leur père branchait la stéréo et l'ordinateur et que leur mère rangeait soigneusement les dessous de sa fille dans un tiroir.

Grace partageait une chambre minuscule avec deux autres étudiantes. Ce ne fut pas une mince affaire, que de caser tous les vêtements de la jeune fille dans un petit placard, une unique penderie et trois petits tiroirs, avec les trois bureaux et les trois ordinateurs qui encombraient la pièce. Tous les parents, aidés de Victoria, assistaient leur progéniture dans cette tâche difficile. En fin d'après-midi, ils avaient fait tout ce qu'ils pouvaient. Quand Christine sortit dans le couloir avec sa fille, elle paraissait au bord de la panique, son père refoulait ses larmes et Victoria avait le cœur gros. Grace était une adulte qui allait voler de ses propres ailes, désormais. Ses parents répugnaient à ouvrir la cage, mais Victoria avait elle aussi du mal à se séparer de sa sœur.

Ils bavardaient devant la porte de la résidence quand un grand et beau garçon passa près d'eux, une raquette de tennis à la main. Dès qu'il aperçut Grace, il s'immobilisa comme s'il avait été frappé par la foudre et ne pouvait pas faire un pas de plus. Son expression fit sourire Victoria. Elle avait déjà vu des garçons réagir ainsi à la vue de sa petite sœur.

— Vous êtes en première année ? lui demanda-t-il.

Grace hocha la tête, l'air aussi éblouie que lui. Victoria faillit éclater de rire. Ce serait vraiment étonnant, si Grace rencontrait l'homme de sa vie le jour même de son installation. Les choses pouvaient-elles être aussi simples ?

— Et vous ? s'enquit la jeune fille. Vous êtes en première ou en deuxième année ?

— Je suis en école de commerce, répliqua-t-il avec un grand sourire.

Cela signifiait qu'il avait au moins quatre ans de plus qu'elle, et plus probablement cinq ou six.

Jetant un coup d'œil aux personnes qui entouraient Grace, il lança :

— Bonjour. Je m'appelle Harry Wilkes.

Ayant tous entendu parler du pavillon Wilkes, ils se demandèrent si c'était sa famille qui en avait fait don à l'université. Après avoir serré la main de Jim et de Christine, il adressa un sourire radieux à Grace et lui proposa de faire une partie de tennis avec lui à 18 heures. Rayonnante, elle accepta l'invitation. Il promit de passer la chercher et s'éloigna.

Victoria taquina sa sœur :

— À peine arrivée et te voilà déjà sollicitée ! Tu ne sais pas combien tu as de la chance !

— Si, répliqua Grace, le regard rêveur. Il est vraiment mignon.

Comme si elle venait d'être capturée par un extraterrestre, elle ajouta à mi-voix :

— C'est l'homme que j'épouserai un jour.

— Vérifie d'abord qu'il joue convenablement au tennis.

Victoria avait vu le défilé de garçons qui courtisaient sa sœur, au lycée. Elle espérait que Grace ne suivrait pas l'exemple de leur mère et qu'elle ne passerait pas les quatre années suivantes à chercher un mari, au lieu de profiter de la vie. À son âge, elle n'avait aucune raison de penser au mariage.

— Je suis sérieuse, dit Grace. Je l'ai su dès qu'il s'est adressé à moi.

Victoria eut envie de lui jeter de l'eau au visage.

— Réveille-toi ! Tu es à la fac, une nouvelle vie s'ouvre devant toi. Tu rencontreras bien d'autres garçons. Ne te marie pas dès le premier jour.

— Laisse donc ta sœur porter son dévolu sur l'étudiant le plus riche du campus, intervint leur père. Il avait l'air joliment subjugué.

Très fier de sa cadette, il avait déjà décidé que le jeune homme appartenait à la richissime famille Wilkes.

— Comme la moitié des Italiens, en juin. Évitons de perdre la raison, répondit Victoria.

Mais personne ne l'écoutait. Aux yeux de Jim, le nom de ce garçon était suffisant pour qu'il fût gagné à sa cause. Quant à Grace, elle avait été séduite par sa beauté. Le mot *mariage* avait conquis Christine. S'ils s'y mettaient à trois, songea Victoria, ce pauvre Harry était fichu.

— Écoute-moi, dit-elle à sa petite sœur, essaie de ne pas être fiancée avant que je revienne pour Thanksgiving.

Lorsqu'elle l'embrassa, les deux sœurs s'étreignirent très fort, souhaitant pouvoir arrêter le temps.

— Je t'aime, murmura Victoria contre les boucles brunes.

Grace avait l'air d'une enfant, dans les bras de son aînée. Lorsqu'elle leva les yeux vers Victoria, des larmes perlaient au bout de ses cils.

— Moi aussi, je t'aime. Je pensais vraiment ce que j'ai dit, tu sais. Dès que je l'ai vu, j'ai éprouvé cette impression bizarre.

— La ferme ! dit Victoria en riant. Amuse-toi bien, au tennis. Quand tu m'appelleras, tu me diras comment ça s'est passé.

La jeune femme ne partait pas pour New York avant le lendemain matin. Dès lors que Grace avait quitté la maison, elle n'avait plus aucune raison d'y rester. Cela faisait longtemps que rien ne la retenait auprès de ses parents.

Tous trois regagnèrent l'immense parking. Victoria s'installa à l'arrière de la voiture. Ils roulèrent en silence, perdus dans leurs pensées. Tout s'était passé si vite ! La veille encore, Grace était un bébé qui trottait dans la maison. Quelque temps après, Victoria l'accompagnait pour la première fois à l'école et l'embrassait avant de la quitter. Ensuite, elle devenait une ravissante adolescente… et maintenant, elle entrait à l'université.

Ils savaient tous les trois avec une certitude absolue que les quatre prochaines années fileraient elles aussi à la vitesse de l'éclair.

16

Ainsi qu'ils l'avaient craint, les années que Grace passa à l'université filèrent comme l'éclair. À peine l'avaient-ils installée dans sa nouvelle chambre qu'elle était diplômée et vêtue de la tenue traditionnelle. Ses parents et sa sœur aînée virent de nouveau sa toque s'élever dans le ciel. C'était fini. Elle avait son diplôme d'anglais et un certificat en communication, mais elle ne savait pas encore très bien ce qu'elle allait en faire. Elle voulait travailler pour un magazine ou un quotidien, mais elle ne s'était pas encore mise en quête d'emploi. En juillet, elle comptait visiter l'Espagne et l'Italie avec des camarades. Son petit ami les accompagnait, mais ensuite, ils retrouveraient les parents de ce dernier, dans le sud de la France. Son pressentiment du premier jour s'était presque réalisé, puisqu'elle était sortie avec Harry Wilkes pendant ses quatre années d'études. Jim approuvait cette relation de tout cœur, d'autant que le jeune homme appartenait bien à la famille qui avait fait don d'un pavillon à l'université. Harry avait eu son diplôme de commerce l'année précédente et il travaillait avec son père dans une banque d'investissements.

Comme le père de Grace se plaisait à le répéter, il était solide comme un roc et représentait un très bon parti. Ainsi qu'une douzaine d'amis de Grace, il avait été invité au déjeuner qui avait suivi la cérémonie de remise des diplômes. Victoria remarqua que les deux jeunes gens semblaient échanger de mystérieux propos, à l'autre bout de la table, puis Harry embrassa Grace, qui souriait.

Victoria aimait bien Harry, mais elle le trouvait un peu trop autoritaire et elle souhaitait que sa jeune sœur fût un peu plus aventureuse qu'elle ne l'avait été pendant ses études. Elle n'avait pratiquement pas quitté Harry, puisque, au bout d'un an, elle avait abandonné la résidence universitaire pour s'installer avec lui dans un appartement. Victoria la trouvait trop jeune pour se fixer et se limiter à un seul garçon. Harry avait de nombreux points communs avec Jim, ce qui la mettait mal à l'aise. Comme lui, il avait des opinions sur tout et Grace l'approuvait comme si elle n'avait aucun avis personnel. Victoria espérait qu'elle ne deviendrait pas comme leur mère, l'ombre de son mari, n'ayant d'autre but sur terre que de le porter aux nues et lui rendre la vie agréable. Que devenait-elle, dans cette histoire ?

Mais elle ne pouvait nier que Grace était heureuse avec Harry. Victoria avait pourtant été choquée que ses parents n'émettent aucune objection lorsqu'ils s'étaient installés ensemble. Elle n'était pas certaine qu'ils auraient été aussi compréhensifs avec elle. Lorsqu'elle en avait parlé avec son père, il lui avait conseillé de ne pas être aussi vieux jeu et collet monté. Mais s'il avait donné son accord aussi facilement, c'était en grande partie parce que la famille de Harry était très riche. Victoria était certaine que ses parents auraient été moins accommodants si Harry avait été pauvre. Elle l'avait dit à Helen, Harlan et John, lorsqu'elle leur en avait parlé. Elle s'inquiétait beaucoup pour Grace. Elle craignait sans cesse qu'elle eût subi un lavage de cerveau de la part de ses parents, qui lui avaient bourré l'esprit de modèles erronés.

Le déjeuner qui avait suivi la cérémonie avait commencé tard, pour ne finir qu'à 16 heures. Quand les convives sortirent de table, Grace les quitta pour aller rendre sa robe et sa coiffe. Elle confia son diplôme à Victoria et prévint sa famille que Harry la raccompagnerait à la maison. Ce soir-là, ils sortaient avec des amis. Harry conduisait la Ferrari que ses parents lui avaient offerte à la fin de ses études. Victoria les vit s'embrasser sitôt qu'ils se furent éloignés. Il lui semblait que c'était la veille que Harry avait fait irruption dans la vie de sa sœur avec une raquette de tennis, alors qu'elle entamait sa première année de faculté.

— Je dois vieillir, dit-elle à son père en montant dans la voiture. Il y a cinq minutes, elle avait cinq ans... Comment en sommes-nous arrivés là ?

— Je n'en sais bigrement rien ! J'éprouve la même chose en ce qui te concerne.

En disant cela, il parvint presque à sembler ému, ce qui surprit Victoria.

Pendant les quatre années universitaires de Grace, Victoria était sortie avec quelques hommes. Il y avait eu un avocat, un enseignant, un agent de change et un journaliste, mais aucun d'entre eux n'avait eu d'importance. Les relations qu'elle avait entretenues avec eux n'avaient duré que quelques mois, voire quelques semaines. Désormais, elle était à la tête du département d'anglais à Madison et elle vivait toujours dans le même appartement, qu'elle partageait avec Harlan et John. Les deux hommes disposaient tous les deux d'une chambre supplémentaire, qu'ils utilisaient comme bureau. Trois ans auparavant, Bunny s'était mariée et elle avait deux enfants. Elle venait de s'installer à Washington avec ses bébés et son époux. Ce dernier avait un poste au ministère des Affaires étrangères, mais ils le soupçonnaient tous de travailler pour la CIA. Quant à Bunny, elle était mère au foyer. Harlan était toujours employé par le Costume Institute, et John enseignait encore dans son école du Bronx. Deux ans auparavant, Victoria avait cessé de voir le Dr Watson. Elles avaient interrompu les séances d'un commun accord, après avoir exploré mainte fois l'histoire de Victoria. Il ne leur restait plus aucun mystère à découvrir. Ses parents l'avaient défavorisée pour accorder tout leur amour à sa sœur. En réalité, ils ne l'avaient jamais aimée, même avant la naissance de Grace. Pour dire les choses sans ambages, elle avait été spoliée, ce qui ne l'empêchait pas d'aimer tendrement sa sœur. Elle n'éprouvait pas grand-chose pour ses parents, pas plus de colère que d'affection. C'étaient des gens égoïstes, égocentriques, qui n'auraient jamais dû avoir d'enfants, ou du moins pas elle. Grace leur convenait, elle non. En dépit de tout cela, elle avait le sentiment d'aller bien, grâce au Dr Watson. Elle avait toujours les mêmes parents et son problème de poids, mais elle avait appris à faire face.

Elle n'avait toujours pas trouvé l'homme de ses rêves et peut-être ne le rencontrerait-elle jamais.

Elle aimait son métier, enseignait toujours en terminale et son poids ne cessait de fluctuer. En ce moment, elle pesait plus qu'elle ne l'aurait voulu. Elle n'était pas sortie avec un homme depuis un an, mais elle prétendait que sa vie amoureuse n'avait aucun impact sur son poids. Harlan, qui était persuadé du contraire, lui faisait remarquer qu'elle grossissait et mangeait davantage chaque fois qu'elle se sentait seule et malheureuse. Elle avait contribué à l'achat du tapis de marche et du rameur qu'ils avaient mis dans la salle de séjour, mais à l'inverse de Harlan et de John, elle ne l'utilisait jamais.

Le lendemain de la cérémonie, Victoria repartit pour New York dans la matinée. La veille, elle avait dîné avec ses parents, un sacrifice auquel elle consentait chaque fois qu'elle venait à Los Angeles. Son père parlait de prendre sa retraite dans les années à venir, sa mère était toujours une joueuse de bridge fanatique et Victoria avait de moins en moins de choses à leur dire. Les plaisanteries de son père sur son poids ne l'amusaient pas. Désormais, il y ajoutait quelques commentaires sur son célibat prolongé. Si elle n'était pas mariée, si elle n'avait pas de petit ami et risquait de ne jamais avoir d'enfants, c'était bien sûr à cause de son poids. Elle ne discutait plus avec lui, n'essayait pas de se défendre ou de s'expliquer. Elle laissait passer les remarques et les sarcasmes sans répondre. Ses parents n'avaient pas changé et ils estimaient toujours qu'elle perdait son temps en continuant d'enseigner.

Pendant le repas, Jim annonça son intention d'engager Grace dans son agence en tant que rédactrice publicitaire, dès son retour d'Europe. Après le dîner, Victoria était en train de débarrasser avec sa mère quand Grace arriva à l'improviste. Ils furent tous surpris et ravis de la voir, car depuis qu'elle vivait avec Harry, elle ne passait pas très souvent. Les joues toutes roses et les yeux brillants, elle les dévisagea un instant sans mot dire. Le cœur de Victoria battit plus vite, quand sa sœur lâcha enfin les mots qu'elle redoutait :

— Je suis *fiancée* !

L'espace d'une fraction de seconde, un silence de mort se fit dans la cuisine. Il fut rompu par Jim, qui poussa un cri de triomphe avant de la faire tournoyer dans ses bras comme lorsqu'elle était enfant.

— Bravo ! Excellent ! Où est Harry ? Je veux le féliciter, lui aussi.

— Il m'a déposée ici avant d'aller annoncer la nouvelle à ses parents, déclara gaiement Grace.

Victoria rangeait en silence les assiettes dans le lave-vaisselle. Très agitée, leur mère serra la jeune fille dans ses bras en gloussant de joie. Grace leva ensuite sa petite main pour leur montrer le gros diamant qui brillait à son annulaire. Tout cela n'était pas un rêve... c'était vrai !

— C'est exactement ce que nous avons fait, ton père et moi ! s'écria Christine, très excitée. Nous nous sommes fiancés le soir de la remise des diplômes et nous nous sommes mariés à Noël. Vous avez fixé une date ? demanda-t-elle comme si elle voulait commencer les préparatifs sur-le-champ.

Ni l'un ni l'autre n'émirent d'objections ou n'évoquèrent son jeune âge. Les raisons en étaient simples : ils pensaient tous les deux que leur fille faisait une très bonne affaire, en épousant un

Wilkes. Leur ego était flatté, mais pas une seconde ils ne se souciaient de savoir si c'était ce qu'il y avait de mieux pour Grace. Victoria se tourna finalement vers eux et posa sur sa sœur des yeux soucieux :

— Tu ne penses pas que tu es un peu jeune pour penser au mariage ? lui dit-elle sans ambages.

Grace venait d'avoir vingt-deux ans et Harry vingt-sept. Aux yeux de Victoria, ils manquaient encore tous deux de maturité.

— Nous sortons ensemble depuis quatre ans ! protesta Grace.

Elle estimait visiblement que cela justifiait cette décision, mais Victoria n'était pas du même avis. Au contraire, cela ne faisait qu'empirer la situation. Grace n'avait jamais eu l'occasion de mûrir, de développer ses propres opinions, de rencontrer d'autres garçons.

— Certains de mes élèves du lycée sont eux aussi sortis avec la même personne pendant quatre ans, ils ne sont pas pour autant suffisamment mûrs pour songer au mariage. Tu n'as que vingt-deux ans. Tu dois d'abord choisir un métier, envisager une carrière, acquérir une certaine indépendance avant de t'installer et de te marier. Pourquoi te presser ?

Pendant une minute, elle craignit que sa sœur ne fût enceinte, mais c'était peu probable. Grace avait tracé elle-même son propre avenir dès l'instant où ses yeux s'étaient posés sur Harry. Aujourd'hui, son rêve se réalisait. Déçue par le manque d'enthousiasme de sa sœur et par ses propos, elle posa sur elle un regard furieux.

— Tu ne peux pas te réjouir pour moi ? demanda-t-elle avec mauvaise humeur. Faut-il vraiment que tout se passe de la façon que tu estimes la meilleure ? Je suis heureuse. J'aime Harry et je me moque pas mal de ma carrière. Je n'ai pas de vocation, comme toi. Je veux juste être sa femme.

Aux yeux de Victoria, cela ne suffisait pas, mais Grace avait peut-être raison. Et qui était-elle, pour en juger autrement ?

— Je suis désolée, dit-elle tristement.

Elles ne s'étaient pas disputées depuis des années. Leur dernière querelle concernait leurs parents, quand Victoria avait dit à sa sœur qu'elle avait tort de les défendre aussi ardemment. La jeune femme avait finalement fait marche arrière, estimant que Grace était trop jeune pour comprendre et que, de toute façon, elle était une des leurs. Aujourd'hui, Victoria avait le même sentiment. De nouveau, elle affirmait sa différence en osant dire que la nouvelle de ce mariage ne la réjouissait pas. Elle était la voix discordante, celle qui détonnait dans le décor.

— Je veux juste que tu sois heureuse et que ta vie soit la meilleure possible. Je te trouve encore très jeune.

— Je suis convaincu que sa vie sera parfaite, intervint leur père en désignant la bague de fiançailles.

La vue de ce bijou rendait Victoria malade et il ne s'agissait pas de jalousie. Le mariage de sa fille avec un homme riche flattait le narcissisme de leur père. Maintenant qu'elle portait cette bague à son doigt, Grace devenait un trophée qu'il pourrait exhiber. Elle était la preuve de sa réussite en tant que père, puisqu'elle faisait un si beau mariage. Victoria détestait les implications de l'événement, mais Grace ne voyait rien. Elle était enfermée dans son rêve et avait trop peur d'affronter le monde réel, de trouver un travail, de faire de nouvelles rencontres et de se réaliser pleinement. À la place, elle épousait Harry. Au moment où Victoria était plongée dans ces réflexions, ce dernier entra dans la cuisine, le visage radieux. Grace se précipita dans ses bras. Son bonheur était visible, et nul n'aurait songé à le nier. Leur père donna une tape dans le dos de son futur gendre, pendant que leur mère sortait une bouteille de champagne. Jim l'ouvrit immédiatement et leur en servit une coupe à chacun. Un sourire nostalgique aux lèvres, Victoria les observait en silence. Le temps semblait s'accélérer, désormais. Il y avait eu le lycée, la faculté et maintenant le mariage... C'était difficile à assimiler d'un seul coup. Laissant ses doutes de côté, la jeune femme traversa la pièce et embrassa Harry par amour pour sa sœur, qui parut soulagée. Personne ne devait intervenir dans sa décision, tenter de s'y opposer ou émettre des objections. Son rêve se réalisait.

— À quand le grand jour ? s'informa son père après qu'ils eurent porté un toast en l'honneur du jeune couple. Vous avez fixé une date ?

Chacun avait bu une gorgée de champagne et les heureux fiancés se souriaient. Harry répondit pour Grace, ce qui constituait l'une des particularités que Victoria n'appréciait pas chez lui. Grace avait une voix, elle aussi, et Victoria aurait aimé l'entendre. Elle espérait que le mariage n'aurait pas lieu avant un délai raisonnable.

— En juin, répondit Harry en souriant à sa minuscule fiancée. Nous avons énormément de choses à régler, dans l'intervalle. Grace va être très absorbée par les préparatifs.

Ses yeux allèrent de sa future belle-mère à Victoria, comme s'il s'attendait à ce qu'elles abandonnent leurs autres occupations pour se consacrer exclusivement au mariage.

— Nous pensons inviter quatre ou cinq cents personnes, dit-il gaiement, sans consulter les parents de la future mariée.

Il ne s'inquiétait pas de savoir s'ils étaient d'accord, pas plus qu'il ne leur avait demandé sa main. Il savait parfaitement que Jim Dawson donnerait son accord. Quant à la mère de Grace, elle avait paru au bord de l'évanouissement quand elle avait entendu le nombre des invités. L'air ravi, Jim ouvrit une nouvelle bouteille de champagne et les servit tous une seconde fois.

— Vous autres, les femmes, vous vous occuperez de tous ces détails, dit-il en souriant à Harry, puis à son épouse et à ses filles. Pour ma part, je me contenterai de payer les factures.

Victoria fixait son père, songeant qu'il manquait totalement de moralité, mais c'était le genre de mariage qu'il souhaitait pour Grace. Il ne se posait pas la question de savoir si elle était trop jeune ou si c'était une erreur. Si Victoria émettait la moindre objection, on l'accuserait d'être la sœur aînée trop grosse, incapable de se trouver un petit ami ou un mari. On prétendrait que seule la jalousie la poussait à faire obstacle au bonheur de Grace.

Ils vidèrent la seconde bouteille de champagne et tout le monde embrassa encore le jeune couple. Harry précisa que ses parents comptaient bientôt les inviter tous à dîner. Victoria en profita pour serrer sa sœur dans ses bras.

— Je t'aime. Pardonne-moi, si je t'ai contrariée.

— Ce n'est pas grave, murmura Grace. Je désire seulement que tu te réjouisses pour moi.

Ne sachant que répondre, Victoria hocha la tête. Les fiancés ne tardèrent pas à s'en aller. Ils devaient rencontrer des amis et se rendre à une soirée où Grace comptait bien exhiber sa bague. Après leur départ, Victoria reçut un message sur son portable. Il était de sa sœur : « Je t'aime. Sois heureuse pour moi. » Victoria envoya la seule réponse possible pour elle : « Je t'aime aussi. »

— Eh bien, dit Jim à Christine, tu as un an devant toi pour préparer le mariage. Cela va t'occuper. Il se peut même que tu délaisses les tables de bridge pendant quelque temps.

À cet instant, Victoria reçut un second message de sa sœur.

« Demoiselle d'honneur ? » disait-il. Victoria sourit. Ils s'arrangeraient pour l'impliquer d'une façon ou d'une autre. Il ne lui vint cependant pas à l'esprit de refuser la proposition de sa sœur.

« Bien sûr que oui, merci ! » répondit-elle.

Elle serait donc la demoiselle d'honneur et sa petite sœur allait se marier. Que d'événements, en une seule journée !

17

Une fois rentrée à New York deux jours après la remise des diplômes, Victoria appela le Dr Watson. Le cabinet de la psychiatre était toujours à la même adresse et le numéro de téléphone n'avait pas changé. Le soir même, elle rappelait Victoria sur son portable. Elle voulut savoir comment s'étaient passées les deux dernières années. La jeune femme affirma qu'elle allait bien, mais qu'elle avait hâte de la revoir. Le Dr Watson parvint à lui trouver un créneau dès le lendemain. Quand Victoria franchit sa porte, le médecin trouva qu'elle n'avait pas changé, même si elle semblait plus mûre. Victoria portait un jean noir, un tee-shirt blanc et elle était chaussée de sandales car l'été new-yorkais était chaud. Son poids était sensiblement le même que lorsqu'elles s'étaient vues pour la dernière fois.

— Tout va bien ? s'informa le médecin avec sollicitude. Vous sembliez très pressée de me voir.

— C'est vrai. Je crois qu'un signal d'alarme a retenti dans ma tête, à moins que je ne traverse une crise d'identité ou quelque chose comme ça.

Depuis son retour de Los Angeles, elle était contrariée. C'était bien assez de voir sa sœur diplômée de l'université, sans y ajouter ses fiançailles dans la même journée !

— Ma petite sœur s'est fiancée il y a quelques jours, reprit-elle. Elle n'a que vingt-deux ans et elle s'est fiancée le jour de la remise des diplômes à l'université, comme nos parents. Ils sont ravis, puisque leur futur gendre est riche à millions. Il me semble qu'ils sont tous fous. Elle est très jeune, elle ne travaillera pas parce que son futur mari ne le veut pas. Elle voulait s'orienter vers le journalisme et maintenant, tout est oublié. Elle va finir comme ma mère, elle se fondra dans le paysage et elle adhérera à toutes les opinions de son mari. Il en a d'ailleurs beaucoup, tout comme mon père. Quand je pense que, dès qu'elle sera sa femme, elle n'existera plus, cela me rend folle. Mais tout ce qu'elle veut, c'est se marier. Soit j'ai raison et elle est bien trop jeune, soit je suis jalouse d'elle parce que je n'ai pas de vie sentimentale. Tout ce que j'ai, c'est un métier que j'aime. Et si j'émets la moindre objection, on pensera que je suis envieuse.

Victoria avait débité son discours d'un trait, sans reprendre son souffle.

— Est-ce le cas ? demanda franchement la psychiatre.

Victoria s'était toujours montrée honnête envers elle.

— Je n'en sais rien.

— Qu'est-ce que vous voulez, Victoria ? la pressa le médecin. Pas pour elle, mais pour vous ?

Elle savait qu'il était temps d'en arriver là, désormais. Sa patiente était prête.

— Je n'en sais rien, répéta Victoria.

Mais la thérapeute ne s'en laissa pas conter.

— Si, vous le savez. Cessez de vous inquiéter pour votre sœur et pensez à vous. Pourquoi êtes-vous revenue ? Qu'est-ce que *vous* voulez ?

Les larmes montèrent aux yeux de Victoria. Elle le savait, bien sûr, mais elle avait peur de le dire ou de se l'avouer à elle-même.

— Je veux une vie, dit-elle très bas. Je veux un homme dans ma vie. Je veux ce que ma sœur veut. La différence tient au fait que je suis suffisamment âgée pour l'avoir et que je ne l'aurai jamais.

Animée par un courage tout neuf, elle haussa le ton :

— Je veux une vie, un homme et il faut que j'aie perdu treize kilos en juin, ou au moins dix.

C'était clair.

— Que se passe-t-il, en juin ? s'étonna la psychiatre.

— Le mariage de ma sœur. Je suis demoiselle d'honneur. Je ne veux pas qu'on me prenne en pitié parce que je suis une ratée, sa grosse vieille fille de sœur. Je refuse d'incarner ce personnage le jour de ses noces.

— Très bien. Cela me semble légitime. Nous avons un an pour parvenir à ce résultat, dit la psychiatre en lui souriant. Cela fait donc trois projets. Vous avez parlé d'une « vie », mais vous devez définir exactement ce que vous entendez par là. Si j'ai bien compris, vous souhaitez aimer, être aimée et maigrir. Nous avons du pain sur la planche.

— Je suis d'accord, répliqua Victoria d'une voix tremblante.

C'était comme une révélation. Elle était lasse de ne pas avoir ce qu'elle voulait tout en se refusant à l'admettre parce qu'elle pensait ne pas le mériter.

Lasse de répéter tout ce que ses parents lui avaient mis dans la tête...

— Je suis prête.

L'air satisfait, le médecin jeta un coup d'œil à l'horloge, par-dessus l'épaule de Victoria.

— Je crois que vous l'êtes, en effet. On se voit la semaine prochaine ?

Victoria acquiesça, soudain consciente de tout ce qui lui restait à faire. La tâche était bien plus imposante que les préparatifs d'un mariage. Elle allait devoir se mettre sérieusement au régime et s'arranger pour que cette fois la perte de poids fût définitive. Elle devrait faire un effort pour sortir, rencontrer des hommes et s'apprêter pour la circonstance. Il lui faudrait aussi s'ouvrir à d'autres centres d'intérêt, rencontres, lieux, activités... tout ce qu'elle avait toujours rêvé de faire sans jamais en avoir le courage. C'était plus effrayant que sa décision de s'installer à New York, mais elle devait y parvenir. Quand Grace se marierait, Victoria aurait trente ans. Désormais, elle s'attellerait à la réalisation de ses rêves, au lieu de se préoccuper exclusivement de sa petite sœur.

Elle sortit du cabinet ragaillardie. Dès qu'elle fut chez elle, elle se rendit dans la cuisine et entreprit de vider le réfrigérateur. S'attaquant pour commencer au freezer, elle jeta à la poubelle les pizzas surgelées et les glaces. À cet instant, John et Harlan entrèrent dans la pièce. John profitait des vacances d'été pour travailler avec son compagnon au musée.

— Merde alors ! s'exclama Harlan en contemplant le spectacle avec étonnement. On dirait que tu prends le taureau par les cornes !

Les bonbons au chocolat qu'elle avait rapportés de la fête du lycée suivirent, ainsi que le cheesecake qu'elle avait à moitié mangé.

— Faut-il y voir un message, ou c'est juste un nettoyage de printemps ?

— Je dois avoir perdu treize kilos en juin prochain.

— Tu as une raison particulière d'avoir pris cette résolution ? s'informa prudemment Harlan.

John prit deux bières dans le réfrigérateur. Il les ouvrit, en tendit une à Harlan et but une gorgée de la sienne. Cela sentait bon, mais Victoria n'était pas particulièrement portée sur la bière. Elle préférait le vin, malheureusement calorique, lui aussi.

— Tu as rencontré quelqu'un, peut-être ? s'enquit Harlan avec espoir.

— Cela rentre en ligne de compte, bien que je ne le connaisse pas encore, dit Victoria en refermant la porte du réfrigérateur. Grace se marie en juin. Je ne veux pas être demoiselle d'honneur avec treize kilos de trop et toujours vieille fille. Alors, je suis retournée voir ma psy.

Harlan était ravi. C'était exactement ce dont elle avait besoin, ce qui lui manquait depuis des années. Ces derniers temps, il avait perdu tout espoir de la voir changer. Elle n'avait pas modifié son comportement alimentaire et elle ne maigrissait pas.

— Cela me fait penser à la marche de Sherman sur la Géorgie pendant la guerre de Sécession. Vas-y, mon chou ! Si on peut t'aider d'une façon quelconque, dis-le-nous !

— Plus de glace. Plus de pizza. Je vais utiliser le tapis de marche. J'aurai peut-être recours aux

Weight Watchers, à un nutritionniste et s'il le faut à un hypnotiseur. Je ne négligerai aucun moyen.

— À propos, qui Grace épouse-t-elle ? Elle n'est pas un peu jeune, pour cela ? Si je me souviens bien, elle a obtenu son diplôme la semaine dernière.

— Elle est en effet trop jeune et c'est complètement stupide. Mon père apprécie son futur gendre parce qu'il est riche. Elle sort avec lui depuis quatre ans.

— C'est dommage, mais on ne sait jamais, ça marchera peut-être.

— Je l'espère pour elle. En l'épousant, elle va perdre son individualité, mais c'est ce qu'elle veut, ou du moins elle en est persuadée.

— L'eau va couler sous les ponts, d'ici au mois de juin. Il peut se passer beaucoup de choses.

Une lueur farouche qu'il ne lui avait jamais vue brilla dans les yeux de Victoria. Elle s'engageait visiblement dans une mission sacrée.

— C'est vrai. Je compte bien là-dessus. J'ai un an pour mettre ma vie en ordre et modeler mon corps.

— Tu peux le faire, assura Harlan avec conviction.

— Je sais que j'y arriverai.

Et finalement, elle en était convaincue, tout en se demandant pourquoi cela lui avait pris si longtemps. Pendant vingt-neuf ans, elle avait cru ce que ses parents lui répétaient, à savoir qu'elle était laide, grosse et vouée à l'échec parce que personne ne pouvait l'aimer. Tout d'un coup, elle prenait conscience que ce n'était pas parce qu'ils l'avaient dit, ou même pensé, que c'était vrai. Désormais, elle était sûre d'elle et bien décidée à briser les fers qu'ils lui avaient mis aux pieds. Tout ce qu'elle voulait, maintenant, c'était être libre.

Le lendemain, elle s'inscrivit aux Weight Watchers et rentra chez elle avec un livret d'instructions et le compte des « points » auxquels elle avait droit dans la journée. Le surlendemain, elle se trouvait un nouveau gymnase disposant de beaux appareils, d'une salle de musculation, d'un studio de danse, d'un sauna et d'une piscine. Elle y alla chaque jour, fit son jogging chaque matin et suivit scrupuleusement son régime. Toutes les semaines, elle était pesée lors de sa séance chez les Weight Watchers. Elle discutait avec Grace de son mariage presque chaque jour. Sa mère l'entretenait du même sujet plus souvent qu'elle ne l'aurait voulu. Ses parents et sa sœur ne pensaient plus qu'à cela, maintenant. Victoria appelait cela la « Fièvre du Mariage ». À la rentrée, elle avait perdu quatre kilos et demi et se sentait en pleine forme. Il lui restait cependant un long chemin à parcourir. Pour l'instant, elle avait atteint un palier, mais elle était fermement résolue à ne pas céder au découragement. Cette fois, elle ne se laisserait pas aller. Elle voyait régulièrement sa thérapeute. Elle lui parlait de ses parents, de ses espoirs pour sa sœur et pour finir de ses propres désirs. Auparavant, elle n'y était jamais parvenue.

Ses élèves perçurent le changement. Elle était plus forte, plus confiante en elle-même. Helen et Carla lui dirent qu'elles étaient fières d'elle.

Victoria était contrariée parce que, depuis qu'elle avait son diplôme, sa sœur ne travaillait pas. Sous prétexte qu'elle était fiancée, elle ne cherchait même pas un emploi. Le respect qu'elle avait d'elle-même en pâtirait forcément, mais Grace prétendait ne pas en avoir le temps. Le but d'une vie ne consistait pourtant pas à planifier son mariage et à épouser un homme fortuné... Selon le Dr Watson, ce n'était pas son problème et elle devait se concentrer sur elle-même, sur son avenir. Ce qu'elle faisait. Malgré tout, son inquiétude pour sa sœur continuait de la troubler.

En septembre, elle ne perdit qu'un kilo, mais en tout, elle en avait perdu cinq et demi. Elle était donc à mi-parcours et en forme quand Grace lui annonça qu'elle allait passer un week-end à New York pour voir des robes de mariée et choisir les tenues de ses demoiselles d'honneur. Elle espérait que sa sœur aînée l'aiderait. Victoria n'était pas certaine d'être prête à l'assister dans cette tâche, mais Grace était sa petite sœur bien-aimée. Incapable de lui refuser quoi que ce soit, elle accepta malgré la pile de copies qu'elle avait à corriger durant ces deux jours. Sa thérapeute s'étonna qu'elle n'eût pas demandé à Grace de venir à un autre moment. Après tout, le mariage n'aurait lieu qu'en juin.

— Je ne pouvais pas me dérober, répondit franchement Victoria.

— Pourquoi ?

— Je n'ai jamais su lui dire non.

— Pourquoi souhaitiez-vous qu'elle diffère sa visite ?

— J'ai énormément de travail.

— C'est la seule raison ?

— Non. Je n'ai pas perdu suffisamment de poids et je suis terrifiée à l'idée qu'elle choisisse une robe qui ne m'ira pas du tout. Toutes ses amies sont minces comme elle. Elles font toutes un 34 ou un 36.

— Vous êtes vous, pas elles. De toute façon, vous ne ferez plus du 44 en juin, assura le médecin.

Jusque-là, Victoria avait rigoureusement suivi son régime.

— Et si c'était le cas ?

Le regard de Victoria reflétait un début de panique. Son objectif était d'atteindre le 38, mais ce serait déjà formidable si elle atteignait le 40 et s'y tenait.

— Pourquoi craignez-vous de ne pas réussir ?

— Parce que j'ai peur que mon père n'ait raison de penser que je suis une ratée. Jusqu'à maintenant, Grace le confirme dans ses certitudes. Elle est fiancée à vingt-deux ans avec un homme parfait aux yeux de mes parents. Le jour des noces, j'en aurai trente. Je suis toujours célibataire, je n'ai pas de petit ami, même pas un prétendant. Pour comble, je suis toujours professeur.

— Et une très bonne enseignante, lui rappela le médecin. Vous êtes le professeur principal du département d'anglais dans le meilleur lycée privé de New York. Cela ne compte pas pour des prunes, il me semble. D'ailleurs, au cas où votre sœur choisirait quelque chose qui ne vous plaît pas, vous pouvez imposer une petite modification ou même une tenue entièrement différente. Si elle vous demande votre aide, c'est sans doute pour vous en donner la possibilité.

— Non. Je ne serai là qu'en observatrice.

Victoria connaissait sa sœur. Elle acceptait volontiers de laisser à Harry les rênes du ménage mais, dans certains domaines, elle affirmerait sa volonté.

— En ce cas, c'est l'occasion de faire évoluer les choses.

— J'essaierai, répondit Victoria sans conviction.

Grace arriva le vendredi matin. Victoria était encore à l'école et elle se dépêcha de rentrer pour la retrouver. Elle avait laissé une clé sous le paillasson, si bien que Grace l'attendait dans l'appartement. Quand Victoria arriva, elle utilisait le tapis de marche qu'elle avait réglé sur un rythme soutenu.

— Cet engin n'est pas mal, dit-elle en souriant.

Sur cette grosse machine, elle ressemblait à un elfe ou à un enfant.

— Je l'espère bien ! Elle nous a coûté une fortune.

— Tu devrais t'en servir de temps en temps, dit Grace en sautant à terre.

— C'est ce que je fais, répliqua Victoria.

Elle était fière d'avoir maigri, mais déçue que Grace ne semblât pas le remarquer, tant elle était obsédée par son mariage. Après avoir embrassé sa sœur aînée, elle voulut partir immédiatement en ville faire les magasins. Elle avait une liste de boutiques. Après sa longue journée de travail, Victoria était épuisée car elle avait eu une réunion avec ses collègues d'anglais très tôt le matin. Elle fut pourtant prête en cinq minutes. En sortant de l'immeuble, elle s'inquiéta de voir l'énorme diamant au doigt de sa sœur. Il était difficile de ne pas le remarquer.

— Tu ne crains pas d'être agressée et dépouillée ? demanda-t-elle à Grace, qui haussa les épaules avec nonchalance.

— Personne ne croit que ce diamant est vrai.

Elles prirent un taxi qui les déposa devant Bergdorf. Elles montèrent au rayon Mariage et commencèrent à examiner les robes. Il y en avait des douzaines suspendues à des cintres ou étalées sur des présentoirs. Grace secoua la tête. Victoria les trouvait ravissantes, mais aucune n'était au goût de sa petite sœur. Modifiant ses objectifs, Grace voulut alors voir les robes de demoiselles d'honneur. Elle avait une liste de stylistes dont elle souhaitait comparer les modèles ainsi que des couleurs à tester. La réception devait être très guindée. Harry serait en queue-de-pie et ses garçons d'honneur en smoking. Pour l'instant, Grace envisageait des tissus pêche, bleu pâle ou champagne pour ses demoiselles d'honneur. C'étaient des couleurs qui convenaient à Victoria. Avec ses cheveux blonds et sa peau blanche, elle ne pouvait pas se permettre de porter certaines teintes, comme le rouge. Mais Grace lui promit que le rouge était totalement exclu. Tandis que les vendeuses lui proposaient des modèles, elle évoquait un général menant ses troupes à la bataille. Elle était aux commandes et planifiait ce qui apparaissait comme un événement national. Il aurait pu s'agir d'un concert de rock, d'une exposition universelle ou d'une campagne présidentielle. En tant que reine de la fête, Grace vivait son heure de gloire. Victoria ne put s'empêcher de se demander comment sa mère gérait la situation. Vu de près, c'était assez saisissant. Quant à leur père, il n'épargnait aucune dépense. Il voulait impressionner les Wilkes et satisfaire sa fille préférée. Totalement concentrée sur sa mission, Grace n'avait pas remarqué que sa sœur avait maigri. Victoria en fut blessée, mais elle se reprocha immédiatement cette puérilité et tâcha de s'intéresser aux robes qui retenaient l'attention de Grace. En quittant le magasin, elle en avait sélectionné deux ou trois. Quand Grace lui rappela qu'elle devait habiller dix demoiselles d'honneur, Victoria songea que si un jour elle se mariait, elle ne trouverait pas dix amies. Grace serait son seul témoin. Mais sa petite sœur avait toujours été une enfant chérie des dieux. Aujourd'hui, elle était la vedette et elle adorait cela. Au grand dam de Victoria, elle ressemblait de plus en plus à leurs parents. Elle était issue d'une famille de stars, alors que Victoria se faisait l'effet d'un météore tombé sur terre au beau milieu d'un tas de cendres.

Elles passèrent chez Barney, puis chez Saks. Grace prit rendez-vous pour le lendemain avec Vera Wang en personne. Elle voulait aussi rencontrer Oscar de la Renta, mais son séjour à New York durait trop peu de temps. Victoria commençait seulement à comprendre l'importance de l'événement. La veille de la cérémonie, les Wilkes organisaient une soirée habillée qui allait être plus fastueuse que bien des mariages. Il fallait donc trouver deux fois plus de tenues. Grace lui confia que leur mère avait déjà décidé de porter du beige pour le mariage et du vert émeraude pour la réception qui aurait lieu la veille. Tout était fixé. Elle était allée chez Neiman Marcus et les vendeuses lui avaient trouvé les deux robes idéales pour les deux événements. Grace pouvait donc se concentrer sur elle-même.

Chez Saks, les robes de mariée ne lui plurent pas non plus. Il était clair qu'elle cherchait un modèle extraordinaire. Sa détermination choquait quelque peu Victoria. Sa petite sœur se révélait telle qu'elle était… rien n'était trop beau pour elle. Les tenues des demoiselles d'honneur ne la transportaient pas non plus, jusqu'à ce qu'elle poussât un cri de surprise.

— Oh, mon Dieu !

À la voir aussi médusée, on aurait pu croire que Grace venait de découvrir le Saint Graal.

— C'est exactement ça ! poursuivit-elle. Je n'aurais jamais pensé à cette couleur.

C'était sans conteste une robe spectaculaire, même si Victoria ne la trouvait pas vraiment adéquate pour un mariage, surtout multipliée par dix. Ce brun chocolat évoquait davantage le début de l'automne. La vendeuse expliquait que c'était une nuance plus douce que le noir et très « chaude ». Taillée dans un satin très lourd, elle n'avait pas de bretelles et était ornée de petits plis au niveau des hanches. La jupe s'évasait ensuite gracieusement et tombait jusqu'au sol. À n'en pas douter, la façon était exquise. Malheureusement pour Victoria, seules de minuscules femmes éthérées et dénuées de formes pouvaient la porter. Ce haut ajusté et cette jupe évasée feraient paraître son derrière énorme. C'était une robe qui pouvait mettre en valeur une fille comme Grace. La plupart de ses amies lui ressemblaient et s'habillaient en 34-36. Victoria ne parvenait pas à imaginer l'effet qu'elle ferait sur elle, même si elle perdait du poids.

— Tout le monde va l'adorer ! s'écria Grace d'une voix exaltée. Elles pourront la porter par la suite dans n'importe quelle réception.

La robe était chère, mais ce n'était pas un problème pour la plupart d'entre elles. D'ailleurs, son père avait promis de payer la différence pour celles qui ne pouvaient pas s'offrir la tenue que sa fille choisirait. Le prix n'était pas non plus un problème pour Victoria, puisqu'il réglait la note. Son seul souci était qu'elle serait absolument hideuse, sur elle. Ce genre de modèle n'était pas adapté à des hanches et des seins comme les siens. Comme si cela ne suffisait pas, c'était exactement le genre de couleur qui ne lui seyait pas, avec ses cheveux blonds, sa peau claire et ses yeux bleus.

— Je ne peux pas porter cette robe, dit-elle à sa sœur. Je ressemblerais à une montagne de mousse au chocolat, quelle que soit la façon dont on tourne les choses. Que je perde vingt-cinq kilos ou que j'en perde cinquante, rien n'y fera. J'ai trop de poitrine et cette couleur ne me va pas.

Sa sœur la regarda avec des yeux suppliants.

— C'est exactement ce que je veux, mais jusque-là, je l'ignorais. Elle est superbe.

— C'est vrai, mais pour quelqu'un de ta taille. Si je me mariais et que tu portes cette robe, ce serait parfait. Sur moi, elle sera effrayante. Je suis certaine qu'on ne la trouvera même pas dans ma taille.

— On peut vous l'avoir dans n'importe quelle taille, s'empressa d'intervenir la vendeuse.

Étant donné le prix de la robe, elle espérait réaliser une très belle vente.

Une lueur de folie dans les yeux, Grace ignora totalement les supplications de sa sœur.

— Elles seront prêtes en juin ?

— Si vous me fournissez toutes les tailles, vous les aurez probablement en décembre.

Grace parut soulagée, mais Victoria était au bord des larmes.

— Grace, tu ne peux pas me faire ça ! Je serai horrible, dans cette robe.

— Pas du tout ! Tu as dit que tu voulais perdre du poids, de toute façon.

— Même ainsi, elle ne m'ira pas. En soutien-gorge, je prends du 95 D. Il faut être faite comme toi, pour porter ce modèle.

Grace leva vers elle des yeux mouillés. Depuis qu'elle avait cinq ans, cette expression avait toujours fait fondre le cœur de Victoria.

— Je ne me marie qu'une fois, dit-elle d'une voix suppliante. Je veux que tout soit parfait, pour Harry. Tout doit correspondre à mon rêve. D'habitude, les demoiselles d'honneur sont en rose, en bleu ou en couleurs pastel, mais personne n'a jamais osé le brun. Jamais on n'aura vu de noces aussi élégantes à Los Angeles.

— Avec une demoiselle d'honneur qui ressemblera à un éléphant.

— Tu auras perdu du poids, en juin. Tu y arrives toujours, quand tu t'y mets vraiment.

— Là n'est pas la question. Il me faudra de la chirurgie esthétique, pour me débarrasser de toutes mes rondeurs.

Et ces petits plis sur les hanches ne feraient qu'empirer les choses. Grace projetait déjà d'ajouter des orchidées brunes aux robes. Rien ne pouvait l'en dissuader et elle fit sa commande sans un regard pour sa sœur, qui retenait ses larmes. Le jour du mariage, Victoria aurait l'air d'un monstre, tandis que toutes les copines anorexiques de sa sœur seraient très élégantes, dans leurs robes chocolat sans bretelles. Le modèle était en effet exquis, mais pas sur Victoria. Abandonnant la partie, elle demeura silencieuse pendant que Grace fournissait les tailles de la plupart des robes. A l'exception de deux d'entre elles, qui faisaient du 34, ses amies faisaient toutes du 36. Une fois à Los Angeles, elle téléphonerait pour fournir les précisions qui manquaient. Lorsqu'elles quittèrent le magasin, Grace semblait euphorique. Elle était tellement excitée qu'elle dansait presque dans la rue. Dans le taxi qui les ramenait à l'appartement, Victoria ne prononça pas un mot. Elles passèrent chez le traiteur et, sans y penser, Victoria acheta trois demi-litres de glace Häagen-Dazs. Cela n'étonna pas Grace, qui ne se doutait pas que Victoria n'en avait pas mangé depuis quatre mois. C'était à peu près comme si un alcoolique repenti s'était faufilé dans un bar pour commander une vodka bien glacée.

Une fois à l'appartement, Grace appela sa mère pendant que Victoria rangeait leurs achats, juste au moment où Harlan entrait dans la cuisine. Dès qu'il aperçut la glace, il la pointa du doigt comme s'il voyait le diable et regarda Victoria avec une horreur mêlée d'incrédulité.

— Qu'est-ce que c'est que *ça* ?

— Elle a commandé des robes chocolat sans bretelles pour les demoiselles d'honneur. Je serai affreuse !

Lui prenant la glace des mains, il la jeta à la poubelle.

— Alors, dis-lui que tu refuses de la porter et qu'elle doit t'en commander une autre. Peut-être n'est-elle pas aussi moche que tu le dis.

— Elle est ravissante, mais pas sur moi. La couleur ne me va pas et la coupe encore moins.

— Dis-le-lui, répéta fermement Harlan.

Tout à coup, il lui faisait penser à sa psychiatre.

— Je l'ai fait, mais elle ne m'écoute pas. Elle ne pense qu'à la réalisation de son rêve, elle ne se mariera qu'une fois et tout doit être parfait. En tout cas pour tout le monde, sauf pour moi.

— C'est une brave gosse. Explique-le-lui.

— C'est une future mariée en mission. Nous avons dû passer en revue une centaine de robes, aujourd'hui. Ce sera l'événement du siècle.

— En tout cas, cela ne t'aidera en rien si tu jettes ton régime aux orties, assura Harlan.

La vue de ces boîtes de glace l'avait mis hors de lui. Jusque-là, Victoria avait tenu bon et il ne voulait pas qu'elle ruinât tous ses efforts pour une stupide histoire de robe.

Pendant ce temps, Grace était pendue au téléphone. Elle racontait à ses amies quelle robe fabuleuse elle leur avait commandée. Découragée, Victoria s'assit dans la cuisine. De nouveau, il lui semblait être invisible. Totalement repliée sur elle-même, Grace ne l'écouterait pas, quoi qu'elle pût lui dire. C'était relativement difficile à supporter et elle ne savait que faire pour y remédier.

Ce soir-là, les deux sœurs dînèrent dans la cuisine avec Harlan et John. Grace leur fournit force détails sur son mariage. À la fin du repas, Victoria était au bord de la nausée.

— Je suis peut-être jalouse, murmura-t-elle à Harlan après que sa sœur eut quitté la pièce pour appeler Harry avant d'aller se coucher.

— Je ne crois pas que ce soit ça, mais toute cette comédie est un peu excessive. On dirait une gamine hors contrôle. Ton père est en train de fabriquer un monstre, en la laissant organiser son mariage à sa guise.

— Il s'imagine que ça lui donne de l'importance, répliqua Victoria d'une voix morne.

C'était la première fois de sa vie que la compagnie de Grace la déprimait à ce point. En réalité, ce week-end était catastrophique.

Le jour suivant ne fut pas plus amusant. Victoria accompagna sa sœur à son rendez-vous avec Vera Wang. Elles examinèrent une douzaine de robes de mariée et, finalement, la styliste proposa à Grace de lui envoyer des croquis réalisés à partir des vœux qu'elle avait exprimés. La jeune fille fut emballée.

Ensuite, elles décidèrent de déjeuner au Serendipity. Grace commanda une salade et Victoria des raviolis au fromage, suivis d'un café glacé saupoudré de chocolat et nappé de crème fouettée. Grace ne s'étonna pas de la voir ingurgiter tout cela, elle y était habituée. En revanche, Victoria se sentit encore plus déprimée d'avoir cassé son régime. Lorsqu'elles rentrèrent, elle était épuisée, cafardeuse et sur le point d'exploser. Elle n'avait pas mangé de cette façon depuis des mois. À son expression, Harlan perçut immédiatement sa culpabilité.

— Qu'est-ce que vous avez fait, aujourd'hui ?

— On a rencontré Vera Wang.

— Ce n'est pas ce que je veux dire et tu le sais très bien. Qu'est-ce que tu as mangé au déjeuner ?

— Inutile de préciser que j'ai envoyé mon régime au diable.

— Ça n'en vaut pas la peine, Victoria. Ces derniers mois, tu as fait trop d'efforts pour tout gâcher maintenant.

— Ce mariage me rend nerveuse. La robe que je dois porter me donne des envies de suicide et ma sœur se transforme en quelqu'un que je ne connais pas. Elle ne devrait même pas se marier, à son âge ! Ce type contrôle sa vie comme mon père... Elle épouse notre père, conclut tristement Victoria.

— Laisse-la faire, si c'est ce qu'elle veut. Elle est assez grande pour faire ses propres choix, même si c'est une erreur. Tu ne peux pas bousiller ta vie pour ça, d'autant que tu n'y changeras rien, sauf que tu seras encore plus malheureuse. Porte cette robe, saoule-toi pendant la réception et rentre à la maison.

Victoria ne put s'empêcher de rire.

— Il y a du vrai, dans ce que tu dis. D'ailleurs, le mariage a lieu dans huit mois. Si je perds suffisamment de poids, je réduirai un peu les dégâts.

— À condition de ne pas abandonner ton régime.

— Je tiendrai bon. Ce soir, pas d'excès. Nous restons à la maison et elle repart pour Los Angeles demain. Dès qu'elle sera partie, je serai de nouveau opérationnelle.

— Tu dois l'être dès maintenant, dit Harlan avant de regagner sa chambre.

Victoria s'exerça sur le tapis de marche pour compenser ses excès. Pendant ce temps, Grace trouva la carte d'un traiteur dans la cuisine et commanda une pizza qui fut livrée une heure plus tard. Victoria ne résista pas à la tentation. Grace en mangea une part et elle engloutit le reste. Si elle l'avait pu, elle aurait aussi avalé la boîte pour que Harlan ne s'aperçût de rien. Lorsqu'il la vit, il regarda Victoria comme si elle avait tué quelqu'un.

C'était vrai, mais la victime n'était autre qu'elle-même. Pour couronner le tout, elle était rongée par la culpabilité.

Le lendemain, elles déjeunèrent au restaurant avant le départ de Grace. Pour la remercier de son aide, la jeune fille l'invita au Carlyle pour un brunch. Victoria prit des œufs Benedict, au bacon, accompagnés d'une sauce hollandaise et de muffins. Quand Grace commanda du chocolat chaud et des petits cookies, elle ne put une fois de plus résister à la tentation.

Lorsqu'elle partit pour l'aéroport, Grace se répandit en remerciements. Avant de se quitter, les deux sœurs s'étreignirent longuement. La jeune fille était ravie de son séjour. Elle promit de tenir Victoria au courant, en ce qui concernait les modèles proposés par Vera Wang et le reste. Tandis que le taxi s'éloignait, Victoria resta sur le trottoir, à agiter la main. Dès qu'il eut disparu, elle fondit en larmes. De son point de vue, ce week-end avait été une véritable catastrophe et elle avait le sentiment d'avoir échoué sur toute la ligne. Pour comble, elle allait être hideuse le jour du mariage de sa sœur. Elle remonta chez elle, et alla se coucher en souhaitant être morte.

18

Le lundi, Victoria retrouva le lycée avec soulagement. Au moins, c'était un monde qu'elle comprenait et où elle gérait relativement la situation.
Dès qu'il s'était agi de son mariage, sa sœur était
devenue incontrôlable et sa compagnie était assez
déprimante. L'effet sur Victoria en avait été désas-
treux, puisqu'elle avait perdu toute maîtrise de son
comportement alimentaire. Dans l'après-midi, elle
avait un rendez-vous avec le Dr Watson, à qui elle
confia son abattement.

— J'étais comme folle, lui avoua-t-elle. Je man-
geais tout ce qui était à ma portée. Cela ne m'était
pas arrivé depuis des années… du moins depuis des
mois. Ce matin, je me suis pesée : j'ai pris un kilo
et demi.

— Vous les perdrez, la rassura le médecin. À
quoi était-ce dû, selon vous ?

Elle paraissait intéressée, mais pas le moins du
monde inquiète.

— Je me sentais de nouveau invisible, comme si
rien de ce que je pouvais dire n'avait d'importance.
Elle est devenue comme eux.

— Peut-être l'a-t-elle toujours été.

— Non ! Mais l'homme qu'elle épouse ressemble très exactement à mon père. Je suis vraiment en position d'infériorité, maintenant. Je serai absolument affreuse, dans la robe qu'elle veut me faire porter.

— Pourquoi ne pas le lui avoir dit ?

— J'ai essayé, mais elle ne m'a pas écoutée et elle a commandé ce qu'elle voulait. Ces temps-ci, c'est une vraie peste.

— C'est ce qui arrive parfois aux futures mariées. À vous entendre, elle a perdu la raison.

— C'est le cas. Elle veut le mariage de ses rêves. De toute façon, elle ne devrait même pas épouser ce type. Elle finira comme ma mère et je ne veux pas que ça lui arrive.

— Vous n'y pouvez rien, lui rappela le médecin. La seule personne sur qui vous pouvez exercer une influence quelconque, c'est vous.

Victoria commençait à le comprendre, mais l'évolution de sa sœur la chagrinait. Malgré tout, elle se sentait mieux à la fin de la séance. Une fois rentrée, elle passa une heure sur le tapis de marche, puis partit à la gym.

À 20 heures, en regagnant l'appartement, elle était tellement fatiguée qu'elle se coucha directement. Dans la journée, Grace lui avait envoyé deux SMS pour la remercier de ce « week-end fabuleux ». Pour sa part, Victoria l'avait trouvé plutôt mortel et elle s'en voulait un peu. Elle avait hâte que ce mariage fût derrière elles, pour retrouver un peu d'intimité avec sa sœur. Les huit prochains mois allaient être bien longs !

Le lendemain, Victoria participa à une réunion des Weight Watchers avant d'aller au travail. Elle avoua ses fautes à l'une des conseillères avant de se soumettre à la pesée. À son grand soulagement, elle avait déjà perdu un kilo, ce qui prouvait qu'elle était de nouveau sur la bonne voie.

Avant le déjeuner, elle avait trois heures de cours. Elle quittait sa classe pour gagner la salle des professeurs, lorsqu'elle aperçut l'une de ses élèves qui pleurait dans le couloir. Apparemment en plein désarroi, elle se précipita dans les toilettes dès qu'elle vit son professeur. Ce comportement inquiéta Victoria, qui la suivit. Par bonheur, il n'y avait personne d'autre.

— Tu te sens bien ? demanda-t-elle prudemment.

La jeune fille s'appelait Amy Green. C'était une bonne élève dont les parents étaient en train de divorcer, si on en croyait la rumeur.

— Très bien, répliqua Amy avant de fondre en larmes.

Victoria lui tendit plusieurs mouchoirs en papier. Après s'être mouchée, Amy parut embarrassée.

— Je peux faire quelque chose pour toi ?

La jeune fille secoua négativement la tête, muette de désespoir.

— Tu veux bien venir dans mon bureau pendant quelques minutes, ou bien faire quelques pas dehors ? suggéra Victoria.

Amy hésita un instant avant d'accepter. Cette enseignante avait toujours été gentille avec elle et elle la trouvait « cool ».

Le bureau se trouvait quelques mètres plus loin. Un instant plus tard, Victoria refermait la porte derrière elles et faisait signe à Amy de s'asseoir. Elle remplit ensuite un verre d'eau qu'elle lui tendit, tandis qu'Amy se mettait à sangloter de plus belle.

Apparemment, elle avait de gros problèmes. S'asseyant à son tour, Victoria attendit patiemment qu'elle se calmât. Enfin, Amy leva vers elle des yeux terrifiés.

— Je suis enceinte, hoqueta-t-elle. Je ne le savais même pas. Je ne m'en suis aperçue qu'hier.

Victoria devina facilement qui était le père de l'enfant. Depuis deux ans, Amy avait le même petit ami, un très gentil garçon. Ils devaient recevoir leur diplôme de fin d'études en juin. La détresse de cette jeune fille fit oublier à Victoria le mariage de sa sœur.

— Tu l'as dit à ta maman ? s'enquit-elle avec douceur, en lui tendant d'autres mouchoirs.

— Je ne peux pas ! Elle va me tuer. Elle a déjà suffisamment de soucis avec son divorce.

Victoria avait entendu dire que le père d'Amy avait quitté son épouse pour une autre femme.

— Et maintenant, voilà ce qui m'arrive, poursuivit l'adolescente. Je ne sais pas quoi faire.

— Est-ce que Justin est au courant ?

— Oui. Nous sommes allés chez le médecin ensemble. Nous utilisons des préservatifs, mais il y en a un qui s'est déchiré. Et je ne prenais plus la pilule, parce que cela me rendait malade.

— Merde ! dit Victoria.

Amy sourit à travers ses larmes.

— Vous pouvez répéter ?

— OK. Merde !

Cette fois, elles rirent toutes les deux, bien qu'il n'y eût pas matière à rire.

— Est-ce que tu sais ce que tu veux faire ? demanda Victoria.

C'était bien entendu une décision qu'elle devrait prendre avec ses parents, mais il n'y avait aucun mal à en parler.

— Je n'ai encore rien décidé, avoua Amy. Je suis trop jeune pour avoir un bébé, mais je ne veux pas avorter. Vous pensez qu'ils vont me renvoyer du lycée ?

Soudain affolée, elle regrettait de s'être confiée à une enseignante.

— Je l'ignore, répondit franchement Victoria.

Depuis sept ans qu'elle travaillait au lycée Madison, elle n'avait jamais eu affaire à ce genre de problème. Elle avait entendu dire que d'autres élèves avaient été enceintes, mais elle n'avait jamais été elle-même en première ligne ou la seule à l'apprendre. Ce genre de situation était en général pris en charge par la psychologue scolaire, la conseillère d'éducation ou le proviseur. Elle n'était qu'un professeur d'anglais, même si elle était à la tête du département. En revanche, elle était femme et pouvait parler avec cette jeune fille, bien qu'elle n'eût jamais attendu d'enfant elle-même. Par ailleurs, elle aurait détesté qu'Amy fût renvoyée avant la remise des diplômes. Grâce à ses excellentes notes, elle pouvait être acceptée à Yale, à Harvard ou dans l'une des universités prestigieuses auxquelles elle avait envoyé sa candidature.

Victoria savait qu'on n'avait jamais autorisé une élève enceinte à assister aux cours, cependant elle se voulut encourageante :

— On doit pouvoir trouver une solution. Pour commencer, tu dois en parler à ta mère.

— Ça la tuera.

— Non. C'est arrivé à bien d'autres avant toi. Ta mère et toi, vous devrez chercher une solution, quelle qu'elle soit. Est-ce que tu souhaites que je lui parle avec toi ?

— Non. Je pense qu'elle m'en voudrait de ne pas m'être confiée à elle en premier, soupira Amy.

Elle but une gorgée d'eau. Elle était plus calme, maintenant, mais elle avait quelques décisions difficiles à prendre. Elle n'avait que dix-sept ans et, sans cet enfant, un brillant avenir l'aurait attendue. Sa présence rendrait les choses plus difficiles.

— Justin m'a promis que nous lui parlerions ensemble. Il veut que nous le gardions. Peut-être même nous marierons-nous un jour.

En prononçant ces mots, elle avait l'air triste. Elle ne se sentait pas prête pour la maternité ou le mariage, mais l'autre terme de l'alternative lui paraissait encore pire.

Victoria griffonna le numéro de son portable sur un bout de papier et le lui tendit.

— Tu peux m'appeler n'importe quand. Je ferai ce que je pourrai pour t'aider. Et si tu vas voir M. Walker, je pourrai peut-être assister à l'entretien.

Pour rien au monde elle ne voulait qu'Amy fût renvoyée. Au contraire, elle devait terminer son année scolaire, ce que la jeune fille souhaitait aussi.

Quelques minutes plus tard, elles quittèrent ensemble le bureau. Victoria embrassa Amy, qui partit rejoindre Justin à la cafétéria. Elle les vit sortir ensemble du lycée après le déjeuner. Elle espérait qu'ils iraient voir la mère d'Amy. Le lendemain, la jeune fille manqua les cours, mais elle l'appela. Elle lui rapporta que sa mère et elle devaient rencontrer le proviseur dans l'après-midi et elle souhaitait sa présence lors de l'entretien. Victoria accepta et, à l'heure dite, elle se tenait devant le bureau de M. Walker. Amy et sa mère arrivèrent. La jeune fille avait les yeux rouges et sa mère semblait lugubre. Dès qu'elle aperçut Victoria, l'adolescente sourit et sa mère remercia la jeune femme d'être venue.

Le proviseur les attendait. Il se leva dès qu'elles entrèrent dans son bureau. Il parut surpris de voir Victoria, mais les invita toutes les trois à s'asseoir. Il arborait une expression soucieuse. N'ayant pas connaissance de problèmes qu'Amy aurait pu avoir au sein de l'établissement, il ignorait la raison de leur présence. Il supposait que cela avait un rapport avec le divorce des parents et espérait qu'ils ne souhaitent pas la retirer du lycée. Étant donné ses excellents résultats scolaires, il aurait été désolé de la perdre. Il parut à la fois surpris et désolé, quand Mme Green lui apprit que sa fille était enceinte. Ce n'était pas la première fois qu'un tel événement se produisait, mais c'était toujours une situation très délicate à régler. Mme Green annonça que le bébé devait naître en mai, après quoi elle étonna Victoria et le proviseur en déclarant qu'Amy avait décidé de garder le bébé. Lorsqu'elle partirait pour l'université, à la rentrée prochaine, c'est sa mère qui s'en occuperait. Si par bonheur la jeune fille était acceptée par Barnard ou l'université de New York, elle pourrait rester à la maison, auprès de son enfant. Mme Green apportait son soutien à sa fille, qui paraissait moins bouleversée que deux jours auparavant.

— Ce qu'il nous faut savoir, dit calmement la maman, c'est si Amy pourra rester ici, ou si nous devrons la retirer du lycée.

Pour l'instant, c'était sa plus grande crainte, car l'avenir de sa fille serait compromis, si son année de terminale était interrompue.

— Est-ce que tu désirerais rester, Amy ? demanda le proviseur. Est-ce que ce ne sera pas trop dur, quand tous tes camarades seront au courant et bavarderont ?

— Non, puisque j'ai décidé de garder le bébé quoi qu'il arrive.

Amy adressa un sourire reconnaissant à sa mère. Victoria devina que la décision n'avait pas été facile, mais elle pensait qu'elles avaient pris la bonne. Un avortement aurait été une grosse erreur et se serait révélé plus traumatisant pour Amy que les changements qu'elle allait devoir apporter à sa vie. Si sa mère voulait bien l'aider, elle pourrait sans doute poursuivre son chemin.

— Je préfère rester ici, ajouta Amy.

Le proviseur hocha la tête. Jusqu'alors, il n'avait jamais permis à une élève enceinte de poursuivre ses études dans l'établissement, mais il ne souhaitait pas ruiner l'avenir de cette jeune fille. Il avait des responsabilités envers elle, autant qu'envers ses camarades. Il tenta de deviner dans combien de temps la grossesse serait apparente.

— Je pourrais te faire donner des cours particuliers, mais ta future université risque de ne pas l'apprécier. Quand le bébé doit-il naître ?

— Le premier mai, répondit Amy.

— Nous avons un congé assez long au printemps, réfléchit-il à voix haute, ce qui nous amène à la fin du mois d'avril. Tu pourrais continuer d'assister aux cours jusqu'aux vacances, ensuite tu resteras chez toi, après la naissance du bébé, et tu reviendras fin mai, pour passer les examens de fin d'année et assister avec tes camarades à la remise des diplômes, qui aura lieu en juin. En ce qui concerne tes études, cela ne devrait pas te poser de problèmes et je crois qu'on pourrait s'arranger de cette façon. Nous avons des élèves qui se sont absentés plus longtemps parce qu'ils souffraient de mononucléose. Et je ne veux pas que tu perdes ton année. En tout cas, ce sera une grande première, pour nous, mais si la solution vous convient à toutes les deux, nous nous en accommoderons.

Les yeux fixés sur les deux femmes, le proviseur se tut. Hochant la tête, Amy se mit à pleurer de soulagement. Victoria n'avait pas prononcé un mot, mais elle avait été là pour la soutenir. La mère d'Amy se confondit en remerciements et quelques minutes plus tard, tout ce monde quittait le bureau du proviseur. L'air inquiet, Justin les attendait dans le couloir. Dès qu'elle franchit la porte, Amy lui sourit. Sous les yeux de Mme Green et de Victoria, il la prit dans ses bras avec douceur, comme pour la protéger. Le cœur gonflé d'espoir, Victoria les regardait en silence. Avec l'aide de Mme Green, l'avenir leur sourirait peut-être.

Amy annonça la bonne nouvelle à Justin, dont le visage s'éclaira.

— Ils me permettent de rester. M. Walker a été vraiment très gentil. Je continuerai de venir en cours jusqu'aux vacances de printemps. Ensuite, je reviendrai après la naissance du bébé pour terminer mon année scolaire.

Soudain, Justin parut soulagé d'un énorme fardeau. Victoria, qui ne les avait pas quittés du regard, songea qu'ils étaient tous les deux adorables. Par bonheur, leur entourage était prêt à les aider.

Justin remercia Mme Green et Victoria.

— Je n'ai pas fait grand-chose, répondit cette dernière.

— Si ! intervint Amy. L'autre jour, vous m'avez écoutée et vous m'avez donné le courage de tout avouer à maman. Dès que je vous ai quittée, nous sommes allés la voir.

— J'en suis heureuse, dit simplement Victoria. Je suis certaine que tu as pris les bonnes décisions, dont certaines sont particulièrement courageuses.

— Encore merci pour votre soutien, dit alors Mme Green d'une voix tremblante.

Quelques minutes plus tard, ils quittaient tous les trois l'établissement pour rentrer chez eux.

Du coup, Victoria pensa à sa sœur. Elle se réjouissait que rien de tel ne lui fût arrivé, car nul n'était jamais à l'abri. Mme Green s'était montrée particulièrement compréhensive, les jeunes gens avaient été très courageux et ils avaient bien géré la situation. En fin d'après-midi, lorsqu'elle rentra chez elle, elle y réfléchissait encore. Le lendemain matin, Amy assista à son cours. Justin l'escortait comme il le faisait toujours depuis deux ans. La jeune fille semblait mieux qu'elle ne l'avait été les jours précédents. L'année scolaire s'annonçait passionnante, si une élève enceinte se trouvait parmi ses élèves. Comme le proviseur l'avait dit, c'était une première. Victoria se fit la réflexion qu'on ne s'ennuyait jamais, avec les enfants.

roule. Elle semblait mince, ou elle se l'avait dit le
soir ... ...
... ...
... ...
... ...
... ...

19

Comme chaque année, Victoria passa les fêtes
de Thanksgiving chez ses parents. C'était différent,
cette fois, car Harry avait accepté de se joindre à
eux. Cela augurait un peu de l'avenir, quand Grace
et Harry seraient mariés. En arrivant, le mercredi
soir, Victoria trouva sa mère très affairée, en train
de sortir ses plus belles parures de table. Grace et
Harry dînaient chez la sœur du jeune homme, qui
devait fêter Thanksgiving dans sa belle-famille, le
lendemain. Les parents de Harry étaient en voyage,
c'est pourquoi Jim et Christine avaient pu inviter
leur futur gendre. On eût dit qu'ils recevaient un
chef d'État. Victoria trouvait cela ridicule, mais,
dès son arrivée, elle aida sa mère à mettre la table.
Elle s'étonna de voir la nappe, les serviettes et les
verres de cristal de sa grand-mère, ainsi que les
assiettes offertes à Christine pour son propre
mariage.

— Faut-il vraiment faire toutes ces manières pour
lui, maman ? Il me semble que tu n'as jamais utilisé
ces couverts, auparavant.

— Je ne m'en suis pas servie en vingt ans, admit
sa mère d'un air penaud. Ton père me l'a demandé.

Il pense que Harry est habitué à ce qu'il y a de mieux. Il ne faudrait pas lui laisser croire que nous ne possédons pas de jolies choses.

Ces propos donnèrent immédiatement envie à Victoria de célébrer Thanksgiving dans le jardin, autour d'un barbecue, avec des assiettes en plastique. Il lui semblait bien prétentieux de se mettre à ce point en frais pour un gamin de vingt-sept ans qui allait faire partie de la famille. Mais ses parents voulaient absolument lui faire bonne impression. Harry aurait sans doute été tout aussi content de manger dans les assiettes habituelles, qu'il avait déjà vues et qui étaient très bien. Du coup, ce repas devenait la grande affaire du siècle.

À minuit, Grace rentra à la maison très excitée. Elle trouvait la sœur de Harry « adorable » et ne cessait de répéter qu'elle avait passé chez elle une très bonne soirée. Elle la connaissait pourtant déjà, mais elles allaient devenir belles-sœurs, ce qui changeait tout. À en croire Grace, le mari de la jeune femme était fort sympathique et ses deux enfants charmants. Victoria regrettait amèrement le temps où sa petite sœur parlait d'autre chose que des Wilkes et du mariage. Elle n'avait toujours pas admis que sa sœur lui imposât de porter cette robe chocolat. Ces derniers temps, il était quasiment impossible de la faire revenir sur terre et d'aborder avec elle d'autres sujets de conversation.

— Tu devrais peut-être chercher un emploi, lui dit-elle. Tu ne penserais plus exclusivement à ton mariage.

— Cela ne plairait pas à Harry.

— Elle n'a pas le temps de travailler, intervint leur mère. Elle a trop à faire pour préparer la cérémonie. Nous devons encore nous occuper des invitations et établir la liste de mariage dans trois magasins. Elle doit aussi aider Harry à trouver un appartement. Nous attendons toujours les croquis de Vera Wang. Oscar de la Renta est lui aussi censé nous proposer quelques modèles qui iraient bien avec les robes des demoiselles d'honneur. Grace n'a pas encore choisi le gâteau. Il va falloir rencontrer le traiteur et le fleuriste. Nous avons besoin d'un orchestre et nous ne savons pas encore dans quelle église la cérémonie aura lieu. Les fiancés devront la préparer avec le prêtre... Sans oublier les essayages, pour la robe, et les photographies. Grace est bien trop occupée pour travailler.

Rien qu'à l'écouter, Victoria était épuisée. Sa mère aussi, apparemment. Les préparatifs étaient devenus une occupation à plein temps, ce que Victoria estimait parfaitement ridicule. D'autres gens parvenaient à travailler *et* à se marier, mais pas Grace.

— Tout cela doit coûter une fortune, dit-elle à son père le lendemain matin.

Vêtue d'un tailleur Chanel en laine blanche protégé par un tablier, sa mère était en train d'arroser la dinde. La famille s'était mise sur son trente et un, sauf Victoria, qui portait un pantalon gris et un pull blanc. Elle trouvait cette tenue bien suffisante, pour fêter Thanksgiving dans l'intimité. D'ordinaire, ses parents ne faisaient pas autant d'efforts, mais tout avait changé depuis que Grace était fiancée avec Harry. Estimant tous ces chichis aussi absurdes qu'inappropriés, la jeune femme refusait de les imiter.

— Tu ne te trompes pas, confirma son père. J'en ai en effet pour une fortune, mais les Wilkes sont des gens importants. Je ne veux pas que Grace soit gênée. N'espère rien de ce genre, si tu te maries un jour, ajouta-t-il. Si tu te trouves un époux, tu ferais aussi bien de t'enfuir avec lui, parce qu'il est exclu de faire autant de frais à deux reprises.

Il sembla à Victoria qu'il venait de la gifler. Comme d'habitude, on l'informait gentiment que Grace méritait des noces de princesse, mais si son tour venait, ce que son père jugeait peu probable, il valait mieux pour elle de prendre la poudre d'escampette avec son fiancé, parce que ses parents ne dépenseraient rien pour elle. C'était clair comme de l'eau de roche et vraiment sympathique. De nouveau, elle n'était jamais qu'une citoyenne de seconde classe. Sa famille voyageait en cabine de luxe et elle avait droit à l'entrepont. Ils l'étiquetaient toujours comme différente, inférieure ou ratée. Elle se demandait pourquoi ils ne mettaient pas un panneau sur sa porte, avec « nous ne t'aimons pas » en majuscules ! Ses parents le lui avaient fait comprendre de toutes les façons possibles... L'espace d'un instant, elle regretta d'être venue. Elle aurait pu fêter Thanksgiving avec Harlan et John, à l'appartement. Ils avaient convié des amis et elle aurait été certainement mieux reçue que dans sa propre famille. Après ce que son père venait de dire, elle n'aurait pas pu se sentir moins désirée ou moins aimée. Elle ne fit plus allusion au mariage, qui était devenu un sujet trop douloureux pour elle, même si sa sœur ne pouvait parler de rien d'autre. Quand Harry arriva à midi, ce fut encore pire.

Comme pris de folie, chacun s'affaira. Son père servit du champagne à la place du vin. Sa mère se faisait du souci pour sa dinde. Victoria était dans la cuisine, Harry et Grace chuchotaient et gloussaient dans le jardin, tandis que leurs parents se ridiculisaient. Lorsqu'ils passèrent à table, les deux hommes parlèrent politique. Harry expliqua ce qui n'allait pas dans le pays. Approuvé par Jim, il exposa les solutions qui résoudraient tous les problèmes. Chaque fois que Grace voulait dire quelque chose, son fiancé l'interrompait ou terminait sa phrase pour elle. Elle n'avait pas droit à la parole, ni l'autorisation d'émettre une opinion, sauf s'il s'agissait du mariage. Il n'y avait rien d'étonnant à ce qu'elle en parlât constamment, si c'était le seul sujet que Harry lui permettait d'aborder. Lorsqu'ils sortaient ensemble, Victoria l'avait toujours trouvé ennuyeux, mais maintenant, il était insupportable et incroyablement imbu de lui-même. Entre Harry et son père, Victoria avait envie de hurler. Pour plaire à son fiancé, Grace jouait les imbéciles en permanence, désormais. Quant à leur mère, son rôle se bornait à aller et venir, entre la cuisine et la salle à manger. Victoria ne put soutenir aucune conversation intelligente de tout l'après-midi. Après le repas, elle sortit un instant dans le jardin pour prendre l'air. Grace avait mis le pied dans un engrenage qui l'horrifiait. Quand la jeune femme la rejoignit dehors, sa sœur aînée la contempla avec désespoir.

— Ma chérie, tu es plus intelligente que ça ! Qu'est-ce que tu fabriques ? Harry ne te laisse pas dire un mot. Comment peux-tu être heureuse, dans ces conditions ? Il y a une vie, après le mariage.

Tu ne peux pas rester avec un homme qui t'écrase à chaque instant et te dicte ce que tu dois penser.

Grace parut exaspérée par les propos de sa sœur.

— Ce n'est pas ça du tout ! Harry est adorable avec moi.

— J'en suis certaine, mais il te traite comme une poupée sans cervelle.

Visiblement choquée, Grace se mit à pleurer. Victoria voulut la prendre dans ses bras, mais sa sœur s'écarta d'elle.

— Comment peux-tu dire des choses pareilles ?

— Parce que je t'aime. Je ne veux pas que tu gâches ta vie.

Cette franchise pouvait paraître brutale, mais Victoria l'estimait nécessaire.

— Ce n'est pas vrai ! Je l'aime, il m'aime et il me rend heureuse.

— Il est comme papa, qui n'a jamais écouté maman. Nous non plus, puisque nous sommes suspendues aux lèvres de papa. Alors, elle quitte la maison pour jouer au bridge. C'est l'avenir que tu envisages ? Il faudrait que tu aies un travail, quelque chose d'intelligent à faire. Tu es brillante, Grace. Je sais que c'est mal vu, dans cette famille, mais dans le monde réel, c'est plutôt une qualité.

— Tu es jalouse, répliqua Grace, furieuse. Et tu m'en veux à cause de la robe marron.

Elle s'exprimait comme une enfant irascible.

— Je ne t'en veux pas, je suis seulement déçue que tu me fasses porter une robe dans laquelle je serai affreuse. Mais si c'est important pour toi, je me résignerai. J'aurais simplement préféré que tu choisisses une tenue qui me mette en valeur moi, et pas uniquement tes amies. C'est ton mariage, c'est toi qui prends les décisions. En revanche, je souhaiterais que tu n'abandonnes pas ton cerveau au pied de l'autel, en échange d'une alliance. À mon sens, ce serait un très mauvais marché.

— Et moi, je pense que tu es une garce ! s'écria Grace.

Sur ces mots, elle s'engouffra dans la maison.

Restée seule, Victoria chercha comment elle pourrait écourter son séjour et repartir pour New York. Ils étaient tous tellement occupés à frimer devant Harry et à essayer de l'impressionner que les fêtes étaient totalement gâchées pour elle. Elle rejoignit les autres et prit le café avec eux sans mot dire. Grace était assise auprès de Harry et, quelques minutes plus tard, Victoria alla à la cuisine aider sa mère. Il fallait laver les assiettes à la main, tant elles étaient délicates. Son père continua de discuter dans la salle de séjour avec son futur gendre. Pour Victoria, la journée avait été pénible. Elle se sentait de plus en plus étrangère à cette famille. Chacun y avait sa place, sauf elle. Le rôle de marginale et de paria qui lui était dévolu ne lui plaisait pas particulièrement.

— La dinde était délicieuse, maman, dit-elle en essuyant la vaisselle.

— Je l'ai trouvée bien sèche. J'étais anxieuse et je l'ai laissée cuire trop longtemps. Je voulais que tout soit parfait pour Harry.

Victoria faillit lui en demander la raison. Puisqu'il allait entrer dans la famille, pourquoi lui accordait-elle autant d'importance ? Ce n'était pas le pape ! Jamais auparavant on n'avait fait autant de manières pour un visiteur.

— Il est habitué à ce qu'il y a de meilleur, précisa sa mère avec un sourire. Grace mènera une vie merveilleuse, avec lui.

Victoria n'en était pas si sûre. Elle était même certaine du contraire, si sa sœur n'avait pas le droit de terminer une phrase ou de dire un mot. Harry était beau, intelligent et issu d'une famille fortunée, mais Victoria aurait préféré rester seule toute sa vie plutôt que de l'épouser. Elle pensait que sa sœur commettait une terrible erreur. Il était insensible, têtu, autoritaire, imbu de lui-même et il semblait ne pas respecter Grace en tant que personne. Elle n'était pour lui qu'un objet décoratif ou un jouet. Sa sœur épousait son père, et peut-être pire.

Victoria resta silencieuse le reste de la journée et de la soirée. Le lendemain, elle essaya de faire la paix avec sa sœur. Elles déjeunèrent ensemble chez Segal, leur restaurant préféré. Grace paraissait toujours lui en vouloir pour ses propos de la veille, mais elle s'anima au cours du repas. Victoria était tellement contrariée qu'elle mangea une assiette de pâtes au pesto et tous les petits pains qui se trouvaient dans la panière. Elle avait conscience que la proximité de sa famille lui faisait absorber des quantités énormes de nourriture, mais elle ne parvenait pas à refréner son appétit.

— Quand repars-tu ? lui demanda Grace quand Victoria régla l'addition.

Très soulagée, Victoria constata que sa sœur semblait lui avoir pardonné. Elle ne voulait pas la quitter en mauvais termes.

— Demain, je pense, répondit-elle doucement. J'ai beaucoup de travail.

Sachant qu'elles n'étaient pas sur la même longueur d'ondes, ces derniers temps, Grace ne discuta pas. Elle pensait que son mariage les éloignait momentanément, mais Victoria savait que leur désaccord était plus profond que cela. Il lui semblait qu'elle avait perdu sa petite sœur, gagnée par « les autres ». Ce n'était jamais arrivé auparavant, mais Harry pesait désormais de tout son poids dans la balance, et il faisait partie des « autres », lui aussi. Plus que jamais, Victoria se sentait orpheline et totalement seule. Pour une fois, la nourriture ne calmait pas la souffrance. Pour Thanksgiving, elle n'avait même pas touché au dessert, elle qui adorait la tarte au potiron avec de la chantilly. Son père ne l'avait pas remarqué, mais si elle en avait mangé, il n'aurait pas manqué de faire des commentaires sur la taille de sa portion. On ne pouvait pas gagner, avec eux. C'était un combat perdu d'avance.

Elle prit sa réservation pour le samedi matin et le vendredi soir, elle dîna avec ses parents. Grace était chez Harry et elle l'appela avant de partir. Ils pensaient tous revoir Victoria à Noël, mais ils se trompaient. Sans leur en faire part, elle avait décidé de ne pas passer les fêtes avec eux. Elle n'avait plus aucune raison de revenir à Los Angeles, sauf pour assister au mariage. Elle célébrerait Noël avec Harlan et John, là où était son vrai foyer. C'était pour elle un pas décisif. Il lui semblait avoir perdu sa petite sœur. Pendant des années, Grace avait été sa seule alliée, mais elle ne l'était plus.

Son père l'accompagna à l'aéroport. Victoria l'embrassa pour lui dire au revoir, mais lorsqu'elle le regardait, elle n'éprouvait plus rien. Il lui dit de prendre soin d'elle-même et sans doute était-il sincère. Après l'avoir remercié, elle franchit la porte d'embarquement sans un regard en arrière. Quand l'avion décolla, elle fut soulagée. Lorsqu'il atterrit à New York, elle sut qu'elle était chez elle.

20

Entre Thanksgiving et Noël, il régnait toujours un certain chaos au lycée, mais Victoria s'arrangea pour participer aux séances des Weight Watchers chaque semaine, quelles que soient ses occupations. Parmi les élèves, personne n'avait vraiment envie de travailler. Une fois les examens passés, ils parlaient tous de ce qu'ils allaient faire pendant les vacances. Il y avait des voyages aux Bahamas, des visites aux grands-mères à Palm Beach ou à des parents dans d'autres villes. On parlait aussi de ski à Aspen, Vail, Stow et quelques-uns feraient même un séjour en Europe, pour skier à Gstaad, Val-d'Isère et Courchevel. C'étaient décidément des vacances de luxe pour gosses de riches, songea Victoria en entendant certains de ses élèves évoquer leurs projets. L'un d'entre eux était justement en train de discuter avec deux autres filles tout en rangeant ses affaires après le cours. Victoria ne put s'empêcher d'écouter leur conversation. La jeune fille s'appelait Marjorie Whitewater et elle annonçait gaiement qu'elle allait faire réduire ses seins pendant les vacances. C'était un cadeau de son père et ses deux amies lui posaient des questions sur l'opération. L'une d'elles se mit à rire, disant qu'elle comptait faire exactement le contraire. Sa mère lui avait promis des implants mammaires comme cadeau de fin d'année, après la remise des diplômes. Toutes trois semblaient envisager ces interventions sans angoisse particulière.

Victoria ne cacha pas son étonnement :

— Ce n'est pas douloureux ?

Elle-même n'aurait jamais eu le courage de se faire réduire les seins. Et si on n'aimait pas le résultat ? Elle s'était plainte toute sa vie d'avoir trop de poitrine, mais en ôter, ne serait-ce qu'une partie, ç'aurait été franchir un pas. Elle y avait pensé pendant des années, sans jamais vraiment s'y arrêter.

— Pas tant que cela, répondit Marjorie. Ma cousine l'a fait l'an dernier et elle est ravie.

— Je me suis fait refaire le nez à seize ans, dit une autre fille.

Au grand étonnement de Victoria, ces adolescentes parlaient avec nonchalance de ces interventions esthétiques dont elles examinaient avec sérieux les avantages et les inconvénients.

— Ça fait un peu mal, reconnaissait la jeune fille, mais j'adore mon nouveau nez. Parfois, j'en oublie même que je ne l'avais pas à la naissance. Je détestais celui que j'avais avant.

Cette remarque fit rire ses deux amies.

— Je déteste le mien, leur confia timidement Victoria.

Cette discussion la fascinait littéralement. Elle s'en était mêlée par hasard, mais maintenant elle y prenait part sans retenue.

— Alors, vous devriez l'échanger contre un nouveau, lui conseilla l'une des élèves. Il n'y a pas de quoi avoir peur, vous savez. Ma mère s'est fait faire un lifting, l'an dernier.

Victoria les écoutait, comme envoûtée. Il ne lui était jamais venu à l'esprit qu'elle pourrait modifier son nez. Elle l'avait dit par plaisanterie. Elle n'osa pas interroger les jeunes filles sur le coût de l'intervention.

Le soir même, elle en parla à Harlan :

— Tu connaîtrais un chirurgien esthétique ?

Ils étaient en train de préparer le dîner dans la cuisine. Conformément à son régime, ils allaient manger des légumes et du poisson cuits à la vapeur. De ce côté-là, elle tenait bon et commençait à se débarrasser des kilos qu'elle avait souhaité perdre pendant si longtemps.

— Pas vraiment. Pourquoi ?

— J'envisage d'acquérir un nouveau nez, dit-elle comme si elle allait s'acheter une nouvelle paire de chaussures.

— Depuis quand ? demanda-t-il en riant. Tu ne m'en avais jamais parlé, jusqu'à maintenant.

— J'ai écouté une conversation entre quelques-unes de mes élèves, aujourd'hui. En ce qui concerne les interventions esthétiques, ce sont des encyclopédies ambulantes. L'une s'est fait refaire le nez il y a deux ans, l'autre doit se faire réduire les seins pendant les vacances de Noël. C'est le cadeau que lui font ses parents, rien que ça ! Une autre aura des implants mammaires l'été prochain, après la remise des diplômes. Il m'a semblé que j'étais la seule personne de tout l'établissement à avoir conservé mon anatomie d'origine.

— Voilà ce que c'est, les *gosses de riches* ! intervint John. Dans mon lycée, personne ne reçoit en

300

cadeau un nouveau nez ou des implants mammaires pour Noël.

— De toute façon, reprit Victoria, j'ignore combien ça coûte. J'aimerais assez m'offrir un nez tout neuf, pour Noël. J'en aurai tout le temps, puisque je ne vais pas chez mes parents.

— Tu ne pars pas pour Los Angeles ? s'étonna Harlan. Quand as-tu pris cette décision ?

— Pendant les fêtes de Thanksgiving. Ce mariage les rend tous fous et, maintenant, le fiancé de ma sœur ajoute sa touche au tableau. Je suis écrasée sous leur nombre. Les « autres » sont beaucoup et je suis seule. Je n'y retournerai plus jusqu'au mariage.

— Tu le leur as dit ?

— Pas encore. Je le ferai juste avant les vacances. Il ne me reste plus qu'à trouver le chirurgien. Je n'ai pas osé demander un nom à mes élèves.

Harlan ne répondit pas, mais le lendemain, il lui fournissait trois adresses. Il les avait obtenues auprès de relations qui avaient eu recours à leurs services et en avaient été satisfaites. Victoria fut ravie. Elle en appela deux le jour suivant. L'un prenait des vacances pour Noël et l'autre, une femme, lui fixa un rendez-vous à la fin de la semaine. Ils appelaient cette intervention une « rhinoplastie ». Harlan ne put s'empêcher de rire quand Victoria se compara à un rhinocéros désireux de changer de corne.

Le vendredi après-midi, elle se rendit chez le Dr Carolyn Schwartz. Le cabinet de la chirurgienne, accueillant et lumineux, se trouvait sur Park Avenue, non loin du lycée. Victoria s'y rendit sitôt son dernier cours terminé. Après avoir été enfermée plusieurs heures dans une salle de classe, elle trouva la promenade plaisante, par cette belle journée ensoleillée et froide. Le Dr Schwartz était une jeune femme agréable. Elle lui expliqua la procédure et lui indiqua le coût de l'intervention, qui se révéla moins élevé que Victoria ne le craignait. Elle pouvait se le permettre. Le médecin la prévint que, pendant une semaine, son visage serait meurtri, mais que les marques s'effaceraient peu à peu. Le jour de la rentrée, elle pourrait déjà les masquer avec du fond de teint. L'intervention pouvait avoir lieu le lendemain de Noël, si Victoria le souhaitait. La jeune femme la regarda un long moment, puis sourit.

— C'est décidé, on le fait ! Je veux un nouveau nez.

Elle ne s'était pas sentie aussi exaltée depuis des années. Après l'avoir photographiée de face et de profil, le médecin lui montra les modifications qu'on pouvait apporter à son nez. Victoria les examina toutes. Ce qu'elle voulait, dit-elle enfin, c'était un modèle qui présentât quelques similitudes avec le nez de sa sœur. De cette façon, elle aurait l'impression d'appartenir à sa famille. Le médecin suggéra de le modifier légèrement, pour qu'il convînt à son visage. Victoria promit d'apporter des photographies de sa sœur, la semaine suivante. Une fois chez elle, elle les tria. Elle avait toujours trouvé ravissant le nez de Grace, alors qu'avec le sien elle ressemblait à l'une de ces fameuses poupées « Patouf ». Tout en riant, le médecin lui assura que son nez était tout à fait bien, mais qu'elles pouvaient l'améliorer. Avec l'aide de l'ordinateur, elles examinèrent plusieurs possibilités qui toutes plurent à Victoria. Tout lui semblait préférable à son nez actuel.

Lorsqu'elle quitta le cabinet, elle était sur un petit nuage. Ce nez qu'elle avait détesté toute sa vie et dont son père s'était tant moqué, elle allait s'en débarrasser. Adieu, vilain nez !

Dès son retour, elle en parla à Harlan et à John. Cette décision éclair les surprit, d'autant que le jour de l'intervention était déjà fixé. Le seul problème, leur expliqua-t-elle, était qu'elle avait besoin de quelqu'un pour aller la chercher à l'hôpital après l'opération. Comme elle les regardait avec espoir, John promit de s'en charger, puisqu'il était en vacances, tout comme elle.

Elle avait aussi discuté avec la chirurgienne d'une éventuelle liposuccion. C'était une solution qui semblait plus facile et plus rapide que son régime, mais la procédure lui avait paru plus déplaisante qu'elle ne l'imaginait. Elle s'en était donc tenue à la première option.

Les derniers jours, il régna à l'école l'atmosphère tendue et l'excitation qui prédominaient en cette période. Elle dut presser ses élèves d'achever leurs devoirs et de les lui rendre. Elle les supplia de peaufiner les lettres de motivation qu'ils allaient joindre à leurs dossiers de candidature aux universités. Elle savait que certains le feraient, mais pas tous. En janvier, ce serait la panique, lorsqu'ils devraient expédier leurs dossiers avant la date limite.

La dernière semaine, ce fut le drame quand un élève de première fut surpris en train de se droguer dans l'enceinte de l'établissement. Il avait été dénoncé par un camarade, alors qu'il sniffait une ligne de cocaïne dans les toilettes. Ses parents avaient été convoqués sur-le-champ et il avait été momentanément exclu. Acceptant les conditions imposées par le proviseur, les parents l'avaient placé pour un mois dans un centre de désintoxication. Par bonheur, il ne s'agissait pas d'un élève de Victoria, qui n'eut donc pas à s'en mêler. Ce gâchis la désolait, mais elle devait en priorité s'occuper de ses propres élèves. Elle gardait un œil sur Amy Green, qui travaillait toujours aussi bien et dont la grossesse ne se verrait pas avant un certain temps. Pour l'instant, tout allait bien pour elle.

La semaine qui précéda les vacances, Victoria annonça à ses parents qu'elle ne passerait pas les fêtes avec eux. Ils prétendirent être déçus, mais sans conviction. Grace et Harry leur prenaient tout leur temps. Ils devaient d'ailleurs dîner avec les Wilkes avant qu'ils ne partent pour Aspen.

Quand Grace l'appela, elle fut sincèrement contrariée de ne pas la voir. Pour se justifier, Victoria lui avoua qu'elle allait avoir un nouveau nez. D'abord surprise, Grace s'en amusa.

— C'est vrai ? Mais pourquoi ? C'est idiot ! J'adore ton nez.

— Eh bien, pas moi. J'ai dû supporter le nez de grand-mère toute ma vie, mais maintenant, je vais en avoir un autre.

— Quel genre de nez as-tu choisi ?

La défection de sa sœur la contrariait, mais elle comprenait mieux ses raisons, maintenant. Victoria ne précisa pas que, même sans rhinoplastie, elle ne serait pas venue à Los Angeles. C'était parfaitement inutile.

— Ce sera une version personnalisée du tien et de celui de maman. Nous avons pu déterminer sa forme exacte sur un ordinateur et il m'ira bien mieux que l'actuel.

— L'opération n'est pas douloureuse ? s'inquiéta Grace.

La sollicitude de sa sœur toucha Victoria. Elle était bien la seule à se soucier de ce qui pouvait lui arriver.

— Je n'en sais rien, puisqu'elle se pratique sous anesthésie générale.

— Je voulais dire… tu ne souffriras pas, après l'intervention ?

— Ils me donneront un antidouleur, quand je rentrerai chez moi. La chirurgienne m'a dit que j'aurais des bleus pendant quelques semaines. Mon visage sera légèrement gonflé pendant plusieurs mois, mais la plupart des gens ne s'en apercevront pas. De toute façon, je n'ai pas de projet, c'est donc le bon moment. L'opération est fixée au lendemain de Noël.

— Tu ne pourras pas réveillonner pour le nouvel an, remarqua Grace avec sympathie.

— Je n'ai pas d'amis avec qui passer la soirée, de toute façon, puisque Harlan et John vont skier dans le Vermont. Je resterai à la maison et ce sera très bien ainsi. Tu peux venir me tenir compagnie, si tu veux.

— Harry et moi, nous réveillonnerons à Mexico, s'excusa la jeune fille.

— Je suis d'autant plus contente de ne pas me déplacer.

— Envoie-moi une photo de ton nouveau nez, dès qu'il ne sera plus bleu.

Après avoir encore bavardé quelques minutes avec sa sœur, Victoria était de bonne humeur et décida d'aller à la gym. Il faisait froid, dehors, mais elle ne voulait pas déroger à ses habitudes. Jusqu'à présent, elle tenait bon et utilisait même le tapis de marche, à la maison.

Le docteur l'avait prévenue qu'elle ne pourrait pas faire de sport tout de suite après l'intervention, c'est pourquoi elle voulait en profiter au maximum avant. Elle ne devait pas perdre la forme sous prétexte qu'elle se faisait refaire le nez.

Dehors, la neige commençait à tomber et la ville était imprégnée de l'atmosphère de Noël. Dans les maisons, les gens avaient décoré leurs sapins. Elle-même projetait d'ailleurs d'en acheter un le week-end suivant, avec Harlan et John. Ils inviteraient des amis à le décorer en leur compagnie. Elle y réfléchissait tout en pédalant sur son vélo, quand elle remarqua un homme qui en faisait autant à côté d'elle. C'était un très bel homme aux traits rudes, qui bavardait avec une fille ravissante, de l'autre côté. Fascinée, Victoria les observa pendant quelques minutes. Ils formaient un très beau couple et, en les voyant rire aux éclats, elle devina qu'ils s'entendaient à merveille. Se sentant soudain très seule, elle ne put s'empêcher de les envier. Avec les écouteurs de son iPod sur ses oreilles, elle n'entendait pas leur conversation, mais à leur expression, elle comprit qu'ils étaient fort amoureux l'un de l'autre. Leur vue lui déchira le cœur. Elle n'imaginait pas qu'un homme pût un jour la regarder de cette façon.

Les yeux de l'homme étaient bleus et perçants, il avait des cheveux sombres, une mâchoire énergique et le menton fendu par une profonde fossette. Elle remarqua aussi ses larges épaules, ses longues jambes et ses mains fines. Il était vêtu d'un tee-shirt et d'un short. Se sentant observé, il tourna vers elle un visage souriant. Gênée, elle s'empressa de regarder ailleurs, mais lorsqu'elle descendit de son vélo, elle devina qu'il admirait ses jambes, mises en valeur par le caleçon long qu'elle portait. Elle se fit la réflexion que sa compagne devait être très sûre de son amour pour ne pas s'offusquer de la façon dont il dévisageait une autre femme. Elle n'avait pas l'air contrariée du tout. Victoria sourit à l'inconnu avant de quitter la salle. Elle avait hâte d'être en vacances, pour avoir son nouveau nez. Elle regrettait d'abandonner momentanément l'entraînement, mais elle se promit de faire deux fois plus d'efforts dès qu'elle reprendrait. Avec son corps plus mince et un plus joli nez, une nouvelle vie s'ouvrirait pour elle. Le cœur gonflé d'espoir, elle pensait à tout cela en rentrant chez elle.

21

Victoria passa un Noël tranquille en compagnie de Harlan et de John. Grace lui manquait, mais elle se réjouissait de ne pas avoir à prendre l'avion ou à affronter l'hystérie familiale. À six mois du mariage, la folie s'était emparée de tous les protagonistes, et en particulier de ses parents. C'était la première fois qu'elle ne retournait pas chez eux pour les fêtes. Cette « défection » lui causait une impression bizarre, mais apaisante.

La veille de Noël, Harlan, John et elle échangèrent des cadeaux comme elle le faisait d'habitude avec sa famille. Ensuite, ils assistèrent à la messe de minuit, à la cathédrale Saint-Patrick. Victoria respectait la tradition, mais pas avec les mêmes personnes ni dans les mêmes lieux. La cérémonie fut très belle, et bien qu'aucun des trois ne soit pratiquant, ils la trouvèrent émouvante. En rentrant, ils prirent une tasse de thé avant d'aller se coucher. Le lendemain, Victoria parla plusieurs fois avec Grace au téléphone. La jeune fille ne cessait d'aller et venir, entre ses parents et les Wilkes. Pour Noël, Harry lui avait offert des boucles d'oreilles en diamant qu'elle trouvait superbes.

Le soir, une certaine nervosité s'empara de Victoria à l'idée de ce qui l'attendait le lendemain. On lui avait donné des instructions préopératoires. Au-delà de minuit, elle ne devait plus boire, plus manger ni prendre de l'aspirine. N'ayant jamais subi d'opération de sa vie, elle ne savait pas très bien à quoi s'attendre, hormis le fait qu'elle aurait un nez qui lui plairait. En tout cas, qu'elle ne détesterait pas comme son nez actuel, dont elle avait hâte d'être débarrassée. Elle savait qu'elle ne deviendrait pas belle pour autant, mais elle se sentirait différente. Et ainsi, ce qui avait été pour elle un sujet majeur d'irritation pendant toutes ces années serait transformé. Lorsqu'elle se regardait dans le miroir, elle se disait que le plus tôt serait le mieux. Déjà, elle avait l'impression de ne pas être la même. Elle se défaisait de tout ce qui l'avait rendue malheureuse, en tout cas elle s'y efforçait. Elle était d'ailleurs fière d'avoir rompu avec la tradition en ne se rendant pas chez ses parents à Noël. À Thanksgiving, elle avait été trop malheureuse. Grâce à ses amis, cette période de fin d'année avait au contraire été douce et chaleureuse.

C'était triste à dire, mais elle ne supportait plus ses parents. Leurs messages, explicites ou subliminaux, étaient toujours les mêmes : « Nous ne t'aimons pas. » Pendant des années, elle s'était efforcée de ne pas y prêter attention, mais maintenant, elle n'y arrivait plus. Elle ne voulait même pas essayer. C'était son premier pas vers la santé, la rhinoplastie en était un autre. Cette intervention avait une signification importante, sur le plan psychologique. Elle n'était pas condamnée à être tournée en ridicule ou traitée de laideron. Elle prenait le contrôle de sa vie.

Victoria se leva de bonne heure, après quoi elle arpenta nerveusement l'appartement avant de partir. Le sapin trônait dans un coin de la salle de séjour. Dans quel état serait-elle, en rentrant ? Pas trop mauvais, elle l'espérait. Avec un peu de chance, elle ne souffrirait pas trop ou ne serait pas horriblement malade. Pourtant, elle mourait de peur, lorsqu'elle prit un taxi pour se rendre à l'hôpital, à 6 heures du matin. Dans n'importe quelle autre circonstance, elle aurait fait demi-tour et annulé le rendez-vous. En franchissant la porte à deux battants du service de chirurgie, elle était terrifiée. Dès cet instant, elle fut aspirée par une machine bien huilée. On l'accueillit, on lui fit signer des papiers, on lui mit un bracelet de plastique autour du poignet, on lui fit une prise de sang, on vérifia sa tension et on l'ausculta. L'anesthésiste vint lui parler. Il lui assura qu'elle ne sentirait rien, puisqu'elle serait endormie. On lui demanda si elle souffrait d'allergies, ce qui n'était pas le cas. On la pesa, puis on lui fit enfiler une tenue chirurgicale, ainsi que des bas de contention pour éviter les caillots de sang. Cela lui sembla bizarre, puisqu'on opérait son nez, pas ses genoux ou ses pieds. Elle se trouva assez comique, avec ces bas qui montaient jusqu'au haut des cuisses. Au moment de la pesée, elle avait insisté pour ôter ses chaussures, mais à son grand désespoir, elle constata qu'elle avait pris un kilo et demi. La bataille était loin d'être gagnée.

Les infirmières et le personnel médical entraient et sortaient. Quelqu'un lui posa un cathéter au bras et, avant qu'elle comprît ce qui lui arrivait, elle se retrouva sur la table d'opération. La chirurgienne lui souriait tout en lui tapotant la main, tandis que l'anesthésiste lui parlait. Quelques secondes plus tard, elle était endormie. Lorsqu'elle se réveilla, elle se sentit incroyablement groggy. Très, très loin, quelqu'un répétait son nom :

— Victoria... Victoria... Victoria...

Elle aurait voulu qu'on la laissât dormir tranquillement.

— Mmmm... Quoi... ?

L'intrus s'entêtait à la réveiller alors qu'elle cherchait à replonger dans le sommeil.

— L'intervention est terminée, Victoria, disait la voix.

Elle se rendormit, puis quelqu'un glissa une paille entre ses lèvres pour qu'elle pût boire. Après avoir avalé une gorgée, elle émergea lentement du sommeil. Le sparadrap, sur son visage, lui faisait un drôle d'effet, mais elle ne souffrait pas. On lui administra un analgésique oral et elle passa la journée à moitié assoupie. Le personnel s'assurait qu'elle avait suffisamment chaud. Finalement, on lui dit qu'il fallait qu'elle se réveille, si elle voulait rentrer chez elle. On la fit asseoir, bien qu'elle eût tendance à somnoler. On lui donna de la gelée de fruit, le seul aliment auquel elle eût droit après son intervention, et lorsqu'elle leva les yeux, elle vit Harlan qui se tenait près de son lit. John n'avait pas pu venir, car il avait pris froid.

— Salut ! Qu'est-ce que tu fais là ? lui demanda-t-elle, tout étourdie. Oh oui... c'est vrai... je rentre à la maison... je crois que je suis un peu vaseuse.

— Exact. Je ne sais pas ce qu'ils t'ont donné, mais j'en veux.

Elle rit, mais sentit immédiatement un tiraille-
ment au niveau du visage. Harlan se garda bien de
lui dire que ses bandages ressemblaient à un
masque de hockey. On lui avait appliqué des
poches de glace sur la figure toute la journée. Une
infirmière vint l'aider à s'habiller pendant que
Harlan attendait dehors. Lorsqu'il la revit, elle était
dans un fauteuil roulant, l'air toujours endormie.

— À quoi est-ce que je ressemble ? Mon nez est
joli ?

— Tu es superbe ! dit Harlan en échangeant un
sourire avec l'infirmière, qui était habituée aux
patients un peu sonnés.

Victoria portait un pantalon de survêtement et
une veste assortie qui s'ouvrait sur le devant pour
qu'elle n'ait pas à l'enfiler par la tête. L'infirmière
lui avait ôté ses bas de contention avant de lui
mettre ses chaussettes et ses chaussures. Ses cheveux ébouriffés étaient noués sur la nuque par un
élastique. On lui avait remis des analgésiques pour
le cas où elle souffrirait une fois rentrée chez elle.
Harlan la laissa un instant dans le hall avec l'infirmière, pendant qu'il hélait un taxi. Il fut de retour
une minute plus tard. En sortant, Victoria constata
avec surprise qu'il faisait nuit dehors. Il était
18 heures, cela faisait donc douze heures qu'elle
était arrivée. L'infirmière poussa le fauteuil roulant
jusqu'au taxi, recommandant à Harlan de ne pas
chercher à soulever son amie car elle était « forte ».
Le jeune homme la remercia, puis il aida Victoria
à s'installer sur la banquette arrière. Il savait combien elle détestait ce qualificatif qu'elle s'était
entendu répéter toute son enfance. À l'époque, elle
aurait voulu qu'on parle d'elle comme d'une

gamine, et maintenant, comme d'une femme. Il espérait donc qu'elle n'avait pas entendu la réflexion de l'infirmière.

— Qu'est-ce qu'elle a dit ? demanda Victoria, les sourcils froncés.

— Elle a dit que tu avais l'air complètement ivre et qu'elle aimerait bien avoir tes jambes.

Victoria hocha gravement la tête.

— Oui… c'est ce qu'elles disent toutes… elles m'envient mes jambes… elles sont superbes… mais j'ai un gros cul.

Harlan vit le sourire du chauffeur, dans le rétroviseur. Il lui donna leur adresse et la voiture démarra. Pendant tout le trajet, qui fut fort bref, Victoria somnola, le menton frôlant sa poitrine. À un moment, Harlan perçut même un léger ronflement. Ce n'était pas une vision très romantique, mais il avait énormément d'affection pour cette jeune femme, devenue au fil des ans sa meilleure amie. Lorsqu'ils arrivèrent, il la réveilla.

— Nous sommes de retour au château, belle endormie. Sors ton joli derrière de ce taxi.

Il regrettait de ne pas avoir de fauteuil roulant, mais Victoria n'en eut pas besoin. Un peu désorientée et groggy, elle marcha cependant jusqu'à l'ascenseur. Un instant plus tard, Harlan l'aidait à s'asseoir sur le canapé avant de lui ôter son manteau et de se défaire du sien. John sortit de leur chambre en peignoir. Il sourit à la vue de Victoria, qui ressemblait à un extraterrestre, avec ce bandage qui dissimulait en grande partie son visage. Elle avait une attelle sur le nez et deux trous devant les yeux, pour lui permettre de voir. Le spectacle valait le coup d'œil, mais il se garda bien d'émettre un

313

commentaire, tout en espérant qu'elle ne croiserait pas son reflet dans un miroir. On lui avait mis du coton dans le nez toute la journée, mais elle avait très peu saigné. L'infirmière le lui avait d'ailleurs retiré avant son départ.

— Où veux-tu t'installer ? lui demanda gentiment Harlan. Sur le canapé, ou dans ton lit ?

Victoria parut réfléchir un long moment.

— Au lit... J'ai sommeil.

— Tu n'as pas faim ?

— Non, soif...

Elle passa la langue sur ses lèvres que l'infirmière avait enduites de vaseline.

— ... et froid, conclut-elle.

Pendant la journée, à l'hôpital, on l'avait enveloppée dans des couvertures bien chaudes et elle regrettait de ne pas en avoir.

Harlan lui apporta un verre de jus de pomme avec une paille, ainsi qu'on lui avait dit de le faire. Victoria avait plusieurs pages d'instructions post-opératoires à respecter durant les jours à venir. Au bout d'un instant, Harlan l'aida à gagner sa chambre et à enfiler son pyjama. Cinq minutes plus tard, elle dormait profondément, la tête posée sur un empilement d'oreillers. Harlan retrouva John dans la salle de séjour.

— Waouh ! s'exclama ce dernier. On dirait qu'elle est passée sous un train.

— On lui a dit qu'elle aurait pas mal de bleus et le visage gonflé. Demain, elle aura deux beaux coquarts, mais elle est contente ou elle le sera. Elle voulait un nouveau nez, elle l'a. Pour nous, ce n'est pas très important, mais sur le plan psychologique ça l'est pour elle, alors pourquoi s'en priver ?

John en convint. Ils passèrent une soirée paisible sur le canapé, à regarder deux films. Harlan se leva souvent pour jeter un coup d'œil à Victoria. Profondément endormie, elle ronflait légèrement. Et quelque part, sous les bandages, elle avait le nouveau nez tant désiré. Le Père Noël lui avait apporté le lendemain de Noël le cadeau qu'elle avait espéré toute sa vie.

Au matin, en s'éveillant, Victoria eut l'impression d'avoir participé à un rodéo. Elle souffrait, elle était fatiguée et elle se sentait droguée. Son nez lui faisait vraiment mal, pourtant elle décida de prendre son petit déjeuner avant d'avaler un comprimé d'antalgique, de peur d'être malade. Un instant plus tard, elle ouvrait machinalement le freezer, tombant en arrêt devant les glaces qui s'y trouvaient. Harlan entra dans la cuisine au même moment.

— C'est une très mauvaise idée, fit la voix de sa conscience, dans son dos. Tu as un nez fabuleux, alors inutile de craquer pour de la crème glacée, d'accord ?

Fermant le freezer, il ouvrit le réfrigérateur et lui tendit le jus de pomme.

— Comment te sens-tu ?

— Couci-couça, mais pas trop mal. J'ai la tête qui tourne et un peu mal au nez. Je crois que je vais dormir, aujourd'hui, une fois que j'aurai pris l'antidouleur.

On l'avait prévenue que l'œdème allait empirer pendant quelques jours.

— Bonne idée.

Il étala une pâte à tartiner allégée sur une tranche de pain complet qu'il avait fait griller et la lui tendit.

— Tu veux des œufs ?

Elle secoua négativement la tête. Elle ne voulait pas casser son régime pendant sa convalescence, surtout si elle ne pouvait pas faire de sport.

— Merci de t'être occupé de moi, hier, dit-elle en essayant de sourire.

Mais les sparadraps lui faisaient une impression bizarre, celle d'être l'homme au masque de fer. Elle avait hâte qu'on lui retirât ses bandages, la semaine suivante. Ils la gênaient et elle avait peur de se regarder dans une glace. Elle prenait d'ailleurs soin de ne croiser son reflet ni dans sa chambre ni dans la salle de bains. Elle ne voulait pas se faire peur, ce qui était dans l'ordre des possibilités. D'ailleurs, elle ne pourrait pas voir son nez, puisqu'il disparaissait sous les bandages et l'attelle.

Elle dormit les deux jours qui suivirent, après quoi elle traîna dans l'appartement. Ce fut une période paisible, puisqu'elle n'avait aucun projet et avait subi son intervention pendant les vacances scolaires. Elle pouvait donc se détendre. Elle regardait les films que Harlan lui apportait et passait le plus clair de son temps devant la télévision, bien qu'elle eût souffert de migraines les premiers jours. Elle bavardait avec Helen au téléphone, mais elle ne voulait voir personne, en dehors de Harlan et de John. Elle n'en éprouvait pas le besoin et ne voulait pas non plus effrayer ses amis. Le soir du nouvel an, elle se sentit suffisamment bien pour se passer d'antidouleur. Comme Harlan et John étaient partis skier dans le Vermont, elle passa la soirée toute seule, à regarder la télévision. L'idée qu'elle possédait un nouveau nez la réjouissait même si elle ne l'avait pas encore vu. Ce soir-là, Grace l'appela depuis le Mexique. Avec Harry et des amis, elle était descendue à l'hôtel Palmilla, à Cabo. Selon elle, c'était un voyage absolument fabuleux. En compagnie de son futur époux, elle menait une vie de luxe, pourtant Victoria ne l'enviait pas. Pour rien au monde elle n'aurait voulu vivre avec Harry, mais Grace paraissait au septième ciel :

— Comment est ton nouveau nez ?

Elle l'avait appelée plusieurs fois dans la semaine et lui avait envoyé des fleurs, ce qui était adorable de sa part. Cette attention avait beaucoup touché Victoria. Elle n'avait pas voulu parler à ses parents de son opération. Elle était certaine qu'ils la désapprouveraient et lui feraient des réflexions désagréables. Grace avait été d'accord pour garder le secret.

— Je ne l'ai pas encore vu, avoua-t-elle. On m'enlève les bandages la semaine prochaine. Je pense que ce sera réussi, mais j'aurai encore des bleus et le visage gonflé. D'après ce qu'on m'a dit, tout devrait rentrer dans l'ordre dans une semaine ou deux, mais je serai encore fatiguée. Je m'arrangerai pour masquer les ecchymoses sous du maquillage.

On lui avait assuré qu'une fois les bandages ôtés, elle aurait juste un sparadrap sur le nez.

— Tu t'amuses bien ? s'enquit Grace.

Soudain, elle prenait conscience que sa petite sœur lui manquait terriblement.

— C'est fantastique, ici. On a une suite absolument incroyable !

— Tu vas devenir une enfant gâtée, quand tu seras madame Wilkes, la taquina Victoria.

Mais elle ne l'enviait pas. Elle préférait mille fois sa propre vie et son métier. Au moins, personne ne lui disait ce qu'elle devait penser, faire ou dire. Elle ne l'aurait pas supporté. Grace ne semblait pas en prendre ombrage, pourvu qu'elle fût avec Harry. Elle signait ainsi le même pacte avec le diable que leur mère. Victoria en était désolée pour elles deux.

— Je le sais, répliqua Grace, mais j'adore ça. Dès que tu auras vu ton nez, fais-moi savoir comment tu le trouves.

— Je t'appellerai immédiatement.

— L'ancien était très bien, tu sais.

Et en effet, il n'avait rien de hideux, il était simplement rond.

— Mais le nouveau sera encore mieux ! s'écria gaiement Victoria. Profite bien de ton séjour à Cabo. Je t'aime... Et bonne année !

— Bonne année à toi aussi, Victoria.

La jeune femme croyait en la sincérité de sa petite sœur. Lorsqu'elles eurent raccroché, Victoria retourna s'asseoir sur le canapé pour regarder un nouveau film. À minuit, elle dormait. Cette soirée avait été très calme, mais elle ne s'en plaignait pas le moins du monde.

22

Huit jours plus tard, Victoria retourna voir le Dr Schwartz. Trouvant cette fois le courage de se regarder dans la glace, elle se découvrit une certaine ressemblance avec un vampire. Mais quand on lui eut retiré ses pansements, elle fut très satisfaite du résultat. Malgré les bleus et le léger œdème qui subsistait, elle était ravie et ne regretta pas une seconde sa décision. La chirurgienne lui montra les endroits qui allaient dégonfler, ce qui améliorerait encore son ouvrage. Tout bien considéré, c'était déjà remarquable, et Victoria laissa échapper un cri de joie. Le Dr Schwartz avait fait du beau travail. Enchantée par son nouveau nez, Victoria déclara se sentir quelqu'un d'autre.

Pourtant, les ecchymoses étaient encore étendues et bien visibles, mais elle s'y attendait, puisqu'on l'avait prévenue. Elle avait deux énormes coquarts et le teint bleuâtre, mais le médecin lui assura que cela n'avait rien que de très normal et ne tarderait pas à s'atténuer. Elle pourrait d'ailleurs se maquiller quelques jours plus tard, pour masquer les derniers effets de l'intervention. Elle promit à Victoria qu'elle serait presque présentable le jour de la rentrée scolaire. Ensuite, l'œdème continuerait de réduire et les bleus disparaîtraient. Au fil des mois, cela irait de mieux en mieux. Elle lui mit un sparadrap sur l'arête du nez et la renvoya chez elle. Elle pouvait reprendre des activités normales, dans la limite du raisonnable.

— Évitez le parachutisme, le waterpolo et le touch-football, plaisanta-t-elle. Pas de sport de contact. Faites attention à vous et n'entreprenez rien qui puisse vous faire risquer un coup sur le nez.

— Je peux retourner en salle de sport ?

— Oui, mais là encore, n'en faites pas trop. Ne courez pas, ne nagez pas et ne faites pas d'efforts excessifs.

Victoria n'en avait de toute façon pas l'intention. Le temps avait été glacial toute la semaine.

— Et pas de sexe, ajouta le médecin.

Malheureusement, la question ne se posait pas pour elle, ces derniers temps.

Victoria était si contente que, sur le chemin du retour, elle s'acheta une grosse salade César, qu'elle dégusta dans la cuisine. Elle avait perdu un ou deux kilos en ne mangeant que très peu, puisqu'elle avait passé le plus clair de son temps à dormir. En outre, les analgésiques lui avaient coupé l'appétit. Elle n'avait même pas touché à la glace et, pour plus de sécurité, Harlan avait jeté ce qu'il en restait à la poubelle. Il appelait cela sa « drogue » et chaque fois qu'elle en prenait, elle perdait tous les bénéfices de ses derniers efforts.

Après son repas, elle enfila un caleçon long, un short, un vieux pull aux couleurs de son université de North western, une parka et de vieilles baskets, puis elle se rendit à la salle de sport. Harlan et John étaient encore dans le Vermont et la journée était belle, malgré les pronostics de la météo, qui annonçait de la neige.

Ce jour-là, elle décida de faire du vélo. Comme elle n'en avait pas fait depuis une semaine, elle préférait démarrer en douceur et choisit le niveau de résistance le plus facile. Elle mit les écouteurs de son i-Pod sur ses oreilles et pédala en rythme, les yeux fermés. Au bout de dix minutes, lorsqu'elle les rouvrit, elle vit le même bel homme aperçu avant Noël, assis sur le vélo voisin. Cette fois, il était seul, sans la ravissante jeune femme qu'elle avait vue avec lui. Il la dévisageait avec attention. Ayant complètement oublié que son visage portait encore les marques de l'intervention, elle commença par se demander pourquoi il la fixait ainsi. Quand la mémoire lui revint, elle en fut gênée. Les yeux de l'homme exprimaient une sympathie teintée de compassion. Lorsqu'il ouvrit la bouche pour lui parler, elle ôta les écouteurs de ses oreilles. Il était légèrement bronzé, comme s'il revenait d'un séjour en montagne, et de nouveau, elle le trouva très beau.

— À quoi ressemble la personne qui vous est rentrée dedans ? plaisanta-t-il.

Victoria sourit. Le contour de ses yeux était encore bleuâtre et sa peau contusionnée, mais elle ignorait s'il en avait deviné la cause.

Cessant de sourire, il engagea la conversation :

— Désolé. Je n'aurais pas dû vous taquiner. Apparemment, l'accident a dû être plutôt sérieux, parce que vous semblez avoir dégusté. C'était en voiture, ou à ski ?

Victoria hésita un instant, ne sachant que répondre. Le terme *rhinoplastie* était difficile à avouer et elle craignait de paraître ridicule, si elle lui disait la vérité.

— Voiture, dit-elle simplement.

Ils se remirent à pédaler.

— Je m'en doutais. Vous aviez votre ceinture de sécurité, ou c'est l'airbag, qui vous a fait ça ? Les gens ignorent qu'on peut se casser le nez sur un airbag, mais je connais plusieurs personnes à qui c'est arrivé.

Se sentant stupide, Victoria se contenta de hocher la tête.

— J'espère que vous allez poursuivre le responsable, continua-t-il.

Par sympathie envers elle, il s'exprimait comme si l'autre conducteur était forcément le fautif.

— Pardonnez-moi, mais je suis avocat et je gère sans cesse ce genre de litige. Pendant les fêtes, il y a énormément de chauffards ivrognes, sur les routes. C'est un miracle, s'il n'y a pas davantage de morts. Vous avez eu de la chance.

— C'est vrai.

D'autant que j'y ai gagné un « *nez tout neuf* », songea-t-elle sans le dire.

— Je reviens du Vermont, où je faisais du ski avec ma sœur, enchaîna-t-il. Elle était avec moi, la dernière fois que je vous ai vue. La pauvre petite ne demandait rien à personne, quand un gosse a perdu le contrôle de son snowboard et lui a brisé l'épaule. Elle était venue passer les vacances avec moi et elle rentre chez elle avec une épaule cassée. C'est vraiment navrant, mais elle l'a plutôt bien pris.

Ainsi, cette ravissante créature était sa sœur...
En ce cas, où était son épouse ? Baissant les yeux,
Victoria ne vit pas d'alliance à son annulaire, ce
qui ne signifiait d'ailleurs rien, puisque beaucoup
d'hommes mariés n'en portaient pas. Et même s'il
ne l'était pas, un homme aussi séduisant avait forcément une petite amie. En tout cas, il n'était pas
du genre à s'intéresser à elle. Même dotée d'un nez
plus petit, elle n'en avait pas pour autant perdu ses
rondeurs.

— Ma sœur a fait ses études à Northwestern, dit-
il en désignant son pull.

— Moi aussi, répliqua-t-elle d'une voix rauque.

Son enrouement n'était pas dû à la chirurgie. Elle
était tellement subjuguée qu'elle en perdait la
parole.

— C'est une très bonne université, mais le temps
est pourri, là-bas. Comme j'ai grandi dans le Midwest, j'ai choisi d'aller à Duke, pour m'en éloigner.

Victoria savait que Duke était située en Caroline
du Nord et que c'était l'une des meilleures universités du pays. Elle ne cessait d'aider ceux de ses
élèves qui voulaient s'y inscrire à remplir leur dossier.

— Mon frère est allé à Harvard, continuait-il.
Mes parents ne cessent de s'en vanter, mais je
n'aurais pas été accepté, dit-il modestement.
Ensuite, j'ai fait du droit à l'université de New
York et c'est ainsi que j'ai abouti ici. Et vous ?
Vous êtes new-yorkaise d'origine ?

Nageant en pleine irréalité, Victoria continuait de
pédaler près de cet homme superbe qui lui parlait
avec autant de simplicité de sa famille, de ses
études et de ses origines, et l'interrogeait sur elle,

comme si son visage était normal, et non contusionné, comme si le contour de ses yeux n'était pas d'un bleu tirant sur le jaune. Il la regardait comme si elle était jolie... À croire qu'il était aveugle !

— Je suis née à Los Angeles, répondit-elle. Je me suis installée ici après la fac. Je suis professeur dans un établissement privé.

— Ce doit être passionnant, dit-il aimablement. Vous avez affaire à de jeunes enfants, ou à des adolescents ?

— Des terminales. J'enseigne l'anglais. Ils ne sont pas toujours faciles, mais je les aime.

Elle lui sourit, tout en espérant qu'elle n'avait pas l'air d'une goule. Apparemment, ce n'était pas le cas, car il ne semblait pas du tout inquiet.

— C'est un âge difficile, si j'en juge par mon propre exemple. Quand j'étais au lycée, mes parents ont connu des moments difficiles. J'ai emprunté la voiture de mon père et je l'ai démolie deux fois. Il n'y a rien de plus simple, sur le verglas de l'Illinois. J'ai eu de la chance d'en sortir vivant.

Il raconta ensuite qu'il avait grandi dans la banlieue de Chicago. Elle devina qu'il devait habiter dans un quartier résidentiel. La tenue de sport ne disait rien de son statut social, pourtant il était visiblement issu d'un milieu aisé, il parlait bien, ses manières étaient parfaites et il portait une montre en or coûteuse au poignet. De son côté, elle avait l'air d'une clocharde, puisqu'elle ne s'apprêtait jamais pour aller au sport. Elle n'était pas allée chez la manucure depuis une semaine, le seul luxe qu'elle se permît. Elle ne voulait pas effrayer les gens ou donner des explications sur l'intervention chirurgicale qu'elle avait subie ; de toute façon, elle ne sortait pas. À présent, elle se retrouvait auprès du plus bel homme qu'elle eût jamais vu, et elle ne s'était même pas coiffée.

Ils cessèrent de pédaler presque en même temps et descendirent de leurs vélos. Après lui avoir dit qu'il allait au sauna, il lui tendit la main avec un grand sourire :

— Je m'appelle Collin White, à propos.

— Et moi, Victoria Dawson.

Ils se serrèrent la main et échangèrent quelques politesses. Elle prit ensuite ses affaires et s'éloigna, pendant qu'il se dirigeait vers le sauna. Elle vit qu'il s'arrêtait en chemin pour bavarder avec un homme. En rentrant chez elle, la jeune femme pensait toujours à lui. L'exercice lui avait fait du bien et elle espérait qu'elle le reverrait.

Ainsi que la chirurgienne l'avait prédit, le jour de la rentrée, elle put masquer les derniers vestiges de l'opération sous du fond de teint. Il lui restait une ombre légère autour des yeux, mais elle paraissait plutôt en forme, et son nez n'était presque plus gonflé. L'œdème avait quasiment disparu. Et elle adorait son nez tout neuf ! Il lui semblait avoir un nouveau visage et il lui tardait de voir les réactions de ses parents, en juin. La différence lui paraissait considérable, mais elle n'était pas certaine qu'ils la remarqueraient.

Elle venait de terminer son dernier cours de la journée, après avoir aidé une demi-douzaine d'élèves affolés à remplir leurs dossiers d'inscription, quand trois jeunes filles s'attardèrent dans la salle pour bavarder. L'une d'entre elles était justement celle qui s'était fait réduire les seins à Noël.

Les deux autres étaient ses meilleures amies et toutes trois étaient inséparables. Avant les vacances, Victoria avait parlé avec elles de chirurgie esthétique.

— Comment était-ce ? lui demanda-t-elle. J'espère que tu n'as pas trop souffert.

Profitant de ce qu'il n'y avait aucun garçon dans la salle, l'adolescente ôta son pull et se montra en soutien-gorge.

— C'était fantastique ! J'adore mes nouveaux seins ! J'aurais dû le faire depuis longtemps !

Sur ce, elle dévisagea Victoria comme si elle la voyait pour la première fois. D'une certaine façon, c'était vrai, en tout cas en ce qui concernait son nez.

— Oh, mon Dieu, vous l'avez fait !

Elle fixait le milieu de son visage. Suivant son regard, ses deux camarades en firent autant.

— J'adore votre nouveau nez ! s'exclama l'adolescente avec conviction.

Victoria rougit jusqu'à la racine des cheveux.

— Ça se voit beaucoup ?

— Oui… Non… je veux dire… Vous ne ressembliez pas à Pinocchio, auparavant. La différence est subtile, mais c'est ce qu'il faut. Les gens ne doivent pas pousser des hurlements quand ils vous voient. Vous êtes juste plus jolie qu'avant sans que personne sache pourquoi. Votre nez est splendide, mais faites attention, on devient vite dépendant. Ma mère n'arrête pas de se faire rectifier quelque chose. On lui a mis des implants dans le menton, on lui a injecté du Botox contre les rides, on lui a fait une liposuccion… et maintenant, elle veut faire réduire ses cuisses et ses mollets. Moi, je suis simplement très contente de mes seins.

Décidément, songea Victoria, ces jeunes filles étaient nettement plus au courant des interventions qu'elle ne l'était elle-même.

— Et moi de mon nez, avoua-t-elle avec un sourire heureux. En fait, je me suis décidée après en avoir discuté avec vous. Auparavant, je n'aurais jamais osé me lancer, mais vous m'avez donné du courage.

L'adolescente lui tapa dans la main.

— Vous avez bien fait !

Elles quittèrent la salle ensemble. Dans le couloir, elles croisèrent Justin et Amy Green, qui adressa un grand sourire à Victoria. Pour l'instant, elle n'avait parlé à personne de sa grossesse, qui ne se voyait d'ailleurs pas encore, même si cela n'allait pas tarder. À son âge, les muscles abdominaux remplissaient leur office et elle pouvait dissimuler son état sous des vêtements un peu larges. Constamment à son côté, Justin la protégeait à la façon d'un agent de sécurité veillant sur les diamants de la couronne. Ils offraient un spectacle charmant.

— Il la suit comme un petit chien, remarqua l'une des filles en levant les yeux au ciel.

En les quittant, Victoria remercia encore ses élèves pour leurs bons conseils, puis elle gagna son bureau pour prendre quelques dossiers qu'elle souhaitait emporter chez elle. Leurs compliments lui étaient allés droit au cœur, d'autant qu'elle-même raffolait de son nouveau nez. L'espace d'une minute, elle se demanda si elle pourrait se faire réduire les seins, puis elle se rappela ce que la jeune fille avait dit... la chirurgie plastique créait rapidement une dépendance chez certaines femmes, qui ne savaient plus s'arrêter. Elle s'en tiendrait donc au nez. Pour le reste, c'était à elle de s'en charger en faisant du sport et en suivant son régime. Le mariage de sa sœur avait lieu cinq mois plus tard.

Le soir, elle rencontra de nouveau Collin White à la gym. Ils bavardèrent avec décontraction tout en pédalant. Il lui apprit que l'important cabinet d'avocats qui l'employait se trouvait sur Wall Street. Son travail semblait intéressant. Victoria lui parla à son tour du lycée privé dans lequel elle travaillait, qu'il connaissait d'ailleurs de réputation. Ils causèrent de choses et d'autres et lorsqu'ils descendirent de leurs vélos, il la surprit en l'invitant à aller boire un verre en face. Comme la fois précédente, Victoria n'était pas vraiment à son avantage. Elle eut du mal à croire qu'il souhaitât l'emmener quelque part ou être vu en sa compagnie. Il réitéra pourtant sa proposition, comme s'il en avait vraiment envie. Toujours sceptique, elle accepta néanmoins de le suivre de l'autre côté de la rue après avoir enfilé son manteau.

Ils commandèrent tous les deux un verre de vin, puis elle lui demanda si sa sœur se remettait de son accident de ski.

— Je crois qu'elle souffre toujours beaucoup. Au niveau de l'épaule, on ne peut pas faire grand-chose, et il faut du temps pour que les choses s'améliorent. Elle a eu de la chance, puisqu'elle n'a pas eu besoin d'une opération.

Il lui posa des questions sur son lycée, puis ils parlèrent de l'enseignement et de la famille de Victoria.

— J'ai une sœur qui a sept ans de moins que moi, lui dit-elle. Au mois de juin dernier, elle a terminé ses études à l'université de Caroline du Sud et elle va se marier dans cinq mois.

Il parut surpris. Victoria lui avait dit qu'elle avait vingt-neuf ans et elle savait qu'il en avait trente-six.

— Elle est très jeune, pour envisager le mariage, surtout de nos jours.

— Je suis de votre avis. Mais nos parents se sont mariés au même âge, après la fac. À cette époque, c'était plus fréquent, mais aujourd'hui, plus personne ne prend un tel engagement à vingt-trois ans, puisqu'elle les aura en juin. J'espérais qu'elle attendrait un peu, mais elle est butée. À la maison, on ne s'occupe que de cela. Ma famille tout entière semble avoir temporairement perdu la raison... enfin... j'espère que c'est temporaire.

— Vous appréciez son fiancé ? s'enquit Collin en la fixant avec attention.

Victoria hésita un long moment avant de répondre, puis elle décida d'être honnête.

— Oui... du moins, peut-être. Il n'est pas mal, mais pas pour elle. Il est très autoritaire et dogmatique, pour un garçon aussi jeune. Il ne la laisse pas ouvrir la bouche et pense à sa place. Je ne supporte pas de la voir abandonner sa personnalité et son indépendance pour le seul bénéfice d'être sa femme.

Victoria estima inutile de préciser que Harry était aussi très riche. Elle n'aurait pas davantage approuvé ce mariage s'il avait été pauvre. L'argent le rendait prétentieux, mais ce qu'elle n'aimait pas, chez lui, c'était cette façon qu'il avait de tout vouloir contrôler. Grace méritait mieux que cela.

— Ma sœur a failli épouser un type de ce genre, dit Collin. Ils sortaient ensemble depuis trois ans et nous l'aimions tous bien, mais il n'était pas l'homme qu'il lui fallait. Lorsqu'ils se sont fiancés, l'an dernier, elle avait trente-quatre ans. Elle était obsédée par le mariage et les bébés. Plus que tout, elle avait une peur mortelle de laisser passer sa chance. Elle a fini par comprendre dans quel engrenage elle mettait le doigt et ils ont rompu deux semaines avant la cérémonie. Nous avons traversé une période difficile. Ma sœur était dans tous ses états, mais nos parents ont été formidables avec elle. Je pense qu'elle a pris la bonne décision. Ce n'est pas facile, pour les femmes, ajouta-t-il avec indulgence. À un certain âge, l'horloge biologique se rappelle à leur bon souvenir à la façon d'une bombe. Je suis convaincu qu'un grand nombre de femmes prennent de mauvaises décisions pour cette raison. J'ai été fier de ma sœur, quand elle a eu le courage de rompre. Vous l'avez vue à la salle de sport. Elle a trente-cinq ans et, avec un peu de chance, elle trouvera l'homme de sa vie à temps pour avoir des enfants. Mais mieux vaut pour elle rester seule plutôt que mal accompagnée. Ce n'est pas facile, de rencontrer des gens intéressants, conclut-il pensivement.

Victoria avait du mal à croire qu'une femme aussi belle que sa sœur n'eût pas dix hommes à ses trousses, brandissant une bague de fiançailles ou du moins voulant sortir avec elle.

— Depuis qu'elle a rompu, continua Collin, personne d'autre ne s'est présenté. Par bonheur, elle s'en est remise et elle jure qu'elle ne retournera jamais avec lui. Grâce à Dieu, elle s'est réveillée.

— J'aimerais bien que ma sœur en fasse autant, soupira Victoria. Mais elle n'a que vingt-deux ans et c'est une gosse. Elle est excitée par la robe, la bague et la cérémonie. Elle a perdu toute notion de ce qui est important et je crois qu'elle est trop jeune pour bien le comprendre. Lorsqu'elle le fera, il sera trop tard. Elle sera mariée et elle pleurera toutes les larmes de son corps.

— Vous le lui avez dit ?

— Bien sûr. Elle refuse de m'écouter, et je réussis seulement à la bouleverser. Elle s'imagine que je suis jalouse. Pourtant, croyez-moi, je ne le suis pas. Mes parents ne sont d'aucune aide. Ils sont d'autant plus ravis par ce mariage que le statut social de ce garçon les impressionne… En outre, il ressemble énormément à mon père, ce qui constitue un énorme atout.

— J'ai l'impression que vous nagez à contre-courant, remarqua fort justement Collin. Une fois que vous avez dit ce que vous en pensez, vous ne pouvez pas faire grand-chose de plus. On ne sait jamais, il se peut qu'elle soit heureuse ainsi, conclut-il avec philosophie. Nous voulons ce qu'il y a de mieux pour ceux que nous aimons, mais ce n'est pas forcément ce qu'ils recherchent eux-mêmes.

— J'espère que ça marchera, mais j'en doute, répliqua tristement Victoria.

— En dehors de l'âge, êtes-vous très différentes l'une de l'autre ?

Il avait le sentiment qu'elles l'étaient. Victoria semblait intelligente et sensée. Rien qu'en l'écoutant, il pouvait en déduire qu'elle avait la tête sur les épaules. En revanche, sa sœur cadette paraissait irresponsable, gâtée, peut-être têtue et impulsive. Il ne se trompait pas.

— Elle ressemble davantage à mes parents, dit franchement Victoria. J'ai toujours été l'excentrique de la famille. J'ai peu de traits communs avec eux, je ne pense pas et je n'agis pas comme eux, je n'aspire pas aux mêmes choses. Parfois, on dirait que nous sommes nées de parents différents. En un certain sens, c'est vrai, puisqu'ils ne nous ont pas traitées de la même façon, si bien que son expérience de la vie et son enfance ont été très éloignées de ce que j'ai vécu moi-même.

Collin hocha la tête, compréhensif. Elle eut l'impression que ce qu'elle lui disait ne lui était pas totalement étranger.

Après avoir jeté un coup d'œil à sa montre, il demanda l'addition.

— J'ai été ravi de bavarder avec vous, dit-il à Victoria tout en réglant la note. Est-ce que nous pourrions dîner ensemble, un de ces soirs ?

Elle le fixa avec stupéfaction. Était-il fou ? Pourquoi voulait-il l'inviter, alors qu'il était de toute évidence trop bien pour elle ?

— Pourquoi pas la semaine prochaine ? précisa-t-il. On pourrait aller dans un restaurant sans chichis, si cela vous convient.

Il ne souhaitait pas lui en mettre plein la vue en l'invitant dans un établissement luxueux. Victoria était une jeune femme aimable, avec qui il était facile de bavarder. Il voulait passer avec elle une vraie soirée, apprendre à la connaître, non pas tenter de l'impressionner. Avant tout, il souhaitait savoir qui elle était vraiment. Jusque-là, ce qu'il avait entendu le charmait. Physiquement, elle lui plaisait aussi beaucoup, malgré son visage contusionné.

Voyant qu'il attendait une réponse, Victoria finit par lâcher :

— Oui, bien sûr, très volontiers.

Elle n'ajouta pas « pourquoi ? ». Elle supposait qu'il recherchait son amitié et qu'il aimait avoir quelqu'un à qui parler. Ce n'était certainement pas une manœuvre pour la courtiser.

— Pourquoi pas mardi ? Lundi, je dois rencontrer mes associés.

— Euh… oui… pas de problème, bafouilla-t-elle, se sentant stupide.

— Pourrais-je avoir votre numéro de téléphone ou votre adresse mail ? s'enquit-il poliment.

Elle les griffonna à la hâte sur un bout de papier et le lui tendit. Il les enregistra immédiatement sur son portable, qu'il glissa ensuite dans sa poche avec le papier.

— Je suis vraiment ravi d'avoir fait votre connaissance, Victoria, dit-il aimablement.

Pendant ce temps, elle s'efforçait d'oublier à quel point elle le trouvait beau… C'était trop perturbant.

— Moi aussi, dit-elle faiblement.

La situation était plutôt bizarre. Il lui plaisait beaucoup, mais elle pensait qu'un homme comme lui n'aurait même pas dû lui adresser la parole. Il aurait dû se trouver avec une superbe créature comme sa propre sœur, laquelle de son côté n'avait pas d'homme dans sa vie. Allez comprendre ! Le monde était vraiment étrange.

Ils se séparèrent devant la salle de sport. Victoria rentra chez elle, cherchant toujours à comprendre pourquoi il l'avait invitée à dîner. Elle en parla aussitôt à Harlan, à qui elle expliqua qu'il cherchait juste à se lier d'amitié avec elle.

— Comment le sais-tu ? lui demanda-t-il d'un air étonné. Il te l'a dit ?

— Bien sûr que non ! Il est bien trop poli pour cela, mais c'est évident. Tu comprendrais, si tu le voyais. On dirait une star de cinéma, un ponte des affaires ou un mannequin dans une pub de *GQ*. Regarde-moi, fit-elle en désignant sa tenue de sport : Maintenant, dis-moi, qui voudrait sortir avec une fille comme moi ?

— Il était en smoking ?

— Très drôle ! Non. Mais les hommes comme lui ne courtisent pas des filles comme moi. C'est une invitation purement amicale, crois-moi, je le sais puisque j'y étais.

— Parfois, les idylles débutent de cette façon, tu ne dois exclure aucune hypothèse. D'ailleurs, je ne suis pas convaincu par tes interprétations. Tu n'en sais fichtrement rien ! Tout ce que tu sais, c'est ce que tes parents t'ont mis dans la tête, à savoir que tu es tellement peu intéressante qu'aucun homme ne voudra jamais de toi. Crois-moi, cette ritournelle résonne si fort dans ta tête que tu n'entends rien d'autre, même quand il est évident que tu te trompes. Je te le dis, si ce type a un brin de cervelle et des yeux pour voir, il sait que tu es intelligente, drôle, gentille, extrêmement brillante, dotée de jambes superbes et qu'il sera l'homme le plus heureux du monde s'il te conquiert. Admettons donc qu'il n'est pas forcément idiot.

— Il ne me fait pas la cour, insista Victoria.

— Je te parie cinq dollars que si, assura Harlan.

— Comment le savoir ? fit-elle, troublée.

— Tu as raison de t'informer, puisque ton radar est visiblement en panne et que tu es incapable de décoder les messages. S'il t'embrasse, c'est clairement le cas. Mais s'il a quelques manières, il ne le fera pas la première fois. Il me fait l'effet d'être plus malin que ça. Tu auras les indices que tu cherches s'il t'invite une seconde fois, si tu sembles l'intéresser, s'il fait des petits gestes, comme te toucher la main, s'il a l'air de se plaire en ta compagnie. Oh, merde, Victoria ! Tu n'as qu'à m'emmener avec toi, je te dirai si c'est un rendez-vous galant !

— Je saurai m'en rendre compte toute seule, dit-elle d'un air guindé, mais je suis sûre du contraire.

— Rappelle-toi que tu me devras cinq dollars s'il répond à l'un des critères que j'ai mentionnés. Et ne triche pas, parce que j'ai besoin du fric.

— Tu peux commencer à te serrer la ceinture, parce que c'est toi qui vas me devoir cinq dollars.

— N'oublie pas ton nouveau nez, plaisanta-t-il. Cela peut faire pencher la balance en ma faveur.

— Je n'y avais pas pensé, répondit-elle en riant. La seconde fois qu'il m'a vue, j'avais le visage contusionné, deux coquarts et pas de maquillage.

Harlan leva les yeux au ciel.

— Seigneur ! Tu as raison, il ne te fait pas du gringue, il est fou amoureux ! Doublons la mise. Je mets dix dollars !

— Tu peux toujours attendre.

Lorsqu'ils sortirent de la cuisine pour regagner leurs chambres, Harlan lui donna une bourrade fraternelle. Victoria avait une pile de copies à corriger. En ce qui concernait Collin White, le mystère serait résolu bien assez tôt. Ils dînaient ensemble cinq jours plus tard. Il ne l'avait pas invitée pendant le week-end et elle se demanda s'il avait une petite amie. Elle espérait que sa mésaventure avec Jack Bailey ne se répéterait pas, mais cela n'avait rien à voir, puisqu'il ne s'agissait que d'une sortie entre amis.

Vu ainsi, c'était bien moins effrayant.

23

Cinq jours plus tard, le mardi où Victoria était censée dîner avec Collin White, elle dut s'acquitter d'une de ces obligations douloureuses qui se présentaient parfois dans son métier. Le père d'un de ses élèves était mort brutalement d'une crise cardiaque survenue sur une piste de ski, dans le New Hampshire. Elle assista à l'enterrement avec le proviseur et quelques enseignants. La famille était accablée, et le plus jeune fils était en terminale avec elle. Les quatre enfants avaient tous fréquenté le lycée Madison. Tout le monde aimait cette famille, ce qui expliquait la présence de plusieurs membres du personnel éducatif. Les éloges funèbres furent particulièrement émouvants, surtout quand chaque enfant se leva pour parler. L'assistance était en larmes. Le cœur de Victoria saignait pour son élève. Après la cérémonie, lorsqu'ils se retrouvèrent tous dans l'appartement familial, situé sur la 5e Avenue, elle le prit dans ses bras et l'embrassa. Elle avait eu dans sa classe son frère aîné ainsi que l'une de ses sœurs. La plus âgée était mariée et mère de deux enfants, mais elle avait elle aussi fait ses études au lycée, avant l'arrivée de Victoria. Leur père étant relativement jeune et en bonne santé, sa mort avait été un choc terrible, particulièrement pour ses enfants.

Attristée, Victoria passa le reste de la journée chez elle, s'efforçant de ne pas trop y penser. Collin vint la prendre en bas de l'immeuble à 19 heures. Lorsqu'elle lui raconta ce qui s'était passé, il lui parla d'un de ses oncles, mort lui aussi brutalement. Cela avait bien sûr été un choc énorme pour la famille, néanmoins c'était selon lui une façon formidable de quitter la vie, en bonne santé et sans douleur. Une remarque que Victoria trouva assez juste.

Le taxi les conduisit à Greenwich Village, où se trouvait le restaurant que Collin appréciait particulièrement, le Waverly Inn. Victoria en avait entendu parler et elle savait qu'il était difficile d'y obtenir une table. L'ambiance y était animée et amusante, la nourriture typiquement américaine et délicieuse. Ils commandèrent des steaks, mais Victoria déclina l'accompagnement, un gratin de pâtes. À la place, elle choisit des épinards.

— Je suis au régime depuis ma naissance, avoua-t-elle. Mes parents et ma sœur sont minces et ils peuvent manger ce qu'ils veulent. Apparemment, j'ai hérité des gènes de mon arrière-grand-mère, qui était « forte », selon leurs propres termes. Je me bats contre mon poids depuis toujours.

Elle trouvait étonnamment facile d'être honnête envers Collin, puisqu'elle ne voyait en lui qu'un ami. Elle flottait dans ses vêtements à présent, si bien qu'elle pouvait parler de ses problèmes de poids sans ressentir la honte et la culpabilité qu'elle éprouvait habituellement. Elle respectait à la lettre son régime depuis des mois et les résultats étaient probants : elle n'était pas loin de la taille 40, qu'elle avait décidé d'atteindre pour le mariage de Grace. Ensuite, il faudrait qu'elle se maintienne à son poids idéal, ce qui serait à peu près aussi facile que de faire des loopings avec un 747 !

— Les gens attachent trop d'importance à leur silhouette, estima Collin. Si on est en bonne santé, pourquoi s'inquiéter de quelques kilos en trop ? De nos jours, certains régimes sont démentiels et on voit sur les couvertures de magazines des jeunes filles de treize ans anorexiques qui finissent à l'hôpital. Aucun homme ne souhaite sortir avec une femme qui a l'air d'arriver tout droit d'un camp de réfugiés. Une vraie femme a des formes, comme vous.

Collin s'exprimait avec une apparente sincérité. Victoria n'avait pas l'impression qu'il cherchait à la flatter. Elle le regarda avec étonnement... Était-il fou, ou bien aimait-il vraiment les femmes rondes ?

Au cours du dîner, ils discutèrent à bâtons rompus de nombreux sujets, comme l'art, la politique, l'histoire, l'architecture, les derniers livres qu'ils avaient lus, la musique qu'ils aimaient, les plats qu'ils détestaient. L'un et l'autre avaient les choux de Bruxelles en horreur. Elle lui raconta comment elle avait expérimenté un régime à base de soupe au chou qui avait été très efficace, jusqu'à ce qu'elle reprenne en un temps record tous les kilos perdus. Lorsqu'ils parlèrent de leurs proches, Victoria lui fit plus de confidences qu'elle n'en avait eu l'intention. Elle lui rapporta que son père lui avait donné le même prénom que la reine Vic-

toria, tant il la trouvait laide, et qu'il trouvait cela
très drôle. Lorsqu'elle lui dit qu'elle avait été le
« gâteau test » et Grace le plat réussi, Collin fut
horrifié.

— Je m'étonne que vous ne la haïssiez pas !

— Ce n'est pas sa faute, c'est la leur. Comme
elle est leur portrait craché, ils la trouvent parfaite.
Je dois admettre qu'elle est ravissante. D'ailleurs,
elle ressemble à votre sœur, en plus petite.

— Peut-être, mais ma sœur n'a pas eu un seul
prétendant depuis un an. J'en conclus que la perfection physique n'est pas un gage de bonheur. Et
les gens qui tiennent de tels propos ne devraient
pas avoir d'enfants, ajouta-t-il gravement.

— C'est vrai, mais cela ne les empêche pas d'en
avoir. N'importe qui a le droit de devenir parent,
qu'il ait les qualifications ou pas, et nombre de
couples ne les ont pas. Quand mon père plaisante
à mon propos, il trouve cela très drôle. Il y a
quelques années, j'ai entrepris une thérapie qui a
duré deux ans. Je suis retournée voir ma psy l'été
dernier. C'est un soutien. Intellectuellement, cela
m'aide à comprendre que c'est mon entourage qui
est défectueux. Même si, au fond de moi, je me
rappelle tout ce que mes parents m'ont dit quand
j'avais cinq, six ou treize ans, et à mon avis, ces
paroles résonnent dans mon esprit pour toujours.
Pour ma part, j'ai essayé de noyer ces voix dans
la crème glacée, et ça n'a pas marché.

Jamais Victoria n'avait été aussi honnête. Elle
appréciait que Collin n'émette aucun jugement sur
son comportement. Il lui plaisait vraiment et, en
dépit de sa mauvaise expérience avec Jack Bailey,
elle espérait qu'il était sincère. Jusqu'à présent, ses

rapports avec les hommes étaient loin d'avoir été satisfaisants.

— J'ai une relation compliquée avec mes parents, moi aussi, avoua-t-il. J'avais un frère qui avait cinq ans de plus que moi et qui représentait à leurs yeux le fils parfait. Athlète parfait, étudiant parfait... bref, Blake était parfait en tout. Diplômé de Harvard, capitaine de l'équipe de foot, étudiant en droit à Yale, premier de la classe. Un enfant fantastique, un copain génial et un frère merveilleux. Il a été tué par un chauffard ivre à Long Island, le week-end du 4 juillet, juste après avoir réussi l'examen du barreau. Bien entendu, il l'a obtenu du premier coup, avec les félicitations du jury. Pour ma part, j'ai dû le repasser deux fois et je me suis maintenu dans la moyenne de la classe. Comparées aux universités de mon frère, Duke et New York n'ont pas ébloui mes parents. Je ne suis pas un athlète, je ne l'ai jamais été. Je m'entretiens, je fais un peu de tennis et de squash, pas plus. Blake était l'enfant prodige. Tout le monde l'aimait. J'ai grandi dans son ombre et, lorsqu'il est mort, pour mes parents le monde s'est arrêté de tourner. Mon père a pris sa retraite et ma mère s'est en quelque sorte fanée. Depuis, personne n'a pu se montrer à la hauteur de mon frère à leurs yeux, et moi moins que les autres. Ma sœur a échappé à leur réprobation, parce que c'est une fille. Je ne fais pas le poids. Blake avait l'intention de se lancer dans la politique, sans doute aurait-il réussi dans cette voie. Avec son charme et son charisme, c'était un personnage à la Kennedy. Je ne suis qu'un gars ordinaire. Il y a quelques années, j'ai vécu avec une femme, mais ça n'a pas marché,

341

si bien que maintenant, ils se demandent ce qui ne va pas chez moi pour que je ne sois pas marié. Pour mes parents, je n'ai jamais été qu'un pis-aller sans aucune des qualités de mon frère. Quand je suis avec eux, j'ai la douloureuse impression que jamais je ne pourrai rivaliser avec lui. Quand il est mort, je sortais tout juste de la fac. Mais sa disparition il y a quatorze ans n'a rien changé : je n'ai jamais cessé de les décevoir.

Si l'enfance de Collin avait sans doute été moins pénible que la sienne, depuis quatorze ans, sa route était semée d'embûches. Victoria lisait dans ses yeux ce sentiment terrible que l'on ne sera jamais à la hauteur de l'amour que l'on attend de ceux qu'on aime le plus... et en définitive de quiconque. Sentiment qu'elle ne connaissait que trop bien.

— Je n'ai pas été aussi courageux que vous, continua Collin. Je n'ai jamais fait de thérapie, alors qu'elle serait probablement nécessaire. Je me suis contenté d'accepter le rôle laissé par mon frère. Pendant un temps, je me suis efforcé d'être lui sans y parvenir. Car je ne suis pas Blake. Je suis moi, ce qui ne suffit pas à mes parents. Ce sont des gens tristes.

Collin ne l'était pas, heureusement, songea Victoria. Mais il avait reçu les mêmes messages toxiques qu'elle, pour des raisons différentes. Et si elle en croyait les livres de développement personnel qu'elle avait lus, il devait ressentir la culpabilité de celui qui est encore en vie.

— J'ai toujours pensé que s'ils avaient fait preuve d'honnêteté, mes parents auraient dû brandir un panneau avec écrit : « Nous ne t'aimons pas », dit-elle avec un large sourire.

Collin se mit à rire, tant cette vision était conforme à ce qu'il avait éprouvé envers ses propres parents. Ils avaient vécu tous deux des expériences similaires, voire concordantes. L'un et l'autre avaient dû lutter pour survivre et rester sains d'esprit.

En fin de soirée, ils avaient tous deux l'impression de s'être découverts mutuellement. Dans le taxi, Collin passa un bras autour de ses épaules, mais il ne tenta pas de l'embrasser, ce qui était un bon point. Elle détestait qu'un homme s'autorise des privautés sous prétexte qu'il vous avait invitée à dîner. Elle ne l'en respecta que davantage. Avant d'arriver au pied de son immeuble, il lui demanda si elle accepterait de dîner une nouvelle fois avec lui. Il ajouta qu'il espérait qu'elle ne regrettait pas qu'il ait abordé des sujets aussi graves lors de leur premier rendez-vous. Mais finalement, c'était la vraie vie et il était soulagé de l'avoir partagée avec quelqu'un qui puisse le comprendre. Victoria le rassura : elle était dans le même état d'esprit et elle accepta une prochaine sortie.

Il lui proposa qu'ils se revoient le samedi suivant, ce qui excluait la théorie d'une petite amie du week-end, à moins qu'il ne la rencontre le vendredi. C'était le cas de Jack, mais Collin n'était pas Jack... Il était génial !

Devant l'ascenseur, il l'embrassa sur la joue, promettant de la rappeler le lendemain. Elle franchit le seuil de l'appartement un grand sourire aux lèvres. En la voyant ainsi, Harlan s'épanouit à son tour.

— Je te dois dix dollars, dit-elle avant qu'il n'ouvre la bouche pour les lui réclamer.

— Qu'est-ce qui te fait croire une chose pareille ?

— Conversation fantastique, soirée super et type génial. Un bras autour de mes épaules pendant le trajet de retour en taxi. A touché ma main deux fois pendant le repas. Se moque que je sois grosse ou non, apprécie les « vraies » femmes. Pour couronner le tout, il m'a invitée à dîner samedi prochain.

Victoria était radieuse. Harlan la prit dans ses bras et l'embrassa avec affection. Il se conduisait constamment ainsi. D'une nature plus réservée et distante, John était moins à l'aise avec les femmes. Il avait eu une mère terrible qui le battait régulièrement.

— Eh bien ! s'exclama finalement Harlan. Je crois plutôt que tu m'en dois cinquante, peut-être même cent. C'est mieux qu'un rancart ! Il a l'air formidable, dis-moi. Tu me le présentes quand ? Avant le mariage, j'espère. Le tien, je veux dire, parce que je me fiche bien de celui de Grace.

Ils se mirent à rire de plus belle et Victoria sortit de son porte-monnaie le billet de dix dollars promis.

Elle avait un rendez-vous galant ! Qui plus est, avec un homme extraordinaire ! Cela valait la peine d'avoir attendu près de trente ans pour le rencontrer, bien qu'il soit encore trop tôt pour augurer de l'avenir. Cela ne mènerait peut-être nulle part et dans le cas contraire, cela pouvait toujours mal se terminer. C'était la vie !

Elle venait de se coucher quand Collin l'appela. Il lui répéta qu'il avait passé une excellente soirée et qu'il avait hâte de la revoir. Elle était exactement dans les mêmes dispositions.

— Faites de beaux rêves, dit-il avant de raccrocher.

Elle y comptait bien.

Le sourire aux lèvres, elle garda un long moment le téléphone dans sa main.

24

La deuxième soirée que Victoria et Collin passèrent ensemble fut encore plus réussie que la première. Ils allèrent dîner dans un restaurant de poissons à Brooklyn. Une grande serviette en papier autour du cou, ils mangèrent des homards, dans une ambiance animée. Leurs échanges étaient toujours aussi agréables et captivants, ils n'éprouvaient aucune difficulté à parler d'eux-mêmes et à se montrer sous leur vrai jour. En semaine, ils se retrouvaient le soir au club de gym. Tout en pédalant, ils parlaient de leur journée sans aucune gêne. En la quittant, Collin la prenait toujours dans ses bras et l'embrassait sur la joue. Il n'allait pas plus loin, ce qui plaisait à Victoria.

Pour leur troisième soirée en tête à tête, il l'emmena voir un ballet, parce qu'elle avait mentionné son amour de la danse. Ils visitèrent une exposition au Metropolitan Museum un dimanche, puis déjeunèrent ensemble. Ils assistèrent un autre jour à la première d'une pièce jouée à Broadway. Victoria était aux anges. Collin trouvait toujours de nouvelles distractions, qu'il choisissait en fonction de ses goûts. Il ne se trompait jamais.

Un jour qu'il lui proposait un autre dîner, Victoria, pour la première fois, le trouva mal à l'aise. En préambule, il la prévint qu'elle n'apprécierait peut-être pas la soirée.

— Mes parents viennent à New York et ça me ferait plaisir que vous fassiez leur connaissance. Malheureusement, le dîner risque de ne pas être très amusant. Ce sont des gens moroses qui parleront de mon frère toute la soirée. Pourtant, j'aimerais beaucoup que vous les rencontriez. Qu'en dites-vous ?

— J'en dis qu'ils doivent être de toute façon bien mieux que les miens, répondit-elle gentiment.

La proposition de Collin la touchait et la flattait à la fois.

Lorsqu'elle rencontra ses parents, elle constata qu'ils correspondaient exactement à la description qu'il en avait faite, et pire encore. Beaux et distingués, ils semblaient intelligents, mais la mère était dépressive et le père brisé par la perte de son fils, cela se voyait à son dos voûté et à son visage exsangue. Leurs existences s'étaient arrêtées et ils avaient perdu leur joie de vivre. On aurait dit qu'ils ne voyaient même pas Collin, seulement le fantôme de son frère. Quel que soit le sujet de conversation, ils revenaient inlassablement à lui. S'ils mentionnaient Collin, c'était pour établir une comparaison peu flatteuse avec son aîné. Collin n'avait aucune chance de trouver grâce à leurs yeux. À leur façon, ils étaient aussi nocifs que ses parents à elle et tout aussi déprimants.

Après qu'ils les eurent déposés devant leur hôtel, Victoria aurait voulu le prendre dans ses bras et guérir toutes ses blessures à force de baisers. Il la devança en l'embrassant pour la première fois. Alors, elle donna libre cours à tous les sentiments qu'elle éprouvait pour lui : sa compassion, sa sympathie et son amour. Si seulement elle pouvait effacer ses années de solitude, lui faire oublier la peine causée par le rejet de ses parents !

Elle l'invita à monter chez elle. Harlan et John étaient déjà couchés. Ils discutèrent longuement de leurs proches et s'embrassèrent tout autant. Victoria trouvait les parents de Collin presque aussi déplaisants que les siens, même si elle leur reconnaissait des excuses, puisqu'ils pleuraient leur fils. Jim et Christine Dawson n'avaient aucune raison particulière de ne pas aimer leur fille aînée. D'un côté comme de l'autre, leurs parents leur avaient témoigné peu d'affection et les avaient cruellement repoussés. Plus grave, ils avaient convaincu leurs enfants qu'ils ne pouvaient inspirer l'amour. Comme bien d'autres, Victoria et Collin en garderaient à jamais des stigmates. Aux yeux de Victoria, c'était sans doute l'un des pires crimes perpétrés par des parents : persuader un enfant qu'il ne méritait pas leur amour et que personne d'autre ne l'aimerait jamais. Cette malédiction avait marqué leurs deux vies de son sceau.

Ce soir-là, ils parvinrent à s'apporter mutuellement l'amour, le réconfort et l'approbation qu'ils méritaient et dont ils avaient besoin depuis si longtemps. Cette soirée constitua un tournant dans leur relation. Dorénavant, Victoria ne raconta plus rien à Harlan de ce qui se passait entre Collin et elle, par loyauté envers lui. Collin en fit autant de son côté. Souhaitant protéger Victoria et leur amour naissant, il n'en parlait à sa sœur que lorsque celle-ci l'appelait. Respectueux l'un envers l'autre, ils se montraient tous deux d'une grande discrétion.

Après le dîner avec les parents de Collin, leur sortie suivante fut décisive. Victoria se sentait un peu sotte d'y attacher autant d'importance et elle se reprochait son âme de midinette, mais Collin devina ce qu'elle souhaitait... Le soir de la Saint-Valentin, il l'invita dans un petit restaurant français romantique à souhait, qui servait une cuisine délicieuse. Le repas fut exquis, mais Victoria modéra son appétit. Ensuite, Collin l'emmena chez lui. Il avait mis du champagne au frais et lui offrit un bracelet en or orné d'un petit cœur de diamant. Lorsqu'elle l'eut au poignet, il l'embrassa et ce fut un moment magique pour l'un comme pour l'autre. Elle fondit dans ses bras. Leurs vêtements disparurent comme par magie, tout comme les années solitaires qu'ils avaient vécues jusqu'à leur rencontre. À la fin de la soirée, ils savaient combien ils s'aimaient et combien ils étaient aimés. Pour la première fois de leur vie, ils avaient le sentiment de mériter cet amour.

À partir de là, leur quotidien prit un tour très agréable. Ils allaient ensemble au restaurant, au pressing, au sport, au cinéma, ils passaient leurs nuits chez elle ou chez lui... au point que leurs deux existences n'en firent plus qu'une. Ni l'un ni l'autre n'auraient jamais rêvé connaître un tel bonheur.

Ce fut Collin qui eut l'idée de partir avec Victoria pendant les vacances de printemps. Victoria n'avait pas envie d'aller à Los Angeles, comme Grace l'en suppliait. Elle savait que sa famille leur gâcherait leurs congés. Collin ferait la connaissance de ses parents bien assez tôt. Elle redoutait cet instant, bien qu'elle en eût parlé plusieurs fois avec sa psychiatre.

— Pourquoi craignez-vous de le présenter à vos parents ? l'interrogea-t-elle un jour.

Les hésitations de sa patiente l'étonnaient, puisque tout allait pour le mieux avec Collin.

— Et si mes parents le persuadent que je ne vaux pas la peine d'être aimée ? lâcha-t-elle d'une traite, affolée.

— Vous pensez vraiment que c'est ce qui va se passer ? demanda la thérapeute en la regardant dans les yeux.

Victoria secoua la tête.

— Non, mais cela reste une possibilité. Ils sont très convaincants.

— Vous vous trompez. La seule personne qu'ils ont convaincue, c'est vous. Ils sont d'autant plus cruels que seul leur propre enfant pouvait les croire. Personne d'autre que vous n'a jamais avalé leurs fables. Et Collin me paraît bien trop intelligent pour entrer dans leur jeu.

— Il l'est, mais j'ai peur de ce qu'ils diront et de la façon dont ils m'humilieront devant lui.

— Ils le feront peut-être, et dans ce cas, je peux vous garantir qu'il n'appréciera pas leurs propos et qu'il les méprisera d'autant plus. Au fait, vous l'avez invité au mariage de votre sœur ?

— Pas encore, car je n'ai pas très envie qu'il me voie dans cette robe horrible, mais je vais le faire.

— Vous pouvez encore persuader votre sœur de vous laisser porter autre chose. Il n'est pas trop tard.

— J'ai déjà essayé, elle n'acceptera jamais. Je n'ai plus qu'à me résigner, mais je suis contrariée à l'idée que Collin me verra attifée de cette façon.

— À mon avis, il ne cessera pas de vous aimer, quelle que soit votre tenue. Cette robe marron n'a aucune importance, en ce qui le concerne.

Le médecin regrettait que Victoria n'affronte pas sa sœur sur cette question de la tenue.

Au lit, l'entente sexuelle entre Collin et Victoria était formidable, même si au début, elle avait été gênée par sa corpulence. Elle avait beau avoir maigri, elle restait toujours plus forte qu'elle ne le souhaitait et elle déplorait ses rondeurs. Comme elle ne voulait pas que Collin la voie, elle éteignait toujours la lumière, courait dans le noir vers la salle de bains ou enfilait un peignoir. Un jour, il parvint à la convaincre qu'il aimait son corps de femme bien en chair, qu'il se délectait de le posséder et qu'il en vénérait chaque centimètre carré. Elle le crut. Dorénavant, chaque fois qu'il la voyait nue, Collin la contemplait comme si elle était une déesse. Avec lui, elle avait l'impression d'être la reine du sexe et une prêtresse de l'amour. Elle n'avait jamais rien connu d'aussi excitant de toute sa vie et dès lors qu'elle comprit ce qu'il ressentait pour elle, ils ne quittèrent quasiment plus le lit de Collin. Jamais elle n'avait eu autant de plaisir et, désormais, son régime ne lui posa plus de problème. Elle mangeait raisonnablement, ne se précipitait plus sur les glaces ou les aliments trop gras et assistait régulièrement aux séances des Weight Watchers. Par-dessus tout, elle aurait voulu crier sur les toits que Collin l'aimait. Finalement, c'était possible... Elle n'aurait jamais cru un tel bonheur à sa portée et Collin éprouvait la même chose. Réchauffé par l'amour, l'estime et l'admiration de Victoria, il rayonnait. C'était ce qui lui avait toujours manqué. Depuis qu'ils étaient ensemble, leur vie était un jardin de roses qui croissaient en toute liberté. Leur amour mutuel était une joie de tous les instants.

Juste avant les vacances de printemps, Victoria fut invitée à une fête en l'honneur de la future naissance du bébé d'Amy Green. Depuis un certain temps déjà, l'adolescente n'assistait plus aux cours. Elle ne retournerait au lycée que lorsque son enfant serait né. Victoria avait trouvé attendrissant de la voir avec son gros ventre et sa mère s'affairant auprès d'elle. Amy paraissait heureuse et les mesures prises par le proviseur s'étaient révélées excellentes. Dans quelques semaines, elle reviendrait pour passer les examens de fin d'année. Acceptée à Harvard et à l'université de New York, elle avait choisi la deuxième solution pour rester auprès de son bébé et de sa mère, qui continuerait à lui apporter son aide. Justin était inscrit à la même faculté. Ces derniers mois, il s'était installé chez la mère d'Amy avec l'accord de ses parents, même si ceux-ci s'étaient montrés réticents au début. Voir ces jeunes gens qui venaient d'avoir dix-huit ans s'efforcer si fort de bien faire était très émouvant. Victoria avait parlé d'eux à Collin, avec qui elle aimait partager ce qu'elle vivait à l'extérieur de leur relation. De son côté, il lui racontait son travail et avait hâte de la présenter à ses amis. Ensemble, ils se sentaient plus forts que séparément. Ils s'enrichissaient mutuellement, chacun nourrissant l'autre de sa personnalité.

Pour les vacances de printemps, Collin lui fit la surprise de louer une merveilleuse bâtisse, située dans le Connecticut. Ravissante et confortable, c'était une ferme qui avait été restaurée avec un goût exquis – elle leur assura toute l'intimité dont ils avaient besoin. L'espace de quelques jours, ils menèrent une vraie vie de couple. La maison était proche d'une bourgade au charme désuet. Ils firent de longues promenades à pied dans les champs alentour, visitèrent aussi la région à cheval, cuisinèrent ensemble et s'aimèrent avec ardeur. Ils furent très tristes de quitter ce petit paradis à la fin de leur congé.

Une semaine après leur retour à New York, Victoria reçut un appel de sa sœur alors qu'elle se trouvait chez Collin. Grace pleurait si fort que sa sœur ne comprenait pas un mot de ce qu'elle disait. Victoria crut d'abord que l'un de leurs parents était mort, ou Harry. Les propos incohérents de Grace ne faisaient que renforcer son inquiétude.

— Calme-toi, Grace, ordonna-t-elle.

Entre deux sanglots, la jeune femme parvint enfin à articuler quelques mots :

— Il… il m'a trompée, dit-elle avant de fondre en larmes de nouveau.

— Comment le sais-tu ?

Intérieurement, elle pensait que ce serait une bénédiction si cette mésaventure empêchait sa sœur d'épouser l'homme qu'il ne fallait pas. Le destin s'en était peut-être mêlé et ce n'était pas une mauvaise chose, même si Grace devait souffrir horriblement.

— Je l'ai vu sortir d'un immeuble avec une femme. Je me rendais en voiture chez Heather pour lui montrer les croquis de ma robe, quand je l'ai aperçu. Il franchissait la porte avec elle et il l'embrassait. Ensuite ils sont montés dans sa voiture et ont démarré. Il m'avait dit qu'il devait voir son père, pour discuter affaires, mais il m'a menti, parvint-elle à expliquer entre deux sanglots. Hier soir, il n'est pas rentré. Il n'a pas décroché quand je l'ai appelé sur son portable.

— Tu es certaine que c'était Harry ?

— Tout à fait. Il ne m'a pas vue. Ma vitre était baissée, si bien que je pouvais même les entendre rire, tant j'étais proche. Je crois l'avoir reconnue, c'est une fille vulgaire qui travaille comme secrétaire au bureau de son père.

Grace sanglotait comme une enfant.

— Tu lui as dit que tu l'avais vu ?

— Oui. Il a répondu que ce n'étaient pas mes affaires, que nous n'étions pas encore mariés et qu'il était libre. Et que si je l'embête avec ça, il annulera le mariage. Il a ajouté que c'est la raison pour laquelle j'ai un aussi gros diamant au doigt, afin que je la ferme et que je lui fiche la paix.

Ces propos ignobles choquèrent Victoria, tout en lui confirmant ce qu'elle pensait déjà de son futur beau-frère.

— Tu ne peux pas l'épouser, Grace. Tu ne peux pas te marier avec un homme qui te traite de cette façon. Sans compter qu'il recommencera.

Collin, qui avait compris la situation, était assis près de Victoria sur le canapé, le visage soucieux. Il n'avait jamais rencontré Grace, mais il était désolé pour elle.

— Je ne sais pas quoi faire, dit Grace d'une toute petite voix.

— Annule le mariage. Tu n'as pas d'autre choix. Tu ne vas pas épouser un homme qui te trompe, qui couche déjà avec d'autres femmes et te dit de la fermer sous prétexte qu'il t'a offert une bague de prix. Il ne te respecte pas.

Collin approuvait de la tête. Ce garçon lui faisait l'effet d'être un minable.

— Je ne veux pas annuler le mariage, sanglota Grace. Je l'aime.

— Tu ne peux pas le laisser te traiter ainsi. Je te propose de venir passer quelques jours à New York, si tu veux, pour en discuter. Tu en as parlé à papa ?

— Oui. Il dit que les hommes se conduisent parfois ainsi, mais qu'il ne faut pas y attacher d'importance.

— N'importe quoi ! Certains individus ne se gênent pas en effet, mais un homme bien ne trompe pas sa femme, s'il l'aime. En tout cas, pas comme cela, avec une bimbo quelconque deux mois avant le mariage. Cela n'augure rien de bon.

— Je sais...

Grace paraissait anéantie et perdue.

— Écoute, je m'occupe de ton billet. Je veux que tu prennes l'avion demain matin.

— D'accord, répondit docilement Grace entre deux hoquets.

Elle pleurait encore lorsqu'elles raccrochèrent. Victoria appela immédiatement la compagnie aérienne, réserva une place et envoya les informations à sa sœur par SMS. Elle était prête à prendre quelques jours de congé pour passer du temps avec

Grace. Dans son esprit, elle ne pouvait pas épouser Harry, c'était désormais hors de question. Lorsqu'elle lui raconta ce qui s'était passé, Collin eut la même réaction :

— Ce n'est que le début. S'il la trompe à présent, il ne s'arrêtera jamais. Il l'a sans doute déjà fait sans qu'elle le sache.

Victoria le pensait aussi. Harry n'avait pas manqué d'occasions, étant donné son milieu, ses voyages en Europe et les soirées entre célibataires auxquelles il participait le week-end. Collin avait raison : si Harry était infidèle, Grace se préparait une vie infernale.

Le lendemain, Victoria attendit une heure décente pour appeler sa sœur entre deux cours. Grace venait de se lever, après avoir pleuré la majeure partie de la nuit. Harry ne l'avait pas appelée et la dernière fois qu'il lui avait parlé, il l'avait de nouveau menacée d'annuler la cérémonie, comme si Grace avait commis une faute en lui racontant ce qu'elle avait vu, soulignant du même coup son inconduite.

— Quitte-le ! lui suggéra Victoria sans ambages.

— Je ne veux pas qu'il annule le mariage ! répliqua Grace, pleurant de plus belle.

Victoria fut prise de panique à l'idée que sa sœur allait quand même épouser son fiancé. Harry ne s'était même pas excusé et il n'avait montré aucun remords, ce qui était très mauvais signe. Il se comportait en garçon gâté, qui n'en fait qu'à sa tête et, pire, il menaçait sa future femme au lieu de se jeter à ses pieds pour obtenir son pardon. S'il l'avait fait, cela aurait déjà constitué un début de réparation, même si ce n'était pas suffisant. En tout cas, certainement pas pour Victoria.

— Prends l'avion, pour que nous puissions en parler de vive voix. Explique à nos parents que tu as envie de me voir. D'ailleurs, je veux que tu fasses la connaissance de Collin.

Le moment n'était pas vraiment propice aux présentations, mais Victoria espérait ainsi convaincre sa sœur à qui elle avait raconté sa rencontre avec Collin.

— Et s'il se fâche encore plus parce que je pars pour New York ? s'inquiéta Grace.

— Tu as perdu la raison ? Je te rappelle qu'il t'a trompée. Si quelqu'un peut se mettre en colère, c'est toi, et non lui !

— Il prétend que je l'espionnais.

— C'est vrai ?

— Non. Non, j'allais seulement chez Heather pour lui montrer les croquis de ma robe, expliqua Grace pour la seconde fois.

— Exactement ! Il dit n'importe quoi. Et en plus, il te trompe. Viens à New York.

Victoria rappela à sa sœur l'heure du décollage. Grace avait amplement le temps de prendre l'avion.

— D'accord. À ce soir.

En raccrochant, Grace ne pleurait plus, mais elle paraissait nerveuse. Victoria lui avait retenu une place dans un avion qui devait atterrir à 20 heures à New York. Victoria projetait de prendre la navette à 19 heures, pour aller la chercher à l'aéroport. Elle était retournée chez elle préparer l'arrivée de sa sœur et changer les draps quand son téléphone sonna, à 18 heures.

En entendant sa voix, elle fut déconcertée.

— Où es-tu ? Tu m'appelles depuis l'avion, ou tu as atterri plus tôt que prévu ?

— Je suis à Los Angeles, répondit Grace qui paraissait à la fois bouleversée et coupable. Harry vient de partir. Il m'a dit qu'il me pardonnait et qu'il n'annulerait pas le mariage si je laissais tomber mes histoires et que je ne recommence plus.

Elle parlait comme un robot et Victoria se sentit devenir dingue :

— À faire quoi ? Être trompée une nouvelle fois ? De quoi parle-t-il ? Qu'est-ce que tu es censée ne pas recommencer ?

En proie à une colère mêlée d'inquiétude, Victoria s'était mise à crier. Harry s'était arrangé pour inverser les rôles en rejetant sur Grace une faute qu'il était le seul à avoir commise.

— Je l'ai espionné et je l'ai accusé de m'avoir trompée, expliqua Grace en pleurant. Il dit que je ne sais pas de quoi je parle, qu'il l'a juste embrassée et que, de toute façon, ce ne sont pas mes putains d'affaires.

— Et c'est ce type que tu veux épouser ? cria Victoria avec désespoir.

— Oui. Je ne veux pas le perdre. Je l'aime.

Il n'y avait aucune allégresse dans sa voix, juste une tristesse infinie.

— Tout ce que tu auras, c'est son nom, s'il te trompe déjà. Mais ce n'est pas tout. Il fait du chantage et te réduit au silence. Il te menace de te quitter si tu insistes, alors que c'est lui qui est en tort. C'est un salaud !

Grace sanglota de plus belle.

— Ça m'est égal, puisque je l'aime !

Soudain, au lieu d'en vouloir à son fiancé, elle était furieuse contre sa sœur parce que celle-ci l'obligeait à affronter une réalité trop effrayante pour elle.

— Il a promis de ne pas me tromper quand nous serons mariés.

— Et tu le crois ?

— Oui ! Il ne me mentirait pas !

— Il vient de le faire, insista Victoria avec l'énergie du désespoir. Il y a deux nuits, il était avec une autre femme. Tu l'as vu. Et il n'est pas rentré à la maison, tu me l'as dit toi-même. C'est cette vie-là que tu veux ?

— Il ne le fera plus. C'est juste que la perspective du mariage l'a rendu nerveux, c'est ce qu'il m'a dit.

— L'appréhension qui précède le mariage ne rend pas les gens infidèles, du moins cela ne devrait pas. Si c'est le cas, il vaut mieux annuler.

— Je me fiche bien de ce que tu dis, rétorqua Grace avec agressivité. Nous nous aimons, nous allons nous marier et il n'est pas infidèle.

Victoria la forçait à regarder la vérité en face, mais elle se débattait pour lui échapper et préférait se laisser berner par les mensonges de Harry.

— Ben voyons ! s'exclama Victoria. C'est un type formidable, cela va sans dire. Il se comporte de façon dégoûtante et c'est toi qui vas en payer le prix.

— C'est faux ! Tout va très bien se passer.

Victoria savait bien que non, même si Grace se refusait à l'entendre.

— Est-ce que tu viens à New York ? insista-t-elle d'une voix sourde.

— Non. Harry ne veut pas, parce que j'ai plein de choses à faire ici et que je lui manquerais trop.

Il ne voulait surtout pas que sa naïve fiancée soit influencée par sa sœur aînée, que son boniment n'abusait pas. Victoria imaginait facilement son raisonnement.

— Je l'aurais parié ! Il souhaite avant tout que tu ne discutes pas avec moi. Fais ce que tu veux, Grace, mais sache que je serai toujours là pour toi.

Tôt ou tard, sa petite sœur aurait besoin d'elle. Cette situation lui brisait le cœur et, en raccrochant, elle ne put s'empêcher de se demander si sa mère avait vécu les mêmes tourments. Peut-être leur père l'avait-il trompée lui aussi, ce qui expliquerait la compréhension dont il faisait preuve vis-à-vis de Harry. Autrement, il aurait privilégié l'intérêt de sa fille, quelle que soit la fortune de son futur gendre. L'argent ne ferait pas le bonheur de Grace, si Harry était infidèle ou malhonnête. Mais Jim appréciait le prestige que lui conférerait une telle alliance.

Victoria envisagea un instant d'appeler son père, mais ce serait une perte de temps. Il ne l'écouterait pas. Ce mariage était trop important pour lui, même si c'était pour de mauvaises raisons. Ses parents et Harry s'entendaient pour que cette union eût lieu, peu importait si elle se soldait par un enfer.

Elle appela Collin pour lui raconter ce qui venait de se passer. Sachant combien Victoria aimait sa sœur, il en fut désolé pour elle. La situation lui semblait assez désastreuse, à lui aussi.

— C'est une honte que tes parents ne fassent pas preuve d'un peu plus d'intelligence, en l'occurrence.

— Ce sont des imbéciles et ils veulent s'allier à la famille de Harry. Quant à Grace, elle se comporte en enfant stupide. Elle croit que si elle perd son fiancé, elle rate l'occasion de sa vie. Sauf qu'un jour, elle sera très malheureuse avec lui.

Collin était d'accord avec elle. Déprimée, Victoria envoya un SMS à Grace pour lui dire qu'elle l'aimait. Elle se garda bien en revanche de lui téléphoner. En dehors de la vérité, elle ne voyait pas très bien ce qu'elle aurait pu lui dire.

Le lendemain, le Dr Watson ne lui fut d'aucun réconfort. Depuis le début, elle s'en tenait au même discours et elle n'en changea pas en apprenant que Harry avait trompé Grace.

— Ce sont ses décisions et sa vie, rappela-t-elle à Victoria. Je pense comme vous qu'il exerce un chantage sur elle, qu'il est dominateur et sans doute malhonnête. Mais c'est à votre sœur de lui tenir tête. C'est à elle de prendre la décision de le quitter si rien ne change. Vous n'avez pas à vous en mêler.

Ces propos catégoriques suscitèrent la colère impuissante de Victoria. Des larmes de rage et de frustration lui montèrent aux yeux.

— Si je comprends bien, je n'ai plus qu'à m'asseoir et attendre ?

— Non. Vous avez votre propre vie à mener. Concentrez-vous sur votre relation avec Collin. En revanche, vous ne pouvez ni ne devez intervenir dans l'existence de votre sœur ou dans ses décisions concernant son mariage. C'est son choix, bon ou mauvais, et quoi que vous en pensiez.

Victoria se crispa d'autant plus que la thérapeute avait raison.

— Elle n'a que vingt-deux ans, elle ne sait rien de la vie et elle a besoin d'être conseillée !

— C'est exact, mais elle ne réclame pas vos conseils. Au contraire, elle vous demande de la lâcher.

Ce discours raisonnable ne fit que renforcer la position de Victoria.

— Afin de pouvoir mieux avaler ses mensonges ?

— Oui, puisque c'est apparemment ce qu'elle souhaite. Cela ne me plaît pas non plus et je déteste ce genre de situation, mais vous avez les mains liées.

— C'est insupportable !

Le mariage de Grace la mettait hors d'elle, mais elle ne voulait pas briser tout lien avec sa sœur et elle savait que c'était possible. Harry l'avait réduite au silence par son chantage. La jeunesse et la détresse de Grace l'y avaient aidé, ainsi que le narcissisme et la vénalité de leur père. Afin de s'en vanter auprès de ses relations, il voulait que sa fille épouse un Wilkes. Grace craignait de perdre Harry et Victoria redoutait qu'elle ne se perdît elle-même, ce qui était bien pire.

Une semaine plus tard, Grace lui infligea un nouveau choc. Elle souhaitait que sa sœur aînée organise à Las Vegas l'enterrement de sa vie de jeune fille. Les dix demoiselles d'honneur devaient y participer, y compris Victoria, à qui cette perspective répugnait. Lorsqu'elle interrogea Grace, cette dernière prétendit que tout allait bien avec son fiancé et elle changea de sujet. Il avait réussi à la faire taire, même quand elle parlait à sa sœur ! Si Grace était soucieuse, elle ne l'admettrait jamais. Tout ce qu'elle attendait de sa sœur c'était d'organiser ce week-end, épouvantable aux yeux de Victoria. Elle ne souhaitait ni s'en occuper ni y être associée, pas plus qu'elle ne voulait entériner ce mariage avec un homme odieux, mais elle n'eut pas le courage de refuser.

— Qui dispose de suffisamment de temps pour y consacrer un week-end ? Les gens ne se contentent-ils pas d'un dîner au restaurant, pour ce genre d'occasions ? demanda-t-elle à Grace.

— Non, c'est ce qui se fait maintenant, répliqua Grace. Harry est parti cinq jours à Saint-Barth avec ses amis, la semaine dernière.

Victoria n'osait imaginer ce qu'ils y avaient fait…

Poussant un profond soupir, elle céda :

— Envoie-moi la liste de ce que tu souhaites et je verrai ce que je peux faire. Mais, franchement, personne d'autre ne peut s'en charger à ma place ? Je travaille, Grace, et je dois en plus compter avec le décalage horaire pour les démarches. Vous vivez toutes sur la côte Ouest et aucune d'entre vous n'a d'emploi.

Les autres demoiselles d'honneur étaient des jeunes filles gâtées, entretenues par leurs parents ou encore à l'université.

— En tant que première demoiselle d'honneur, tu es censée t'en occuper, rétorqua Grace d'une voix têtue.

Aussitôt, Victoria se sentit coupable. Ces temps-ci, leurs relations étaient très tendues.

— Quand veux-tu y aller ? s'enquit-elle avec découragement.

Grace retrouva aussitôt son entrain, sans se soucier du désagrément qu'elle causait à sa sœur.

— En mai.

— D'accord, je m'en charge. Je t'aime, conclut tristement Victoria avant de raccrocher.

Grace avait promis de lui envoyer les noms des invitées et les détails nécessaires à l'organisation du séjour. Elle l'avait informée que leur père réglait tous les frais. Il se mettait en quatre pour ces noces, et Victoria savait qu'il n'aurait rien fait de tel pour elle. Il lui avait bien précisé que si elle trouvait un mari, elle ferait mieux de s'enfuir avec lui, car il ne débourserait pas un sou.

Par bonheur, et en dépit du stress que lui causait le mariage de sa sœur, sa relation avec Collin était toujours au beau fixe. C'est alors que sa mère l'appela pour lui dire qu'ils comptaient passer deux jours à New York, où son père avait à rencontrer un client. Il ne manquait plus que cela ! Pour comble, ils connaissaient désormais l'existence de Collin, elle supposait donc qu'ils voudraient faire sa connaissance. Elle pouvait difficilement ne pas lui en parler, d'autant qu'elle avait elle-même rencontré ses parents. D'avance, elle appréhendait les réflexions que son père allait faire sur elle. Elle aborda la question le soir même.

— Tu veux que nous dînions avec eux ? s'enquit-elle, abattue.

Il l'embrassa en souriant.

— Bien sûr.

— À ce propos, je voudrais te demander quelque chose.

— La réponse est « oui », plaisanta-t-il. Pose-moi la question.

Il se désolait de la savoir aussi anxieuse au sujet de sa sœur ces derniers temps, même si c'était justifié.

— Tu m'accompagneras au mariage de ma sœur ?

— Je commençais à penser que tu ne me le demanderais jamais !

— Les autres demoiselles d'honneur seront superbes, dans la robe choisie par Grace. Toutes... sauf moi. Prépare-toi, car je ne te ferai pas honneur, dit-elle, les larmes aux yeux.

— Je serai fier de toi et fier d'être à ton bras. Même si tu le voulais, tu ne parviendrais pas à t'enlaidir. Pour revenir au sujet de tes parents, quand arrivent-ils ?

— Dans deux jours.

Il était clair que son père allait la ridiculiser devant l'homme qu'elle aimait et lui prouver combien elle était peu digne d'amour. Et si Collin le croyait ? Il ne venait pas à l'esprit de Victoria que ce serait peut-être son père qui se montrerait sous son plus mauvais jour.

Collin, lui, savait exactement pourquoi il l'aimait.

Le lendemain, elle s'occupa du séjour à Las Vegas, bien que le Dr Watson lui eût rappelé qu'elle pouvait encore refuser de s'en charger. Mais elle ne voulait pas décevoir Grace. Elle ne l'avait jamais fait.

Ses parents arrivèrent à New York le jour suivant. Ils étaient descendus au Carlyle et les invitèrent, Collin et elle, à boire un verre au Bemelmans Bar. Ayant prévu d'aller au restaurant avec le client de Jim, ils ne pouvaient dîner avec eux. Victoria s'en réjouit. Son père n'avait pas besoin d'une soirée entière pour la détruire : il en était capable en cinq minutes.

Elle devina immédiatement que Collin lui faisait grande impression. À son visage surpris, elle comprit qu'il se demandait ce qu'un homme comme lui faisait avec sa fille. Elle n'en revenait pas non plus, mais ces quatre derniers mois, il lui avait amplement prouvé que c'était avec elle qu'il voulait vivre.

Pendant une demi-heure, chacun se montra sous son meilleur jour. Soudain, Jim conseilla à Collin de veiller sur l'alimentation de Victoria, pour qu'elle puisse enfiler la robe prévue pour le mariage de sa sœur cadette. Victoria se raidit immédiatement.

— J'ai maigri, papa, et nous faisons du sport tous les jours.

— Je suis certain que vous avez une bonne influence sur elle, répondit Jim en souriant à Collin.

Ce dernier paraissait sur ses gardes, comme s'il attendait ce qui allait venir.

— Mais faites attention aux crèmes glacées, continua Jim avec ce petit rire que Victoria détestait tant.

Ses parents n'avaient pas remarqué qu'elle avait perdu du poids ni qu'elle s'était fait refaire le nez. Elle n'en avait pas non plus parlé à Collin, qui n'avait pas besoin de le savoir. Son père se répandait maintenant en louanges sur Harry, qu'il était ravi d'avoir bientôt pour gendre.

Victoria l'interrompit alors à haute et intelligible voix :

— Il n'est pas le type formidable que tu décris, papa. Il a trompé Grace et tu le sais parfaitement.

L'espace de quelques secondes, son père resta muet de surprise.

— Ce ne sont que des bêtises sans conséquences, rétorqua-t-il avec insouciance. Avant de se marier, tous les garçons se conduisent ainsi, pour se débarrasser de leur stress.

Il adressa un clin d'œil à Collin, qui ne le lui retourna pas.

— Comment peux-tu la laisser épouser un garçon qui la trompe avant les noces ! s'indigna Victoria.

Feignant de ne pas entendre la discussion, sa mère fixait le vide en sirotant sa boisson. Elle n'était plus là.

— Ce ne sont que des malentendus, des petites querelles d'amoureux, j'en suis sûr, insista son père, qui souriait toujours.

Victoria réprima sa colère. Il était inutile de discuter avec lui. Quoi que fasse Harry, son père approuverait ce mariage. Impassible, Collin assistait à la scène. Par son attitude, à la fois aimable et déterminée, il montrait qu'il était du côté de Victoria et de personne d'autre. Son père comprit que, désormais, elle avait un allié. Quiconque l'attaquerait ou la critiquerait aurait dorénavant affaire à lui. Le message était clamé haut et fort, même si aucun mot n'avait été prononcé. Peu après, les parents de Victoria les quittèrent, assurant qu'ils avaient été ravis de faire la connaissance de Collin.

— Ils ont été moins méchants que d'habitude, commenta Victoria.

Ils quittèrent le Carlyle pour regagner leur quartier, main dans la main. L'air était doux. Le seul fait d'avoir vu ses parents avait contrarié Victoria, déjà très tendue par tous les événements des derniers jours, sur lesquels elle n'avait aucune prise.

— Ils ne m'ont pas abusé, dit tranquillement Collin. J'ai bien compris le message que ton père voulait faire passer à travers la robe, le poids et la glace. Il se moque pas mal que Harry trompe ta sœur. Tout ce qu'il veut, c'est qu'elle épouse un garçon fortuné. Il pense que son prestige en sera accru, tout comme mes parents croyaient que les succès de mon frère, dont ils pouvaient se vanter, rehaussaient leur image, alors que mes propres performances n'étaient jamais suffisantes. Je sais exactement comment raisonne ce genre de personne.

Devinant ce qu'elle avait subi toute sa vie et le prix qu'elle avait dû payer, il regardait Victoria avec tendresse tandis qu'ils marchaient côte à côte. Elle semblait malheureuse et mal dans sa peau. Lorsqu'il l'embrassa en chemin, il la sentit tendue et crispée. Comme si elle s'écartait aussi de lui, il le voyait dans ses yeux.

Il l'obligea à s'arrêter.

— Ce sont eux, tes ennemis, pas moi. Je les ai entendus : Tu n'es pas assez bien pour être aimée. Viens là, dit-il en l'attirant dans ses bras.

Plongeant dans les yeux de Victoria, aussi bleus que les siens, il ajouta :

— Je t'aime, tu es adorable et ils sont idiots. Tu me plais exactement comme tu es. Et maintenant, écoute bien ce que je vais te dire et oublie le message qu'ils ont tenté de faire passer. Ce n'est pas le leur, c'est le mien : tu es la femme la plus digne d'amour que j'aie jamais rencontrée.

Alors, il l'embrassa, tandis que des larmes de soulagement coulaient sur les joues de Victoria. Elle sanglota dans ses bras. Il venait de prononcer les mots qu'elle avait espéré entendre toute sa vie, mais que personne ne lui avait jamais dits.

25

Quand Victoria arriva au lycée le lendemain, elle vit dans le hall une énorme grappe de ballons bleus apportée par un jeune. Une grande pancarte était épinglée sur le tableau d'affichage... Amy Green avait donné naissance à un petit garçon. Il pesait trois kilos deux, mesurait cinquante-sept centimètres et s'appelait Stephen Williams. À la fois soulagée et heureuse, Victoria espéra que tout s'était bien passé. Elle était certaine que ses élèves lui en parleraient : ce jour-là, toutes les conversations tournèrent autour de l'événement.

Par la suite, Victoria apprit que Justin avait assisté à la naissance du bébé. La mère et l'enfant se portaient bien et devaient regagner le domicile familial très bientôt. Comme convenu, Amy attendrait encore deux ou trois semaines avant de revenir au lycée. L'administration avait vraiment fait en sorte que tout se passe au mieux pour elle. Victoria projetait de lui rendre visite quand la jeune maman se sentirait en état de la recevoir. Les élèves qui lui avaient donné de ses nouvelles lui assurèrent qu'elle se portait comme un charme et que l'accouchement n'avait pas été trop pénible. Bien que ce ne fût que le début de l'aventure, le jeune couple avait une chance de réussir avec l'aide de la mère d'Amy.

Entre deux cours, Victoria avait passé plusieurs appels téléphoniques pour organiser le séjour à Las Vegas. Elle appela sa sœur durant le week-end pour la tenir au courant de ses démarches. Grace paraissait plus calme que lorsqu'elle avait découvert l'infidélité de Harry. Selon les vœux de son fiancé, sa trahison était passée aux oubliettes. Tout le monde l'avait aidé dans cette entreprise, y compris sa future femme et ses parents. Victoria estimait toujours que c'était une erreur, mais elle s'efforçait de ne plus s'impliquer dans cette affaire. Elle allait chaque jour à la gym avec Collin, non parce qu'il s'inquiétait pour son poids, mais parce qu'il pensait que l'exercice la détendait. C'était efficace, elle se sentait moins anxieuse. Elle aurait préféré de loin un week-end tranquille à Santa Barbara, avec Grace et ses amies. Elles auraient pu descendre au Biltmore ou au San Ysidro Ranch. Mais ces demoiselles étaient jeunes et voulaient s'amuser.

Elle avait réservé au Bellagio. Les filles seraient deux par chambre. Victoria s'était aussi occupée des repas et elle avait acheté des billets pour le Cirque du Soleil. Elle prendrait l'avion à New York le vendredi soir, tandis que les autres décolleraient de Los Angeles. Elles repartiraient le dimanche matin. Elle avait fait son job de première demoiselle d'honneur. De toute évidence ravie, sa sœur s'excusa d'avoir exercé sur elle une telle pression.

Victoria s'efforça de se montrer bonne joueuse, comme elle l'était toujours. Cette fois, elle dut se forcer, car Harry la dégoûtait et elle s'inquiétait pour Grace. Elle avait l'impression de la conduire elle-même au poteau d'exécution, mais c'était ce que sa sœur voulait. Et le Dr Watson avait raison : c'était la vie de Grace, non la sienne.

— J'en ferai autant pour toi, un de ces jours, lança gaiement cette dernière.

Elle semblait de nouveau elle-même. Victoria savait qu'elle était soumise à une énorme pression, entre l'organisation du mariage et Harry, qui tirait toutes les ficelles chaque jour davantage. Afin de lui complaire, il avait fallu modifier un grand nombre de dispositions. Pour leur lune de miel, il comptait emmener sa jeune épouse dans le sud de la France. Ils iraient d'abord à l'Hôtel du Cap-d'Antibes, puis à Saint-Tropez. Il s'agissait de leur voyage de noces, mais il voulait y retrouver des amis…

— J'espère que tu n'organiseras pas un séjour à Las Vegas pour moi, rétorqua Victoria en riant.

— Comment va Collin ?

Grace avait hâte de faire sa connaissance. Elle n'avait pas vu sa sœur aînée depuis Thanksgiving. Jamais elles n'avaient passé autant de temps séparées.

— Il est en pleine forme.

— Il a plu à papa, lui confia Grace.

Victoria en fut surprise. En protecteur vigilant, Collin avait en effet envoyé à leur père un message subliminal puissant. Peut-être ce dernier ne l'avait-il pas capté ou bien faisait-il semblant de ne pas le comprendre.

— Il était surpris qu'il sorte avec toi, continua Grace. Il pense que c'est un homme brillant qui serait mieux assorti à une avocate qu'à une enseignante. Mais il l'a trouvé très bien.

Comme d'habitude, son père avait recours au mépris et au dénigrement : elle n'était pas assez bien pour Collin. Et maintenant, le message passait par Grace. Entre les mains de Harry et de son père, elle n'était qu'une marionnette.

— Il se peut que Collin m'apprécie, répliqua tranquillement Victoria.

Elle était sûre de l'amour de Collin désormais, et c'était un sentiment extraordinaire.

— Maman dit qu'il est très beau.

— C'est vrai et je suis certaine que papa s'en est aussi étonné. Il s'attendait sans doute à ce que je sorte avec un raté comme moi.

— Papa n'est pas aussi méchant. Ne sois pas si dure envers lui.

Grace défendait toujours leur père et Victoria ne souhaitait pas se disputer avec elle à ce sujet. C'était inutile. Jim offrait à sa fille cadette un grand mariage et tout ce qu'elle pouvait désirer. En échange, elle adoptait son parti ainsi que celui de son futur époux. Par ailleurs, Jim était le père qui avait toujours été gentil avec elle et qui la mettait sur un piédestal. De même qu'elle voulait être la servante docile de son mari, Grace se faisait aussi l'interprète de son père. Sa mère et elle avaient cela en commun, maintenant. Victoria avait choisi la direction opposée. C'était un électron libre, défendant des vérités que personne ne voulait entendre. Désormais, c'était Collin son allié, et non Grace. Si elle épousait Harry, ainsi que tout le laissait présager, l'alliance entre les deux sœurs prendrait fin et ne se reformerait jamais. Leur relation d'antan manquait à Victoria, qui bénissait d'autant plus le sort qui lui avait fait rencontrer Collin.

Après avoir exposé à Grace les détails du séjour, elle passa un week-end paisible avec Collin. La semaine suivante, à son grand regret, elle serait à Las Vegas. Ce n'était pas vraiment l'idée qu'elle se faisait d'un voyage d'agrément.

Avant son départ, elle rendit visite à Amy Green et à son adorable bébé. La jeune femme semblait très heureuse. Elle allaitait son fils et projetait de tirer son lait, dès qu'elle retournerait au lycée, pour continuer à le nourrir. Il ne resterait que quelques semaines avant les vacances d'été. Justin se trouvait auprès d'elle, en jeune papa très fier. Pendant qu'Amy bavardait avec Victoria, il avait pris le bébé, qui paraissait minuscule au creux de ses bras. Victoria leur offrit un petit sweater bleu et des chaussons assortis. Amy les mit aussitôt à son fils, comme si elle habillait une poupée. Voir ces tout jeunes gens transformés en parents était étrange. Ils n'étaient eux-mêmes que des enfants, mais ils semblaient mûrs et responsables. Par ailleurs, la maman d'Amy, qui entamait une nouvelle vie après son divorce, était là pour les épauler. De cette façon, le jeune couple bénéficiait de bonnes conditions pour élever son enfant.

Le lendemain, Victoria partit pour Las Vegas après ses cours. Elle avait promis d'appeler Collin, qui savait combien elle redoutait ce séjour. Elle était certaine que les amies de Grace allaient boire beaucoup, jouer et se déchaîner. Aucune d'entre elles n'étant mariée, elles ne se priveraient sans doute pas non plus de faire des conquêtes. Elle se sentait comme l'un des chaperons qui escortaient les jeunes filles pendant les voyages scolaires quand elle était en terminale. En l'occurrence, il s'agissait d'une troupe de gamines de vingt-deux à vingt-trois ans bien décidées à faire les folles. À bientôt trente ans, elle se faisait l'effet d'être la vieille dame du groupe.

En revanche, elle se réjouissait à l'idée de revoir sa sœur. Dès qu'elle arriva, Grace se jeta dans ses bras. Elle examina ensuite le nouveau nez de Victoria avant d'assurer qu'il lui plaisait beaucoup.

Les filles avaient commencé à boire avant son arrivée. Certaines d'entre elles avaient déjà joué sur les machines à sous et gagné un peu d'argent. Après le dîner, elles se baladèrent dans le casino. C'était un monde étrange, aux lumières artificielles violentes, rempli de gens excités. L'argent passait de main en main et des jolies filles vêtues de manière sexy distribuaient gratuitement des boissons. Peu conscientes de ce qui se passait autour d'elles, les amies de Grace adoraient l'atmosphère qui régnait dans ce lieu. Elles avaient déjà découvert que tous les hôtels comportaient des boutiques de luxe et qu'ils étaient fréquentés par de nombreux célibataires, ainsi que le casino.

Victoria, qui était épuisée et s'ennuyait ferme, craignait de devoir passer la soirée avec elles. Elles étaient pour la plupart assez sottes, buvaient trop et flirtaient avec tous les hommes qu'elles rencontraient, Grace excepté. Harry l'appela à plusieurs reprises pendant la soirée pour s'assurer qu'elle se comportait bien. À deux heures du matin, Victoria alla se coucher. Contrairement aux autres, elle avait une chambre pour elle seule. Grace partageait la sienne avec sa meilleure amie. Il était trop tard pour téléphoner à Collin. Elle lui avait envoyé plusieurs SMS auxquels il avait répondu, l'encourageant à tenir bon. Ce week-end avait tout d'un parcours d'endurance mais, en tant que demoiselle d'honneur, elle se sentait obligée d'y participer. Quant à Grace, elle en appréciait visiblement chaque minute. Elle ressemblait davantage à une enfant invitée à Disneyland qu'à une future mariée. La journée suivante fut entièrement occupée par le shopping, le déjeuner, le jeu, les massages, les manucures, les pédicures, la piscine et le dîner au Cirque du Soleil. Après le spectacle, qui fut absolument fabuleux, elles retournèrent au casino, où elles ne virent pas le temps passer, d'autant qu'il n'y avait pas d'horloges. C'était exactement le but des gérants du casino. Quelques jeunes filles y passèrent toute la nuit à s'enivrer, mais pas Grace. À 3 heures du matin, Victoria s'esquiva pour regagner sa chambre.

Le lendemain, elles se retrouvèrent toutes pour un brunch tardif. Victoria embrassa sa sœur et fit ses adieux aux autres jeunes filles. Certaines d'entre elles avaient de sérieuses migraines, mais elles étaient toutes ravies.

— C'était fantastique, la remercia Grace. Je suppose que nous ne nous reverrons pas avant le mariage, dit-elle tristement. Tu me manques énormément.

— Je viendrai quelques jours plus tôt pour t'aider, lui promit Victoria.

Elles s'étreignirent une dernière fois, puis Victoria s'en alla, heureuse de regagner New York.

Le week-end avait été moins terrible qu'elle ne le craignait, mais elle n'y avait pris aucun plaisir.

Un séjour à Las Vegas ne correspondait pas à l'idée qu'elle se faisait d'un divertissement. À plusieurs reprises, Collin lui avait dit combien il était content de ne pas être à sa place. À l'aéroport, dans la salle d'embarquement, elle bavarda avec lui au téléphone. Ils devaient se retrouver chez lui et il lui assura qu'ils se coucheraient tôt. Elle en avait besoin. Le lendemain, elle devait superviser le spectacle annuel des lycéens, une énorme production : ils mettaient en scène la comédie musicale *Annie*, et elle avait promis de donner un coup de main en coulisses pour les décors et les costumes. Un rôle qu'elle avait déjà joué lorsqu'elle était elle-même lycéenne. Elle regrettait d'avoir manqué les répétitions du week-end. Elle était impatiente qu'on lui raconte en détail comment cela s'était passé. D'après ce qu'elle avait vu jusque-là, ce serait grandiose. Le lundi matin, il devait y avoir la générale, la dernière répétition en costumes. Le soir les parents assisteraient à la première. L'une de ses élèves, qui possédait une voix d'une qualité digne de Broadway, était la vedette du spectacle. Collin lui avait promis qu'il tâcherait de venir.

Ce dimanche soir, elle n'avait jamais été aussi heureuse de revoir Collin. Submergée par le soulagement, elle se blottit dans ses bras. Durant ces deux jours, l'anxiété ne l'avait pas quittée. Elle avait eu l'impression d'être en mission spéciale et elle n'avait pas ménagé ses efforts pour que le séjour se déroule au mieux, selon la volonté de sa sœur, mais certaines de ses amies n'étaient pas faciles à satisfaire. C'étaient des jeunes personnes capricieuses, habituées à n'en faire qu'à leur tête. Heureusement, le week-end avait été une réussite.

Après avoir pris leur douche ensemble, Collin et elle se couchèrent. Ils firent l'amour et, cinq minutes plus tard, Victoria dormait. Un sourire attendri aux lèvres, Collin la borda. Elle lui avait beaucoup manqué.

Le lendemain matin, ils se levèrent de bonne heure. Victoria passa à son bureau pour terminer certains dossiers avant de gagner la salle de spectacle pour aider les metteurs en scène. Ils montèrent les décors et les acteurs répétèrent une dernière fois les numéros de chant. À un moment, elle recula pour laisser passer un élément de décor volumineux, ce qui entraîna sa chute. Elle tomba de la scène et se retrouva en contrebas, sur le dos. Elle perdit connaissance pendant une minute, sous les regards affolés des professeurs et des élèves présents. Elle voulut les rassurer, affirmant qu'elle allait bien. Pourtant elle n'en avait pas l'air. D'une pâleur mortelle, elle fut incapable de se relever. Sa jambe, qui formait un angle bizarre avec son corps, lui faisait horriblement mal. Malgré ses protestations, Helen alla chercher l'infirmière et M. Walker. Ils appelèrent les urgences. Quand les ambulanciers la placèrent sur un brancard, Victoria se sentit mortellement embarrassée. Malgré ses efforts, elle n'avait pas réussi à se mettre debout et elle avait une méchante bosse à la tête. Dans l'ambulance, le médecin lui dit qu'elle s'était sans doute cassé la jambe. Elle affirma que c'était impossible puisqu'elle n'était pas tombée de très haut. Helen, qui l'avait accompagnée, ajouta que sa tête avait subi un choc violent. Le médecin prévoyait plusieurs radios et un scanner cérébral.

— Quelle bêtise, cette chute ! s'exclama Victoria d'un air bravache, en dépit de son envie de vomir.

Le médecin lui signala que sa tension était basse. Elle appela alors Collin pour lui raconter ce qui lui était arrivé. Lorsqu'il lui annonça qu'il la rejoignait immédiatement à l'hôpital, elle prétendit que c'était inutile.

— Tu crois sans doute que tu n'en vaux pas la peine, espèce d'andouille, mais je t'aime et j'arrive tout de suite. Une fois à l'hôpital, je saurai bien où te trouver.

Ces paroles eurent le don de la faire pleurer. Jamais elle n'aurait osé lui demander de venir, mais le soutien de Collin apaisait déjà son angoisse.

Il ne tarda pas à la rejoindre au service des urgences. Les radios confirmèrent le diagnostic du médecin urgentiste : Victoria avait la jambe cassée. Par bonheur, il ne s'agissait que d'une simple fracture, qui ne nécessitait pas de passer en salle d'opération, un plâtre suffirait. Victoria apprit aussi qu'elle souffrait d'une petite commotion cérébrale, qui ne requérait que du repos.

— Eh bien, on peut dire que tu as bien travaillé, ce matin ! commenta Collin avec un sourire en coin.

Son inquiétude à l'annonce de l'accident avait fait place au soulagement de la savoir hors de danger. Elle se garda bien de lui en parler, mais elle était ravie de ne pas avoir abîmé son nez tout neuf. Après que les médecins eurent réduit la fracture et posé le plâtre, Collin la ramena chez elle et l'installa confortablement sur le canapé. Il lui apporta un bol de velouté à l'orge et aux champignons et un sandwich au thon. On lui avait dit qu'on lui retirerait le plâtre quatre semaines plus tard, une dizaine de jours avant le mariage de Grace. En attendant, elle devrait s'aider de béquilles pour marcher.

Collin était obligé de retourner dans le centre-ville pour préparer un procès avec ses associés. Il lui promit de revenir dès que possible. Elle le remercia une nouvelle fois, puis il l'embrassa et la quitta très vite. Victoria appela Harlan à son travail pour lui raconter ce qui lui était arrivé.

— Tu es vraiment godiche ! la taquina-t-il.

Victoria ne put s'empêcher de rire, mais elle souffrait. Les médecins l'avaient prévenue qu'elle aurait mal pendant quelques jours. Elle téléphona aussi à Grace, qui lui fit envoyer des fleurs de sa part et de celle de Harry. En rentrant, Harlan lui apporta une pile de magazines. Une heure plus tard, Collin arriva à son tour. Il avait acheté du poulet grillé et des légumes pour tout le monde.

— Désolé, dit-il à Victoria en déposant un baiser sur ses lèvres, je n'ai pas pu rentrer plus tôt. Nous sommes en pleines négociations avec la partie adverse.

La jeune femme avait l'impression d'être une reine entourée de sa cour, pendant qu'ils s'affairaient. Cette nuit-là, Collin resta auprès d'elle. Comme elle souffrait beaucoup, il lui donna des antalgiques et lui massa le dos.

— Tu fais un excellent infirmier, le félicita-t-elle. Je suis désolée… c'est vraiment trop bête !

— Ouais ! Je me doute bien que tu l'as fait exprès, rétorqua-t-il avec un sourire.

Elle regrettait amèrement de ne pas pouvoir assister au spectacle, mais elle avait bien trop mal pour se rendre au lycée. Elle était aussi contrariée de devoir marcher à l'aide de béquilles. Elle n'avait vraiment pas besoin de ça ! Mais si tout se passait bien, on lui retirerait son plâtre avant le mariage de Grace. Sa mère, qui avait tenté de la joindre dans la soirée, lui avait laissé un message sur son répondeur, l'assurant qu'elle était navrée d'apprendre qu'elle avait eu un accident.

Le lendemain, elle boitilla jusqu'au lycée, où ses élèves se portèrent à son secours, qui pour l'aider à porter ses affaires, qui pour lui ouvrir les portes. Helen et Carla firent irruption dans sa classe pour voir si tout se passait bien et Eric Walker vint la saluer. Elle apprit que la représentation d'*Annie* avait eu un franc succès. À la fin de la journée, elle était épuisée et prit un taxi pour rentrer chez elle. Pendant le trajet du retour, elle s'avisa brusquement qu'elle n'allait plus pouvoir faire de sport pendant un mois. La perspective de reprendre du poids la terrifiait. Elle s'était juré qu'au mois de juin, elle aurait perdu treize kilos et dit adieu au célibat. Depuis qu'elle avait rencontré Collin, elle n'avait jamais été aussi heureuse. Avec neuf kilos en moins, elle était superbe, mais elle aurait souhaité en perdre encore quatre avant le mariage. Ce ne serait pas facile si elle passait son temps étendue sur le canapé ou à clopiner avec des béquilles sans pratiquer aucun sport. Elle confia son inquiétude à Harlan dès qu'il rentra de son travail.

— Tu dois juste faire attention à ne pas trop manger, lui dit-il. Oublie les glaces, les cookies, les pizzas, les bagels et le fromage crémeux, surtout si tu bouges très peu.

— Promis, je ferai attention.

Elle ne lui avoua pas que la nuit précédente, quand sa jambe la faisait souffrir, elle avait ressenti une envie urgente de glace. Elle avait résisté et elle était restée à une distance respectueuse du congélateur. En revanche, elle reprit des pâtes au dîner, parce qu'elles étaient vraiment délicieuses. Elle se promit de ne pas recommencer et de ne pas chercher du réconfort dans la nourriture durant le mois à venir. Sinon, elle ressemblerait à un ballon dirigeable le jour du mariage de Grace, prouvant ainsi à son père qu'il avait raison et que son cas était désespéré.

Elle partagea ses craintes avec Collin, qui tint à la rassurer. Il affirma que même si elle prenait quelques kilos, elle les perdrait dès qu'elle se remettrait au sport. Et de toute façon, cela n'avait aucune importance si elle n'y parvenait pas.

— Tu n'as aucune raison de t'inquiéter. Tu es belle comme tout et ce n'est pas très grave si tu fais une taille de plus ou de moins.

— Ça l'est pour moi, dit-elle tristement. Je n'ai pas envie de ressembler à une vache laitière dans cette robe.

— Cette robe, à ce que tu m'en décris, ne semble pas être ton style, et ça n'a rien à voir avec la taille. Je n'arrive pas à t'imaginer en marron, ajouta-t-il prudemment, conscient qu'il n'avait aucune expérience de la mode féminine.

— Tu seras fixé bientôt, hélas, soupira-t-elle.

Son poids était une vraie préoccupation tant elle s'était rêvée mince. Pour le dîner qui aurait lieu la veille de la cérémonie, elle s'était acheté une robe de mousseline bleu pâle, un boléro argenté et des sandales à talons hauts assorties. Une tenue très flatteuse qui l'amincissait, mais son apparence, le jour du mariage, continuait à la préoccuper. Elle savait que ce serait un désastre.

— Après le mariage, nous organiserons une cérémonie solennelle pour brûler cette robe, conclut Collin avec une petite grimace tendre. Je t'aimerais même en toile de sac, alors, cesse de te faire du souci !

Elle lui sourit et ils s'embrassèrent. Ils restèrent chez elle quelques jours, jusqu'à ce que son état se soit amélioré. Ils retournèrent alors s'installer dans l'appartement de Collin, qui était plus proche de son bureau.

Deux semaines après l'accident, il souleva une question capitale, un dimanche après-midi.

— Si nous cherchions un appartement pour vivre ensemble ? Nous pourrions nous en occuper cet été.

Jusqu'à présent, ils faisaient le va-et-vient entre leurs deux foyers. Leur liaison durait maintenant depuis cinq mois et leur amour était si solide qu'ils se sentaient prêts à vivre en couple et à voir comment évoluerait leur relation.

— Qu'est-ce que tu en penses ?

Pour l'instant, il restait chez lui lorsqu'il préparait un procès et travaillait tard. Sinon, il habitait avec Victoria pendant la semaine et elle le rejoignait dans son appartement tous les week-ends ou presque.

— Je pense que c'est une bonne idée, dit-elle sereinement. Une très bonne idée même.

Elle se pencha pour l'embrasser. Il avait apposé sa signature sur son plâtre six fois, Harlan deux et John avait inscrit son nom en rouge. Tous les élèves de l'école l'avaient signé au moins une fois. Helen prétendait que c'était le plâtre le plus décoré de tout New York, et qu'il ressemblait à une véritable œuvre d'art ou à un spécimen de graffiteur.

— Moi aussi. Tu crois que Harlan et John risquent d'en prendre ombrage ?

— Non. Ils ont les moyens de garder l'appartement sans moi, maintenant. Je crois qu'ils apprécieront d'avoir davantage d'espace.

Quelques jours plus tard, ils annoncèrent la nouvelle aux colocataires. Harlan rétorqua qu'il n'était pas surpris. Il s'attendait à quelque chose comme cela, ou à un faire-part de fiançailles, ajouta-t-il en jetant un regard malicieux à Collin. Celui-ci se contenta de sourire en regardant Victoria. Ils n'en avaient pas encore parlé, mais l'idée lui avait traversé l'esprit. Sa sœur avait elle aussi abordé le sujet et elle souhaitait faire la connaissance de Victoria pendant l'été. Ils avaient le temps d'y penser. Pour l'instant, ce qu'ils vivaient leur suffisait pour être heureux. Toute leur existence, ils avaient attendu un tel bonheur et ils en savouraient chaque instant. De son côté, sa sœur venait de rencontrer un médecin qui était veuf et père de deux jeunes enfants âgés de cinq et sept ans. Elle avait confié à Collin qu'ils étaient adorables. La vie faisait son chemin selon son propre dessein. Si on était suffisamment patient, la théorie selon laquelle il y avait un couvercle pour chaque marmite semblait avérée. Victoria y croyait fermement à présent. Ils convinrent donc de chercher un appartement après le mariage de Grace, quand elle n'aurait plus de plâtre et pourrait sillonner la ville. En été, elle serait en vacances et Collin bénéficierait d'une accalmie judiciaire. Elle avait hâte d'y être.

On ôta son plâtre trois jours après la fermeture du lycée. le médecin lui prescrivit des séances de kinésithérapie, car les muscles avaient fondu et son équilibre restait instable même si elle pouvait peser de tout son poids sur sa jambe. Il était hors de question qu'elle ne puisse pas marcher le jour du mariage ! Les médecins étaient confiants, avec une restriction : il lui était interdit de reprendre le sport avant la rééducation.

Sans rien dire à personne, le jour où on lui retira le plâtre, elle alla se peser dans sa salle de bains. Puis elle s'assit sur le rebord de la baignoire et fondit en larmes. Elle avait pourtant fait attention à ce qu'elle mangeait… Sans doute trop peu. Les soirs où elle avait eu mal à la jambe elle avait eu recours à du « réconfort » : plats de pâtes, deux pizzas, une glace de temps à autre, le fromage et les crackers, sans compter la purée de pommes de terre et le délicieux pain de viande que Harlan achetait chez le traiteur. Si l'on ajoutait à cela qu'elle n'avait pas fait de sport pendant cette période d'immobilisation, cela expliquait qu'elle eût repris trois kilos et demi sur les neuf. Si bien qu'au lieu de perdre les treize kilos souhaités, elle devait se contenter de cinq et demi. Elle pourrait sans doute en chasser un ou deux, si elle fournissait des efforts surhumains et faisait une cure de tisane spéciale avant la cérémonie. Du coup, elle paraîtrait encore plus grosse, dans la robe de la demoiselle d'honneur qui ne la mettait de toute façon pas en valeur. Elle pleurait encore quand Collin la rejoignit.

— Que se passe-t-il ? lui demanda-t-il avec inquiétude. Ta jambe te fait souffrir ?

— Non, mais mon derrière, oui, répliqua-t-elle, furieuse contre elle-même. J'ai repris trois kilos et demi, avec cette fichue jambe cassée.

Cet aveu lui coûtait, mais la sollicitude anxieuse qu'elle voyait dans les yeux de Collin l'obligeait à le rassurer.

— Tu les perdras et, d'ailleurs, qu'est-ce que ça peut faire ? Je crois que je vais mettre ta balance à la poubelle. Je ne veux pas que tu sois soumise à sa loi toute ta vie. Tu es magnifique et je t'aime. Quelle importance, si tu prends deux kilos ou si tu en perds dix ? Pour ma part, je m'en fiche royalement.

— Moi pas…

Elle se moucha, toujours assise sur le rebord de la baignoire.

— D'accord, mais en ce cas, fais-le pour toi, pas pour moi. Je me moque de ton poids ou de la taille de tes vêtements.

Elle leva les yeux, souriant à travers ses larmes.

— Comment ai-je pu avoir autant de chance ? Tu es ce qui m'est arrivé de mieux dans une salle de sport !

— Après avoir été malheureux si longtemps, nous méritions tous les deux d'être heureux, répondit Collin en se penchant pour l'embrasser.

— Et d'être aimés, ajouta-t-elle.

Il l'embrassa encore une fois. Elle se leva et il la prit dans ses bras.

— Quand pars-tu pour Los Angeles, à propos ?

Il savait que cela ne tarderait pas, maintenant qu'on lui avait retiré son plâtre. Elle avait le feu vert du médecin.

— Dans deux jours. Je déteste devoir y aller avant toi, soupira-t-elle, mais Grace dit qu'elle a besoin de moi.

— Tiens-toi à l'écart de tes parents, ils mordent !

Victoria ne put s'empêcher de rire, car l'image reflétait bien la réalité.

— C'est un peu comme de nager parmi les requins, continua-t-il. Je ne te rejoindrai pas avant le jeudi qui précède le mariage. J'ai essayé de me libérer plus tôt, mais je dois auparavant en finir avec ma dernière affaire.

— Tout ira très bien, déclara courageusement Victoria, ce qui lui valut un nouveau baiser.

Finalement, Victoria passa le week-end avec lui à New York, et elle partit pour Los Angeles le lundi. Collin devait donc la rejoindre trois jours plus tard. Elle lui assura qu'elle pourrait affronter toute seule sa famille dans l'intervalle... Après tout, elle avait bien dû coexister avec eux pendant près de trente ans.

Grace vint la chercher à l'aéroport et l'emmena chez leurs parents. Toutes les demoiselles d'honneur étaient en ville. Les robes avaient été essayées et retouchées. Elles leur allaient parfaitement. Le traiteur s'occupait du banquet, le fleuriste était prêt à faire ses livraisons. Les fiancés avaient choisi les morceaux de musique qui seraient joués à l'église et engagé un orchestre pour la réception. La jeune fille adorait la robe créée tout spécialement pour elle par Vera Wang. Après avoir coché sa liste de contrôle, Grace se rappela que sa sœur n'avait pas encore essayé sa robe.

— Il faudra que tu l'enfiles dès notre arrivée, dit-elle d'un air soucieux. Tu crois que tu auras besoin de retouches ?

Elle jeta un coup d'œil à Victoria, assise à côté d'elle. Difficile de voir si la silhouette de sa sœur s'était modifiée ou non.

— Non, je n'ai pas maigri, répliqua Victoria d'une voix découragée.

Grace hésita un instant.

— Je craignais que tu n'aies grossi...

Victoria secoua la tête. Ils la considéraient tous comme une montgolfière en perpétuelle ascension. À leurs yeux, elle ne pouvait que s'épaissir. Elle n'avait pas perdu plus de cinq cents grammes, depuis qu'on lui avait enlevé son plâtre. Sans le sport, elle ne pouvait pas faire mieux, même en se privant de glucides.

Elles trouvèrent leur mère en train de cocher la liste des cadeaux de mariage. Transformée en entrepôt, la salle à manger regorgeait de boîtes luxueuses, remplies d'argenterie et de verres en cristal.

Victoria ne revit son père que le soir, car il avait passé la journée au bureau. Il l'embrassa, notant qu'elle paraissait en pleine forme. Dans sa bouche, les expressions *en bonne santé* ou *en pleine forme* étaient synonymes de *plus grosse* et *plus grasse*. Elle le remercia, lui assura qu'il paraissait aller bien, lui aussi, puis gagna une autre pièce. Se rappelant la formule de Collin à propos des requins, elle pensait qu'il valait mieux pour elle se tenir à l'écart.

Elle y parvint pendant trois jours, jusqu'à l'arrivée de Collin. Ce soir-là, les deux familles dînaient ensemble, ce qui était relativement bénin. Le dîner, répétition de celui du grand jour, avait lieu le lendemain, au club des Wilkes. Après le mariage, la réception se tiendrait dans l'immense jardin du club de tennis des Dawson, sous une vaste tente qui avait coûté une fortune. On attendait cinq cent quarante invités.

Le jeudi matin avant l'arrivée de Collin, Victoria demanda une dernière fois à sa sœur si elle était toujours sûre de vouloir épouser Harry. Dans l'affirmative, elle promettait de ne plus jamais lui en parler. Posant sur elle un regard grave, Grace affirma qu'elle était sûre de son choix.

— Tu es heureuse ? insista Victoria.

Sa sœur n'en avait pas l'air. Elle semblait très stressée et quand son fiancé était dans les parages, elle se mettait en quatre pour lui plaire. Si elle l'épousait, elle agirait de cette manière toute sa vie, puisque Harry estimait mériter ce traitement. Cette idée révoltait Victoria.

— Oui, je le suis, affirma Grace.

Victoria hocha la tête en soupirant.

— D'accord. Je te crois. Ton bonheur, c'est tout ce que je veux pour toi. Tu peux dire à Harry qu'à partir de maintenant, s'il te rend malheureuse, je lui botterai personnellement les fesses.

Craignant qu'elle ne parle sérieusement, Grace émit un petit rire nerveux.

— Ça n'arrivera pas, j'en suis certaine ! s'écriat-elle comme si elle tentait de s'en convaincre elle-même.

— J'espère que tu as raison.

Après cela, Victoria n'aborda plus le sujet et elle fut soulagée quand Collin arriva. Harry se donna beaucoup de mal pour l'impressionner et le charmer. Collin se montra poli, mais Victoria devina que le jeune homme lui déplaisait. Elle ne l'aimait pas non plus, mais ils étaient bien obligés de le supporter... pour le meilleur et pour le pire.

La veille du mariage, le dîner, organisé par le traiteur le plus réputé de Los Angeles, fut extravagant. Les personnalités les plus importantes de la ville avaient été invitées. Très aimables, les Wilkes firent tout leur possible pour mettre les Dawson à l'aise et se répandirent en compliments sur Grace. Malgré sa jeunesse, ils estimaient qu'elle ferait une épouse parfaite pour leur fils. À son tour, Jim Dawson chanta les louanges de Harry à n'en plus finir. Pendant le repas, plusieurs discours furent prononcés. Pour la plupart, ils furent mortellement ennuyeux. En tant que première demoiselle d'honneur et sœur aînée de la mariée, Victoria prononcerait quelques mots le lendemain au cours de la cérémonie.

La jeune femme était très belle, dans sa robe de mousseline bleu pâle. Collin la complimenta à plusieurs reprises. Jim avait beaucoup bu, lorsqu'il s'approcha d'eux. Le dîner touchait à sa fin et les convives commençaient à s'éparpiller dans la salle. Il avait sa voix forte et sonore des mauvais jours, celle qu'il adoptait d'ordinaire pour lancer des piques à sa fille aînée. Victoria aurait voulu avertir Collin, mais elle n'en eut pas le temps. Avant qu'elle puisse dire un mot, il se tenait devant eux.

— Eh bien... dit-il à Collin.

Il s'adressait à lui comme s'il avait quatorze ans et sortait pour la première fois avec Victoria.

— Eh bien... on dirait que vous avez fait le bon choix. Victoria est notre tête pensante et Grace, notre beauté. Il est toujours intéressant de s'entourer de femmes intelligentes.

Le requin attaquait pour la première fois, ce soir-là. Jusque-là, il n'avait pas adressé la parole à Collin. Il y allait avoir du sang, et comme d'habitude, ce serait le sien...

Collin passa un bras autour des épaules de Victoria et l'attira vers lui, tout en souriant aimablement à Jim. Elle se sentit entourée de sa force et protégée. Pour une fois dans sa vie, elle était en sécurité. Elle l'était toujours avec lui, tout comme elle était aimée.

— Je suis navré, mais je ne suis pas d'accord avec vous, monsieur, dit-il au père de Victoria.

Ce dernier parut surpris. D'ordinaire, on ne contestait pas ses affirmations, même si elles étaient choquantes, erronées ou insultantes. Personne n'aurait osé.

— À propos des femmes intelligentes ?

— Non, je ne partage pas votre façon de distribuer les rôles entre vos deux filles. Victoria possède la beauté et l'intelligence. Je crois que vous la sous-estimez... Vous ne croyez pas que j'ai raison ?

Le père de Victoria bredouilla quelques mots incompréhensibles avant de hocher la tête. Réprimant un rire, la jeune femme serra en silence les doigts de Collin pour le remercier. Mais Jim n'avait pas l'intention d'en rester là. Il n'aimait pas être contredit ou être remis à sa place, quand il rabaissait sa fille.

Il émit un rire rauque, ce qui était un autre mauvais signe.

— C'est étonnant, comme les gènes sautent les générations, vous ne trouvez pas ? Victoria est le portrait craché de ma grand-mère. Elle l'a toujours été et elle ne nous ressemble en rien. Elle a la charpente, le teint et le nez de mon aïeule.

Il espérait avoir embarrassé sa fille, car il savait combien elle détestait son nez depuis toute petite. C'était une vengeance contre la protection dont l'entourait Collin. Innocemment, ce dernier se pencha pour examiner le nez de Victoria. Il tourna ensuite vers Jim un visage étonné.

— Franchement, je trouve que son nez rappelle exactement celui de sa mère et de sa sœur.

C'était exact, grâce au Dr Schwartz, mais Collin l'ignorait et Victoria rougit. Visiblement contrarié, son père l'observa à son tour et dut admettre intérieurement que Collin avait raison.

— C'est bizarre... J'aurais juré qu'il ressemblait à celui de ma grand-mère, marmonna-t-il. En revanche, Victoria est charpentée comme elle, ajouta-t-il, une lueur mauvaise dans les yeux.

C'était la comparaison qu'elle avait détestée toute son enfance.

— Vous voulez certainement dire qu'elle est grande ? rétorqua Collin en souriant.

— Oui, bien sûr.

Pour la première fois de sa vie, Jim recula. Sans plus de commentaire, il s'écarta pour se perdre parmi la foule. Ses flèches avaient été aussi méchantes que d'habitude, mais cette fois, elles avaient raté leur cible. Il avait compris que Victoria ne s'en souciait plus et surtout, que Collin l'aimait. Plus jamais il ne pourrait se moquer d'elle ou la rabaisser. Victoria laissa échapper un soupir, lorsqu'elle le vit rejoindre sa mère et lui dire qu'il était temps de partir.

— Merci, dit-elle doucement à Collin.

Elle aurait voulu affronter son père elle-même, mais elle n'en avait pas encore le courage. Pour l'instant, le rapport de force ne lui était pas favorable, il le serait peut-être un jour.

Collin la tenait toujours enlacée lorsqu'ils demandèrent au portier de faire chercher leur voiture.

— Je n'arrive pas à croire qu'il puisse raconter autant de foutaises sur toi, dit-il, l'air contrarié. Et qu'est-ce que c'est que cette histoire au sujet de ton nez ?

Victoria éclata de rire, tandis qu'ils attendaient le véhicule et le chauffeur que Collin avait engagé pour la soirée.

— Je me suis fait refaire le nez pendant les vacances de Noël. Ce n'était pas un accident, comme je te l'ai laissé croire.

Elle était un peu gênée de le lui avoir caché par vanité, mais elle ne voulait plus jamais avoir de secret pour lui. Elle était soulagée de lui révéler enfin la vérité.

— Je détestais mon nez, dont mon père ne cessait de se moquer, expliqua-t-elle, alors je me suis fait opérer. Grace est la seule à être au courant. Ma mère et lui n'ont rien remarqué lorsqu'ils sont venus à New York.

L'aveu fit sourire Collin.

— Quand je t'ai rencontrée, tu avais donc subi une rhinoplastie ? Et moi qui pensais que tu avais eu un terrible accident !

— Ce n'était que mon nez tout neuf, dit-elle avec une fierté mêlée de timidité.

Il l'examina un instant avec un sourire en coin. Il avait un peu trop bu, lui aussi, sinon il n'aurait pas remis Jim à sa place de cette façon. Ce n'était pas dans ses habitudes, mais la méchanceté du père à l'égard de sa fille l'avait mis hors de lui.

— C'est un nez très mignon, approuva-t-il. Je l'adore.

— Je crois que tu es ivre, répondit-elle en riant.

Elle avait beaucoup aimé la façon dont il avait subtilement désarçonné son père.

— C'est exact, mais pas tant que ça.

Sur ces mots, il l'embrassa. La voiture arriva à cet instant et ils s'installèrent à l'arrière. Collin était l'hôte de ses parents, aussi serait-il amené à croiser de nouveau son père, mais ils gagnèrent très rapidement la chambre de Victoria dès leur arrivée. Collin était si fatigué qu'il s'endormit en cinq minutes. Victoria resta étendue près de lui quelques instants, puis elle rejoignit Grace dans sa chambre.

Lorsqu'elle passa la tête dans l'embrasure de la porte, Grace était assise sur son lit, l'air perdue. Victoria vint s'asseoir à côté d'elle comme elle le faisait lorsqu'elles étaient enfants.

— Tout va bien ?

— Oui. Je suis un peu nerveuse, à cause de demain. J'ai l'impression qu'en entrant dans sa famille, je vais perdre la mienne.

Victoria n'aurait pas considéré cela comme une perte, mais c'en était une pour sa sœur. Elle la prit dans ses bras.

— En tout cas, tu ne me perdras pas… Jamais !

Grace se serra contre elle sans un mot. Elle semblait sur le point de pleurer, mais elle ne se laissa pas aller. Victoria ne put s'empêcher de penser qu'elle avait peut-être des doutes à propos de

Harry. Elle aurait dû en avoir, mais si c'était le cas, elle ne l'admettrait jamais.

— Le mariage va bien se passer, chuchota-t-elle à l'oreille de sa petite sœur.

Malheureusement, la vie conjugale ne serait pas facile, du moins Victoria le croyait.

— Collin me plaît, dit Grace pour changer de sujet. Il est vraiment sympathique et on voit qu'il t'aime énormément.

C'était facile à deviner. Il prenait soin d'elle, la protégeait et la contemplait comme s'il était l'homme le plus chanceux de la terre.

— Je l'aime énormément aussi, dit Victoria d'un air heureux.

— Vous allez vous marier ?

— Je n'en sais rien, répondit Victoria avec un sourire. Il ne me l'a pas demandé et il est encore trop tôt pour y penser. Cet été, nous allons emménager ensemble.

Ils prenaient leur temps. En revanche, Grace serait une femme mariée dans quelques heures. Sa petite sœur lui semblait trop jeune pour franchir une étape aussi importante, surtout avec Harry, qui allait contrôler sa vie et ses pensées dans leurs moindres détails. Cette idée attristait Victoria, mais c'était ce que Grace disait vouloir, le prix qu'elle était prête à payer pour être avec lui.

— Je suis désolée, pour la robe marron, dit soudain Grace d'une petite voix penaude. J'aurais dû choisir une tenue qui te convienne mieux. Elle me plaisait, mais je ne me suis pas suffisamment préoccupée de toi.

Cet aveu toucha Victoria, qui l'embrassa très fort en guise de pardon.

— Pas de problème. J'en ferai autant avec toi quand je me marierai. Je choisirai quelque chose qui ne t'ira pas.

Elles rirent de bon cœur, puis elles bavardèrent encore quelques minutes. Avant de regagner sa propre chambre, Victoria embrassa Grace une dernière fois. Elle avait le sentiment que son existence ne serait pas facile. Elle aurait de l'argent, certes, mais pas forcément le bonheur. Tout ce que Victoria pouvait souhaiter à présent, c'était que tout irait bien pour sa sœur. Elle ne pouvait faire mieux : chacune était responsable de sa propre vie.

Victoria se glissa dans son lit auprès de Collin. Elle lui sourit, puis elle se blottit contre lui et s'endormit. Pour la première fois de sa vie, elle se sentait en sécurité dans la maison de ses parents.

26

Le matin du mariage, la maison, dès le réveil, se mit à bourdonner comme une ruche. Le petit déjeuner fut disposé dans la cuisine, où chacun se servait à sa guise. Collin et Victoria prirent le leur dans le jardin, pour ne pas déranger les allées et venues. Dans sa chambre, Grace profitait des soins d'une manucure-pédicure. Une coiffeuse devait s'occuper de toutes les femmes de la maison. Victoria, qui ne voulait qu'un chignon sur la nuque, passa en premier.

La cérémonie devait avoir lieu à 19 heures, mais les gens ne cessèrent d'entrer et de sortir toute la journée. Les demoiselles d'honneur se présentèrent à l'heure du déjeuner, empêchant Victoria d'approcher sa sœur. Décidant de les laisser entre elles, elle voulut aider sa mère. Mais les moindres détails semblaient déjà avoir été pris en compte. La robe de la mariée était étalée sur le lit de Christine. Jim devait se préparer dans la chambre d'amis. Tout le monde avait quelque chose à faire. Le téléphone n'arrêtait pas de sonner et les livreurs se succédaient à la porte. Collin proposa ses services en tant que standardiste et portier. Le père de Victoria disparut pendant un certain temps, mais lorsqu'elle le revit, il ne lui adressa pas un mot, pas plus qu'à Collin. À la grande satisfaction de la jeune femme, il avait reçu une bonne leçon la veille. Il était plus que temps, et Collin s'était chargé de la lui donner avec élégance et finesse. Maintenant qu'elle était sous sa protection, son père y réfléchirait à deux fois, avant de s'en prendre à elle.

À 17 heures, le compte à rebours commença. Grace fut coiffée après toutes les demoiselles d'honneur. Ces dernières enfilèrent leurs robes. Victoria inspira un grand coup avant de passer la sienne. L'une de ses compagnes remonta la fermeture, pendant qu'une autre maintenait les pans rapprochés. Elles faillirent ne pas y parvenir, tant la robe la moulait. Victoria retenait son souffle, mais elle n'osa pas se regarder dans la glace. Elle n'en avait pas besoin pour savoir à quoi elle ressemblait. Elle avait beau avoir maigri, c'était à peine si elle pouvait respirer. Horriblement comprimés, ses seins menaçaient de jaillir hors du bustier sans bretelles. Elle savait combien cette tenue était peu seyante, pourtant elle ne s'en souciait guère. Ce n'était pas important, puisque Collin l'aimait. Lorsqu'elle enfila ses escarpins de satin brun à talons hauts, elle parut soudain très grande... mais elle avait de l'allure. Cette année, elle avait acquis un équilibre intérieur qui n'était pas seulement dû à la présence de Collin dans sa vie. Elle avait fourni beaucoup d'efforts, pour échapper au passé et à ses ravages. Collin n'était apparu que parce qu'elle était prête à le rencontrer. Elle avait évolué et il était arrivé... mais ce n'était pas sa venue qui l'avait fait changer. Soudain, elle se sentit sûre d'elle, même dans cette robe qui ne lui allait pas. Irradiant d'une lumière intérieure, elle était belle. Après avoir rajouté un peu de blush sur ses joues, la couleur marron n'offrit plus un contraste aussi déplaisant avec sa peau claire.

Lorsqu'elle rejoignit sa sœur, sa mère était en train de l'aider à enfiler sa robe de dentelle blanche. Celle de Christine était en taffetas grège. La veste assortie lui conférait une élégance pleine de modestie. Parfois, Victoria oubliait qu'elle était encore belle. À la minute où la robe blanche glissa le long du corps menu de Grace, elle ressembla à une princesse. À son doigt, la bague de fiançailles étincelait comme un phare, ainsi que les boucles d'oreilles en diamant que Harry lui avait offertes. En guise de cadeau de mariage, sa future belle-mère y avait adjoint un collier de perles dont le fermoir était aussi en diamant. Elle semblait trop jeune pour arborer tous ces bijoux. Cela rappela à Victoria le temps où, enfants, elles s'amusaient à se déguiser. Toutefois Grace était ravissante, image même de la parfaite jeune mariée, et quand leur père entra dans la pièce, un instant plus tard, il se mit à pleurer, tant cette vision l'émouvait. Elle avait toujours été son bébé et elle ne cesserait jamais de l'être. Elle était aussi celui de Victoria. Regardant autour d'elle, Grace sembla sur le point de fondre en larmes, mais sa mère la supplia de ne pas gâter son maquillage. Il semblait à Grace qu'elle quittait sa famille pour s'aventurer dans le monde, sur des mers inconnues. C'était une perspective effrayante, surtout pour une fille aussi jeune. Dans cette robe, elle semblait vulnérable, fragile et enfantine, tandis que sa mère fixait le voile sur sa tête.

Victoria et Christine l'aidèrent à descendre l'escalier, soulevant sa traîne. Ensuite, elle s'installa avec son père dans la limousine qui allait l'emmener jusqu'à l'église où elle épouserait Harry. Jim semblait absolument bouleversé et, quand la voiture s'éloigna, Grace se pencha vers lui pour l'embrasser. Elle avait un père que Victoria n'avait jamais eu et qu'elle aurait aimé avoir. Aujourd'hui, Collin le remplaçait avantageusement.

Collin était déjà parti en avant. Victoria monta à son tour avec sa mère dans une autre voiture.

À l'église, tout se déroula comme prévu. Harry attendait devant l'autel. Les demoiselles d'honneur précédaient Grace, vêtues de leurs belles robes marron. Victoria se trouvait juste devant sa sœur. Lorsqu'elle passa devant Collin, leurs regards se croisèrent. Il paraissait fier d'elle. Au bras de sa fille, Jim remontait l'allée centrale à petits pas.

Après qu'ils eurent échangé leurs vœux, Harry passa l'alliance de diamant au doigt de Grace et ils furent déclarés mari et femme. Lorsque les deux époux s'embrassèrent, Victoria se mit à pleurer. Un instant plus tard, les mariés se dirigeaient vers la porte de l'église, rayonnants. C'était enfin terminé... Ce mariage qui les avait tous rendus fous pendant un an était derrière eux. La réception fut aussi impressionnante que leurs parents l'avaient souhaité et que Grace l'avait rêvé. Après avoir accueilli ses invités et enduré les flashes des photographes, Grace vint embrasser sa grande sœur. Elle avait besoin de passer un instant avec elle.

— Je veux juste te dire que je t'aime. Merci pour ce que tu as fait pour moi toute ma vie. Tu as toujours pris soin de moi, même quand je me comportais en sale gosse ou en imbécile… merci… je t'aime… tu es la meilleure sœur du monde entier.

— Toi aussi, et je serai toujours là pour toi. Je t'aime, mon bébé… et j'espère que tu seras heureuse.

— Moi aussi, souffla Grace.

Elle s'exprimait avec moins de conviction que Victoria ne l'aurait voulu. Mais si cela ne marchait pas, elles affronteraient la situation ensemble et elles sauraient quoi faire. On a beau s'y efforcer, on est dans l'impossibilité de prédire l'avenir.

Collin s'assit à la même table que Victoria, avec tous les garçons et demoiselles d'honneur. Après que Victoria eut prononcé son petit discours, tout le monde applaudit. Collin et elle dansèrent toute la nuit. Suivant la tradition, les mariés coupèrent le gâteau. Victoria dansa même avec son père, très beau et digne, dans son smoking noir. Pour une fois, il ne fit aucun commentaire désagréable à son encontre… Ils tournèrent juste sur la piste, puis il la ramena à Collin. C'était un beau mariage et Grace était exquise. Victoria constatait avec plaisir que les deux jeunes mariés paraissaient heureux, en tout cas ce soir-là. Avec un peu de chance, leur union durerait toujours, mais personne ne pouvait l'affirmer avec certitude. Il revenait à chacun de faire de son mieux pour trouver le bonheur.

Elle dansait avec Collin, lorsqu'on annonça que Grace allait jeter son bouquet de mariée. Toutes les femmes célibataires étaient invitées à se réunir sur la piste, pendant que Grace grimpait sur une chaise. Comme Victoria s'apprêtait à rejoindre les autres, sa mère vint vers elle et lui adressa un regard réprobateur.

— Elles sont plus jeunes que toi, ma chérie, et elles se marieront toutes un jour, mais rien n'est moins sûr, en ce qui te concerne. Alors... laisse-les donc attraper ce bouquet !

En une seule phrase, sa mère venait d'écarter la possibilité que Collin et elle se marient un jour. Non seulement elle était condamnée à rester vieille fille, mais elle ne méritait pas le bouquet. Une nouvelle fois, on lui rappelait qu'elle était indigne d'attention... indigne d'être aimée. Grace fit signe à sa sœur de venir au premier rang, mais Victoria resta en retrait, tant le message de sa mère avait été virulent. Collin avait vu Christine adresser quelques mots à Victoria. Trop loin pour saisir l'échange, il devina néanmoins sans peine qu'elle était anéantie. Il la vit s'effondrer intérieurement, tandis qu'elle se tenait à l'arrière, les bras le long du corps. Prête à lancer le bouquet, Grace cherchait sa sœur aînée des yeux. À la façon d'un joueur de base-ball, elle calcula la trajectoire de son tir. Tel un missile, le bouquet vola au-dessus des têtes pour parvenir jusqu'à Victoria. Pétrifiée par les paroles de sa mère, celle-ci semblait incapable de lever le bras. Grace et Collin la fixaient avec intensité, dans l'espoir qu'elle allait le faire. Elle n'avait qu'à tendre la main pour l'attraper, si seulement elle pouvait croire qu'elle le méritait.

Percevant la douleur qui la transperçait, Collin cria les mots qui reflétaient sa pensée :

— Tu es digne d'être aimée !

Elle ne pouvait pas l'entendre, pourtant un sourire illumina son visage et elle s'empara du bouquet. Tandis qu'elle le brandissait au-dessus de sa tête, tout le monde se mit à applaudir, Collin plus bruyamment que les autres. À cet instant, Victoria le regarda. Levant les deux mains en l'air, il lui adressa deux grands V de victoire. Au même moment, Harry souleva sa femme dans ses bras et l'emmena à l'étage, pour qu'ils se changent. Ils partaient pour Paris dans l'avion privé de son père cette nuit même.

Collin se fraya un chemin parmi la foule pour arriver jusqu'à Victoria, qui lui adressa un sourire radieux dès qu'elle le vit. Il ignorait ce que sa mère lui avait dit et il ne souhaitait pas le savoir, mais c'étaient évidemment des paroles blessantes. Dorénavant, il la protégerait à jamais contre ces attaques. Elle tenait encore le bouquet.

— Un de ces jours, nous en ferons bon usage, lui dit-il gentiment en le lui ôtant des mains.

Il le posa sur leur table, puis il l'entraîna sur la piste de danse et la prit dans ses bras. Victoria était belle, elle l'avait toujours été. Simplement, à la différence d'aujourd'hui, elle ne le savait pas.

Et lorsqu'elle le regarda, elle sut aussi à quel point elle était aimée.

Vous avez aimé ce livre ?
Vous souhaitez en savoir plus sur Danielle STEEL ?
Devenez, gratuitement et sans engagement, membre du
CLUB DES AMIS DE DANIELLE STEEL
et recevez une photo en couleurs dédicacée.

Pour cela il suffit de vous inscrire sur le site
www.danielle-steel.fr
ou de nous renvoyer ce bon accompagné d'une enveloppe
timbrée à vos noms et adresse au
Club des Amis de Danielle Steel
– 12, avenue d'Italie – 75627 PARIS CEDEX 13

Monsieur – Madame – Mademoiselle

NOM :
PRÉNOM :
ADRESSE :

CODE POSTAL :
VILLE :
Pays :

E-mail :
Téléphone :
Date de naissance :
Profession :

La liste de tous les romans de Danielle Steel disponibles
chez Pocket se trouve au début de cet ouvrage. Si un ou
plusieurs titres vous manquent, commandez-les à votre
libraire.

Composé par Nord Compo
à Villeneuve-d'Ascq (Nord)

Imprimé en Espagne par
Liberduplex
à Barcelone
en août 2012

POCKET – 12, avenue d'Italie – 75627 Paris cedex 13

Dépôt légal : septembre 2012
S22920/01